Mit seinem ersten Roman »My Search for Warren Harding« erwies sich Robert Plunket als einer der vielversprechendsten amerikanischen Autoren. Er lebt in Sarasota, Florida, und arbeitet als Klatschkolumnist.

Deutsche Erstausgabe Juni 1994
© 1994 für die deutschsprachige Ausgabe
Droemersche Verlagsanstalt Th. Knaur Nachf., München
Titel der Originalausgabe »Love Junkie«
© 1992 Robert Plunket
Originalverlag HarperCollins, New York
Umschlaggestaltung: Andrea Schmidt, München
Satz: Hans Buchwieser Satz- und Druck-Service GmbH, München
Druck und Bindung: Elsnerdruck, Berlin
Printed in Germany
ISBN 3-426-60215-6

2   4   5   3   1

# Robert Plunket

# Love Junkie

Roman

Aus dem Amerikanischen
von Gerlinde Schermer-Rauwolf
und Robert Weiß
(Kollektiv Druck-Reif)

*Für Robert Rosecrans*

# Erster Teil

# Tom

# Kapitel Eins

Die Herzogin von Windsor beginnt *ihre*
Memoiren mit der Frage: »Steht unser
Schicksal in den Sternen, oder haben
wir es selbst in der Hand?«, und ich glaube, ich könnte
es nicht besser formulieren. Sie wie ich führten sozusagen
»ein gewöhnliches Leben, das außergewöhnlich wurde«.
Wir haben beide unseren Prinzen bekommen – sie den des
Vereinigten Königreichs, ich den der Pornoindustrie.
Aber warum ausgerechnet wir?

Manchmal, wenn ich in meiner wunderschönen neuen
Wohnung sitze, mit ihrem herrlichen Blick über den Fluß,
dann kehren meine Gedanken zu jenem Augenblick
zurück, als alles angefangen hat – zu dem Moment, als der
Stein ins Rollen geriet. Es war im März 1981. Oder war es
1982? Seltsam, ich kann mich nicht mehr genau daran erinnern. Sicher weiß ich nur eins: Es kommt mir vor, als
wären seither ein paar Millionen Lichtjahre vergangen.

Ich gab eine Party für Mrs. John D. Rockefeller III. und war
– verständlicherweise – ziemlich nervös. Nie werde ich
vergessen, wie ich die Haustür öffnete und Mrs. R. leibhaf-
tig vor mir stand. Ich erkannte sie sofort; sie sah genauso
aus wie auf den Fotos in *Women's Wear Daily*. Ein bißchen
durchnäßt vielleicht, denn es goß in Strömen, und für den
Abend war Sturm angesagt. (Ich hatte den Wetterbericht
gehört.) Der junge Mann, der Mrs. Rockefeller hergefah-
ren hatte, kämpfte mit einem Regenschirm, den der Wind
umgestülpt hatte. Aber sie war es. Sie stand tatsächlich
vor meiner Tür.

Für jede Gastgeberin hätte dies den Höhepunkt ihrer gesellschaftlichen Karriere bedeutet, und ich war da keine

Ausnahme. Eigenartigerweise habe ich jedoch immer gewußt, daß einmal etwas Derartiges geschehen würde. Schon als Kind war ich anders gewesen als die anderen. Zum Glück hatte ich das, was meine Großmutter eine »gute Kinderstube« zu nennen pflegte. Mein Stiefvater war Astronomieprofessor am Texas Tech in Lubbock, bis er infolge einer »Palastrevolution« am Physikalischen Institut 1972 vorzeitig in den Ruhestand gehen mußte. Und die Familie meiner Mutter, die Kenners, sind schon seit Generationen angesehene Mitglieder der sozial wie auch finanziell gehobenen Kreise in Derwent, Oklahoma, wo sie ein Busunternehmen besitzen. Mein Großonkel war Horace Turville McCoy, von dem Sie wahrscheinlich noch nie gehört haben, wenn Sie nicht gerade Jurist sind. Aber wenn Sie Jurist sind, kennen Sie ihn bestimmt – er war der berühmte Anwalt und Steuerberater, der die Art und Weise, wie Testamente verfaßt werden, von Grund auf erneuert hat. Trotzdem überfiel mich ein Prickeln, als Mrs. Rockefeller sich ihre erstaunlich großen Füße auf meiner Türmatte abtrat und sagte: »Nett, daß Sie mich eingeladen haben.«

Außer mir und meinem Mann Boyce bestand unser kleines Empfangskomitee aus Roger und Gretchen Schiller, die in unserer Straße wohnen. Ihnen haben wir unseren Kontakt zum Kulturamt überhaupt zu verdanken. Roger arbeitet als Anwalt für die Rockefeller-Brothers, und Gretchen und Mrs. Rockefeller sind per Du. Ganz bestimmt merkte man uns die Nervosität an, und wir alle buhlten um die Ehre, Mrs. R. aus dem Burberry zu helfen (der, offen gesagt, dringend in die Reinigung gehört hätte). Roger gewann; er riß ihr den Mantel förmlich von den Schultern und enthüllte ein maßgeschneidertes Kostüm aus Wedgwood-blauem Wollstoff, mit Schlaufenverschlüssen und einem Mandarinkragen ... sehr hübsch, hervorragend verarbeitet, aber ein wenig zu sehr für den Nachmittag gedacht, wenn man in Betracht zog, mit welchen erlesenen Köstlichkeiten ich aufzuwarten gedachte. Immer wenn ich mir ihre Ankunft ausgemalt hatte – und das war ziemlich häufig gewesen –, schwebte mir vor Augen, wie sie im Fernsehen erschienen war, als sie einen Ehren-Oscar für die Erhaltung von Nitratfilmen in einem dunkelblauen Molly Parnis entgegennahm.

Wenn jemand zum erstenmal mein Wohnzimmer betritt, sagt er (oder sie) meistens etwas wie: »Oh, das ist ja hinreißend!« oder: »So was habe ich noch nie gesehen!« Zugeben, der Raum hat wirklich etwas ganz Besonderes. »Eklektische Eleganz« nenne ich den Stil. Und er hatte nie besser gewirkt als an jenem Abend. Sogar sein Duft war hinreißend, denn ich hatte erst vor ein paar Minuten die Glühbirnen mit Patschuli-Öl beträufelt. Überall standen Blumen: Die Kaminecke zierten anmutige weiße Gartenlilien, auf der Hepplewhite-Kommode stand ein riesiges Bouquet. Im offenen Kamin knisterte ein munteres Feuer, das nur ein klein wenig qualmte und seinen heimeligen Schein auf die silbernen Bilderrahmen warf, die auf dem Couchtisch standen. Ich weiß, normalerweise stellt man die silbernen Bilderrahmen aufs Klavier, aber wir haben keines, und außerdem: »Regeln sind dazu da, daß man sie bricht!« Das ist und bleibt mein Motto.

Die meisten Fotos zeigen unseren Hund Baby (ein Brüsseler Griffon, den wir an diesem Abend auf den Speicher gesperrt hatten). Da wir keine Kinder haben, gibt's auch keine Kinderbilder. Und meine Mutter und mein Stiefvater sind trotz ihrer gesellschaftlichen Stellung in Lubbock kein sonderlich fotogenes Paar (irgendwie hängt das mit der Brille meiner Mutter zusammen). Nun ja, und was Boyce' verwitwete Mutter betrifft … all unsere Fotos von

9

dieser tapferen, immer optimistischen Frau waren vor ihrem großen Wohnmobil in Enchanted Acres bei Oneco, Florida, aufgenommen und deshalb nicht recht geeignet. Der schönste Rahmen auf dem Tisch war der, den ich in dem Kramladen beim Lawrence-Krankenhaus für achtzehn Dollar erstanden hatte. Er war aus Gold und Malachit, und es steckte ein Foto von einem sehr distinguiert aussehenden älteren Paar darin, aufgenommen etwa 1935 in einem Garten in Neuengland. Ich hatte alles Erdenkliche versucht, um es aus dem Rahmen zu holen – ohne Erfolg. Schließlich ließ ich es einfach drin.

Ich hoffte auf eine Bemerkung von Mrs. Rockefeller, auf ein paar anerkennende Worte, ein kleines Kompliment. Aber auf das, was tatsächlich geschah, war ich nicht gefaßt. Sie hielt inne und blieb wie angewurzelt in der Tür stehen. Gott sei Dank machten auch die anderen rechtzeitig hinter ihr halt, sonst wäre es zu einer Massenkarambolage gekommen.

Während der drei Sekunden, die sie brauchte, um das Zimmer in Augenschein zu nehmen, beobachtete ich ihr Gesicht. Ihr Kopf blieb unbeweglich, nur die Augen wanderten hin und her.

Sie glitten von den Louis-quatorze-Fauteuils mit der originalgetreu abblätternden Goldfarbe zu meiner antiken koreanischen Vitrine, weiter zu dem kleinen Nippes-Glasschränkchen, in dem einst ein Schönheitssalon seine Gerätschaften zum Sterilmachen aufbewahrt hatte, das inzwischen aber meine Sammlung von »Objekten« aus Schildpattimitat enthielt (Kämme, Fingerhüte, Döschen und eine äußerst ungewöhnliche Augenbadewanne). Dann glitt ihr Blick über all die kleinen Tischchen, die ich so liebe, schweifte, blieb einen Sekundenbruchteil an den Kissen auf der Fensterbank (Scalamandré) hängen und ruhte schließlich auf dem Andy-Warhol-Poster über dem Kaminsims. Das hat noch jeden Gast beeindruckt, dieses Poster. Es widerspricht jeder Konvention, wenn im Wohnzimmer ein großes Bild hängt, auf dem eine Kuh zu sehen ist.

»Wie originell!« rief Mrs. R. »Was für ein reizendes Zuhause.« Sie wandte sich zu mir um und nahm meine Hände. »Und Sie sind sehr, sehr mutig.«

»Die Überschuhe, Blanchette«, meldete sich der junge Mann, der sie begleitet hatte. (Er hieß Potts.) Mrs. R. setzte sich aufs Sofa und zog ihre Gummiüberschuhe aus, während wir alle um sie herumschwirrten, jederzeit bereit, ihr im Bedarfsfall behilflich zu sein. Dann informierten Gretchen und Roger sie über die Gästeliste. Mrs. R. kam prinzipiell etwas früher, um sich zu sammeln und »die Lage zu peilen«, wie sie sich ausdrückte. Aber ich konnte nur an eines denken: Blancette Rockefeller, die Witwe von John D. III., Präsidentin des Museum of Modern Art, mag mein Wohnzimmer! Sie findet es »originell«. Und »mutig« noch dazu. Die Zeit schien stillzustehen. Die Gesprächsfetzen waren nur ein Rauschen in meinen Ohren; eine angenehme Wärme durchströmte meinen Körper. Vielleicht weiß der eine oder andere von Ihnen, was ich meine.

Ich betrachtete sie, wie sie auf der Couch (meiner Couch!) saß. Die aufrechte Haltung. Die klassische Frisur mit dem bläulichen Schimmer. Die dezenten Ohrringe (Gold mit weißem Emaille). Ihre Ausstrahlung war einzigartig. Uralter Geldadel und jenes unerschütterliche Selbstvertrauen, das damit einhergeht. Ich hatte ein wenig nachgeforscht und herausgefunden, daß ihr Mädchenname Hooker war; ihr Vater war ein Hooker von den Chemical Hookers. (Paul Mellon hat übrigens auch eine Hooker geheiratet.)

Wer weiß … darf ich es wagen, auch nur daran zu denken? … vielleicht werden wir gute Bekannte … vielleicht sogar mehr als gute Bekannte … Warum nicht? Es passierten schließlich noch ganz andere Dinge. Mein Leben lang hatte ich auf jemanden wie sie gewartet – eine Mentorin! Sie würde mich unter ihre Fittiche nehmen und mir alles Wichtige beibringen. Vielleicht würde sie mich anrufen und zum Tee einladen. Mitten im Gespräch in ihrem Wohnzimmer würde sie dann innehalten, mich ansehen und sagen: »Weißt du, meine Liebe – in dir schlummern große Talente.«

Doch jetzt blickte sie sich suchend um. Was war los? Mein Gott, es hatte ihr niemand einen Drink angeboten! Ich warf meinem Ehemann Boyce einen vernichtenden Blick zu – für die Getränke war er zuständig. Doch er stand nur da, vor Ehrfurcht erstarrt, wie eines dieser Kinder in Portugal, denen die Jungfrau Maria erschienen ist.

»Blanchette«, griff ich ein, »was darf ich Ihnen anbieten? Vielleicht einen Drink?«

Sie lächelte mich an. »Ach, das wäre reizend von Ihnen.« Sogar ihr Gebiß war makellos. »Würden Sie mir einen Daiquiri mixen? Aber nur, wenn es keine Umstände macht.«

Als wir in Teheran lebten, hatte ich einen recht guten Namen als Gastgeberin. Zweimal hatte ich den Vizepräsidenten von Union Carbide International bei einem kleinen Dinner zu Gast, und einmal erschien ein Foto von einer meiner Partys in der *Teheran Times*, unserer englischsprachigen Zeitung. Allerdings war der Druckfehler in der Bildunterschrift ein echter Skandal, und ich trug mich monatelang mit Selbstmordgedanken. »Aufgenommen bei einem unterhaltsamen Abend im Hass von Boyce und Mimi Smithers …«

Meine eigentliche Spezialität waren unsere Sonntagnach-mittagssoirees. Ich kochte meine berühmte »Persische Paella«, und Boyce mixte Shaker um Shaker seiner nicht minder beliebten Bloody Marys. Alle kamen sie – die Leute von Union Carbide, die vom Pittsburgher Spiegel-glasunternehmen, der fröhliche Haufen aus der kanadi-schen Botschaft –, und wir lieferten uns wilde Scrabble-Wettkämpfe. Gegen fünf Uhr, wenn die Sonne hinter dem schneebedeckten Elburs-Gebirge unterging, packte Boyce manchmal sein Saxophon aus und spielte: »Cuban Pete, he's the king of the rhumba beat«. Entweder das oder »I Get Ideas«.

In den letzten Monaten des Schah-Regimes wurde das Be-wirten von Gästen zunehmend schwierig. Schinken – in islamischen Ländern ohnehin ein Problem – konnte man jetzt suchen wie die berüchtigte Nadel im Heuhaufen. Und ich glaube, uns allen fuhr der Schreck in die Glieder, als wir erfuhren, was Gerald und Sandy Doerflinger zuge-stoßen war. Sie saßen im Auto auf dem Nachhauseweg vom Cercle Sportif, wo der Theatre Workshop *Same Time Next Year* aufgeführt hatte. An einer roten Ampel auf der Kohkilozeh Avenue wurden sie von einer aufge-brachten Menschenmenge zum Anhalten gezwungen. Ge-rald und Sandy mußten die wüstesten Beschimpfungen in Farsi über sich ergehen lassen, und dann stahl man ihnen auch noch die Kühlerfigur. Der Vorfall war wo-chenlang Gesprächsthema Nummer Eins.

Aber Bronxville war schließlich nicht Teheran. Hier herrschten andere Spielregeln, aber ich kam einfach nicht dahinter, welche. Seit unserem Einzug hatte ich ganze zwei Mal Gäste gehabt: Boyce' Arbeitskollegen zu Thanks-giving, und unsere Nachbarn zu einer kleinen Kennenlern-Party, die ein  absoluter Reinfall war. »Sonntags Offenes

Haus«, hatte ich auf die Einladung geschrieben. Tja, es tauchten genau vier Gäste auf. Und sie dachten, ich hätte sie zum Sonntagsvormittag-Kaffeekränzchen gebeten.

Es war nun keineswegs so, daß die Nachbarn keine Gesellschaften gaben; im Gegenteil – sie gaben unentwegt welche. Nur waren wir nie eingeladen. Die Cunninghams gegenüber veranstalteten kleine, elegante Dinnerpartys für Leute wie John Chancellor und die Harry Emerson Fosdicks. Und die Nachbarin von nebenan, Mrs. Dudleigh Garrett, war sogar schon einmal in *Town and Country* erwähnt worden.

Obwohl man kein Haus in Bronxville als gewöhnlich bezeichnen konnte, war das von Mrs. Garrett das außergewöhnlichste von allen. Es thronte auf einem Hügel – *dem* Hügel, wie man hier sagt – und war so groß, daß sich angeblich schon manchmal Sonntagsausflügler auf dem dazugehörenden Rasen zum Picknick niedergelassen hatten, im festen Glauben, sie befänden sich in einem öffentlichen Park. Die alte Dame war eine sagenumwobene Gestalt, Witwe eines Eisenbahnmagnaten, der sich nach der Deregulierung im Billardzimmer erschossen hatte. Mrs. Garrett war eine enge Vertraute von Mr. und Mrs. C. Z. Guest und der berühmten Lady Mendl gewesen. Ich brauche Ihnen wohl nicht zu sagen, wie sehr ich darauf brannte, Mrs. Garrett kennenzulernen. Doch dieses weltbewegende Ereignis ließ auf sich warten. Bisher hatte ich sie nur dann etwas näher zu Gesicht bekommen, wenn sie mit ihrem zwanzig Jahre alten Mercedes die Auffahrt herunterkutschierte. In ihrem grauen Kaschmir mit den Perlen sah sie ziemlich nach Millicent Fenwick aus, und mein Winken schien sie nie zu bemerken.

Obwohl zu ihrer Villa mehr als ein Hektar Grund gehörte, lag sie doch nur etwa hundert Meter von unserem weitaus bescheideneren Heim entfernt, das früher übrigens ein Nebengebäude des Garrett-Anwesens war. Die Häuser lagen so dicht beieinander, daß wir es hörten, wenn Mrs. Garrett eine Gesellschaft gab – insbesondere im Sommer. Dann drang das Lachen durch die offenen Bleiglasfenster herüber, manchmal so laut, daß ich nicht schlafen konnte. Ich werde nie jenen Abend Ende August vergessen, als ich in meinem abgedunkelten Wohnzimmer auf und ab ging, in der Hand einen Gin-Tonic, mit dem nervtötenden, schallenden Gelächter von Lester Lanin im Ohr ...

Ich muß ein kleines Geständnis machen. Als das Kuratorium darüber entschied, wer die Party ausrichten dürfe, war ich nicht die erste Wahl. Nein, diese Ehre ging an Saul und Edith Musselman, äußerst vermögende Geschäftsleute aus Mount Kisco, bei denen Werke von Frank Stella an der Wand hängen. Doch zu meinem Glück war bei Mrs. Musselman soeben die Alzheimersche Krankheit diagnostiziert worden, und der ganze Haushalt stand kopf, weil man Pflegepersonal finden mußte, das die arme Frau rund um die Uhr betreute. Dazu kam, daß Mrs. Musselmann jedesmal, wenn sie eine Blume sah, in Tränen ausbrach und sie zu zerrupfen versuchte; der Verdacht lag nahe, daß sich das nachteilig auf die Blumenarrangements auswirkte, die von Pernice and Tryforos kostenlos geliefert wurden.

Das bedeutete allerdings auch, daß ich nicht das Geringste mit der Gästeliste zu tun hatte. Wie ich von Gretchen und Roger erfahren hatte, handelte es sich um Leute, denen das Kulturamt auf irgendeine Weise verpflichtet war. Ich hatte das so verstanden, daß ich mit Kunstsammlern, Mäzenen, Philanthropen und der dazu passenden »Szene« rechnen konnte. Natürlich hoffte ich, daß

wenigstens auch ein paar Künstler eingeladen waren –
wahrscheinlich ältere Herren, die bereits etliche Ausstel-
lungen vorzuweisen hatten, und Bohème-Gattinnen mit
grauen Strähnchen und kürbisgroßen Klunkern. Und
ganz tief in meinem Innersten hoffte ich auf *Mrs. Garrett,
Mrs. Garrett* ... Nun, warum auch nicht? Es passierten
schließlich noch ganz andere Dinge.

Als ich mich mit vorsichtigen Schritten auf den Rückweg
ins Wohnzimmer machte (um ja keinen Tropfen von dem
ziemlich erbärmlich aussehenden Daiquiri zu verschüt-
ten, den eine für die Bar zuständige mürrische Studentin
namens Liz unter Protest zusammengemischt hatte), bot
sich mir ein seltsamer Anblick. Gretchen Schiller stellte
neben der Haustür einen Klapptisch auf. Wo sie den her-
hatte, war mir ein Rätsel. Von mir jedenfalls nicht.

Schließlich nahm sie hinter dem Tischchen auf einem
kleinen Klappstuhl Platz und fing an, etwas zu schreiben.
Als ich näher kam, blickte sie auf. »Hier«, rief sie und
winkte mich zu sich. Sie hielt mir eines dieser Namensschildchen zum Anstecken unter die Nase, auf dem
stand:

**HALLO**
Ich bin
*Mimi Smithers,*
ihre Gastgeberin

Nun war Gretchen Schiller zwar meine beste Freundin in
Bronxville (ich verbessere: »meine *einzige* Freundin«),
doch damit zeigte sich, daß sie keinerlei Gespür besaß
für die Nuancen, die doch so unendlich wichtig sind,
wenn man Gäste hat. Merkte sie denn nicht, daß Namens-

schilder bei einer Party für betuchte Kunstsammler absolut fehl am Platz waren?

Ich starrte mein Ansteckschild an. Warum begriff Gretchen nicht, daß ich mich damit als blutige Amateurin entlarven würde? Kapierte sie überhaupt irgendwas? Ihrer Kleidung nach zu schließen waren Zweifel jedenfalls angebracht. Sie trug eine von diesen Kombinationen, mit der man sich eigentlich nur als Mount-Holyoke-Absolventin an die Öffentlichkeit traut: ein knöchellanger, marineblauer Wickelrock und eine weiße Seidenbluse mit Tom-Jones-Ärmeln und einer großen Halsschleife. Mir ist völlig unklar, wo man so was kaufen kann; ich habe es noch in keinem einzigen Geschäft gesehen, nicht mal bei Lord & Taylor.

Während ich versuchte, meine dunklen Vorahnungen abzuschütteln, nahm ich mein Namensschild, *ohne* es anzustecken, und ging ins Wohnzimmer.

»Vielen Dank, meine Liebe«, sagte Mrs. Rockefeller, als ich ihr den Daiquiri reichte. Sie trug ebenfalls kein Namensschild – *noch* nicht. Genausowenig wie Boyce, Roger und Tom Potts. Vielleicht war doch noch nicht alles verloren! Ich eilte hinaus auf den Flur zu Gretchen und rief ihr – obwohl in mir die Wut brodelte – betont freundlich zu: »Du arbeitest zuviel! Komm, trinken wir erst mal was.«

»Wo ist dein Namensschild?« verlangte sie jedoch sofort zu wissen.

»Ach, ich denke, so was brauchen wir doch nicht, oder?«

»Also, ich finde schooon«, flötete sie. Aber da klingelte es an der Tür.

Im ersten Augenblick dachte ich voller Entsetzen, eine Terroristengruppe rücke an, um Mrs. Rockefeller zu entführen, denn die vier Gestalten vor meiner Tür sahen sehr bedrohlich aus. Drei von ihnen erinnerten mich mit ihrer Kleidung an den Laden für ausrangierte Armeebestände in der Belcher Street – Arbeitshosen, Tarnjacken und Baskenmützen mit militärischen Abzeichen. Dann fiel mir plötzlich auf – es *waren Frauen!*

Die Vierte war offensichtlich die Anführerin. Sie war noch größer als die anderen, eine voluminöse Schwarze in bunt zusammengewürfelten folkloristischen Gewändern. Über ihrem extrem weiten, mit irgendwelchen Sprüchen bestickten Kleid im Afrika-Look trug sie mehrere handgewebte guatemaltekische Gürtel, die wild ineinander verschlungen waren wie fehlerhaft verlegte elektrische Leitungen. Auf ihrem Kopf saß ein rot und gelb gebatikter Turban. Als Schmuck hatte sie sich Unmengen von indischem Messing und bunten Perlen umgehängt, der Knopf in ihrer Nase war aus Gold.

»Guten Abend«, sagte sie mit einer lauten, dröhnenden Stimme, die man wahrscheinlich bis ins Wohnzimmer hören konnte. »Ich bin Shoshuba Mafundi.«

»Ich bitte Sie«, fing ich an, »unser Baby schläft schon …«

»Shoshuba!« quietschte Gretchen und kam wild gestikulierend angelaufen. »Willkommen!«

Danach war ich erst einmal eine Weile mit dem Ausfüllen von Namensschildchen beschäftigt. Das war gar nicht so einfach. Als Ausdruck ihrer Frauensolidarität hatten Shoshubas Begleiterinnen nämlich ihre Geburtsnamen abgelegt und neue angenommen. Erst beim dritten Anlauf gelang es mir, »Irene Amerikkka« richtig zu buchstabieren.

Außerdem wurde ich abgelenkt durch ein Gespräch zwischen Gretchen und Shoshuba. Sie sprachen über Shoshubas neues Buch mit dem Titel *Lobgesänge auf die lesbische Nation.* Es war gerade erschienen, und die Kritiker lobten es über den grünen Klee; die *Village Voice* hatte dem Werk sogar eine Titelgeschichte gewidmet, in der die Autorin als »unsere größte lesbische Minnesängerin« gefeiert wurde. Das war wenigstens ein Hoffnungsschimmer: In den richtigen Kreisen war die Bekanntschaft mit einer prominenten schwarzen Lesbe sicher ein gesellschaftlicher Pluspunkt.

Es klingelte schon wieder, und ich riß rasch die Tür auf. Noch nie war ich so froh gewesen, eine weiße Person männlichen Geschlechts zu sehen. Und dann auch noch in einem Brooks-Brothers-Anzug! Er war ein blasser, junger Akademiker-Typ; offenbar litt er an Vitaminmangel, aber das war mir egal. »Wie schön, daß Sie gekommen sind!« sagte ich und zog ihn ins Haus.

»Ist sie schon da?« fragte er ein paarmal hintereinander.

»Selbstverständlich«, erwiderte ich, obwohl ich das unbestimmte Gefühl hatte, daß er nicht Shoshuba meinte. »Ich gebe Ihnen nur schnell ein Namensschild.«

»Ich hab' nämlich schon die ganze Woche versucht, sie im Büro zu erreichen. Es heißt immer, sie sei nicht da, aber ich weiß, daß das nicht stimmt. Die denken, sie könnten mich an der Nase rumführen, aber mit mir nicht, das können Sie mir ruhig glauben!« Inzwischen hatte ich natürlich längst die verräterischen Anzeichen entdeckt: Flecken auf der Krawatte, abgekaute, blutige Fingernägel, Whisky-Atem …

Heute kann ich mit Gelassenheit an jenen Abend zurückdenken, aber damals erschien er mir wie ein Alptraum, aus dem es kein Entrinnen gab. Jedesmal, wenn es an der Tür klingelte, wurde es noch schlimmer. Als nächstes kam ein Filmkollektiv aus Yonkers. Sie brachten die Hauptdarsteller ihres neuesten Dokumentarfilms mit: eine jemenitische Familie, die aus ihrer Sozialwohnung vertrieben worden war. Dann kamen die Hobby-Töpfer aus Croton-on-Hudson mit mehreren Keramikgefäßen, die sie eigens für Mrs. Rockefeller angefertigt hatten. Diese, so erfuhr ich, sollten ihr im Lauf des Abends überreicht werden. Danach kam ein Paar aus Mahopac, das ein Puppenmuseum betrieb, und der Leiter eines Kindertheaters in Mamaroneck, dessen Handgelenke bandagiert waren (ein Selbstmordversuch, munkelte man). Einige versprengte Hippies aus den Sechzigern, die staatlich geförderte Kommunalprojekte leiteten, fanden sich ebenso ein wie die Bobbie-Cassinetti-Ballettschule. Und dann war da noch ein Bärtiger mit einem Rucksack voller Bücher – selbstverfaßte Gedichte, die er den anderen Gästen anzudrehen versuchte.

Die sogenannten Künstler waren schlimm genug, aber die Frauen mittleren Alters deprimierten mich unsäglich. Es gab Unmengen von ihnen, und jede einzelne war in einer der unendlich zahlreichen Sparten des Kunsthandwerks zugange. Sie leiteten Workshops, lehrten Seidensiebdruck, hatten Pläne für multimediale Projekte. Und ganz entsetzliche Frisuren. Alle wußten ein Klagelied darüber zu singen, wie man hierzulande bei der Vergabe von Fördermitteln übervorteilt wurde. Entweder werde man überhaupt nicht gefördert, oder man bekam zwar Geld, aber es reichte hinten und vorne nicht. Oder man bekam Geld, und es reichte auch, aber dann mußte man es plötzlich – per Gerichtsbeschluß – holterdipolter wieder zurückzahlen.

Eine Zeitlang glaubte ich, die betuchten Kunstsammler würden noch auftauchen. Solche Leute ließen sich eben erst später blicken. Wer sich dann allerdings später blicken ließ, war eine Busladung schwarzer Jugendlicher, die engagiert worden waren, um in meinem Wohnzimmer eine Breakdance-Vorführung zu geben. Ein Blick auf die Horde genügte mir, und ich rannte ins Eßzimmer, wo ich den restlichen Abend damit verbrachte, das Tafelsilber zu bewachen.

Hatte meine Stimmung anfangs zwischen Unsicherheit und Hysterie geschwankt, so schlug sie nun in Wut um. Und zwar auf *alles*. Wie hatte ich nur so dämlich sein können! Gretchen Schiller – die wollte mich doch nur für dumm verkaufen, wenn sie mir dauernd erzählte, wie gut sich mein Haus für Gesellschaften eigne! Man brauchte sie doch nur anzuschauen, wie sie vor Mrs. Rockefeller katzbuckelte. Und ihren Mann, den hatte ich auch noch nie ausstehen können mit seiner lächerlichen Fliege und seinem ständigen Gejammer, wie schwer man es doch als gemäßigter Republikaner hatte. Und Mrs. Rockefeller (meine ehemalige Mentorin!) – sie haßte ich am allermeisten. Diese Frau besaß keinerlei Schamgefühl. Die setzte sich in Szene, als stünden in New Hampshire demnächst Wahlen an. Während schwarze Teenager sich gegenseitig die Hors d'oeuvres an den Kopf warfen, ging sie herum und schüttelte Hände!

Erst in diesem Augenblick erkannte ich, was sie mit der Bemerkung, ich sei »mutig«, wirklich gemeint hatte.

Boyce, mein wunderbarer Ehemann, war auch keine große Hilfe. Ich glaube, er wich Mrs. R. den ganzen Abend nicht von den Fersen, und – o mein Gott! – er trug diese pilzsuppengrauen Schuhe! Sie sehen aus, als ob sie aus Plastik wären, und haben große Schnallen aus Messingimitat, wie die Pilgerväter sie trugen.

»He, Leute«, rief Tom Potts ein paarmal, bis die Gäste im Wohnzimmer verstummten. Nach kurzer Zeit wurde es auch im Flur und im Eßzimmer still, und schließlich hörte man nur noch eine Frauenstimme aus der Damentoilette, die die Schlange der Wartenden darauf hinwies, daß das Klopapier ausgegangen sei. Während ich losrannte, um diesen Mißstand zu beheben, stellte Tom Potts in einer kurzen Ansprache Mrs. Rockefeller vor, die erwiderte, daß auch sie in Westchester lebe und daß Kunst für alle da sei. Beide Statements wurden mit stürmischem Beifall aufgenommen.

Ich blieb in der Damentoilette, solange es ging. Inzwischen begann der unterhaltsame Teil des Abends, und während Ghetto-Rhythmen das Haus zum Erbeben brachten, fand ich heraus, was mich so wütend machte. Ich glaube, die Schuhe waren an allem schuld. Und jetzt kannte ich auch das eigentliche Problem; alles andere waren nur Symptome. *Er* war das eigentliche Problem. Der Mann, den ich geheiratet hatte.

Im Iran war das kaum aufgefallen. Zwischen all den Mullahs war er mir wie ein Bollwerk der Vernunft vorgekommen. Doch hier in Bronxville ... jetzt wußte ich es: Er war der Grund, warum wir von den besseren Kreisen gemieden wurden.

Groß, dumm und harmlos – das war er in meinen Augen schon immer gewesen. Zugegeben, er ist ein glänzender Chemotechniker; ich habe die Statistiken über die Kunstdüngerproduktion gesehen. Von der Schah-Regierung hat er sogar einen Orden bekommen. Aber ist das etwa eine Entschuldigung dafür, daß er immer noch den Ring seiner Abschlußklasse trägt? Das tut sonst keiner in Bronxville. Außerdem stammt das Ding von der University of Oklahoma in Norman, ein unproportioniertes Monstrum mit einem riesigen blauen Glasstein, gar nicht zu vergleichen mit den diskreten Goldwappen von Yale oder Harvard ...

Plötzlich gab es einen lauten Knall, auf den brüllendes

Gelächter folgte. Mein Gott, was war jetzt wieder passiert? Hatten die schwarzen Teenager es endlich geschafft, die Ebenholztrennwand einzutreten? Oder war es nur Boyce, der mit einem Lampenschirm auf dem Kopf herumlief?

Etwas beklommen setzte ich mich auf den Rand der Toilettenbrille und ließ die zahlreichen Fehler meines Mannes Revue passieren. Zum Beispiel seine Bigotterie. Warum, glauben Sie, wohnten wir in Bronxville? Weil er von jemandem aus seinem Büro gehört hatte, daß Juden dort unerwünscht seien. (Bronxville ist übrigens keineswegs ein Teil der Bronx, sondern eine abgekapselte, unauffällige Schlafstadt in Süd-Westchester. Sie wurde rein zufällig nach derselben Person benannt.) Prompt stellte uns der Häusermakler tatsächlich betont unverfängliche Fragen, mit denen er herausfinden wollte, ob wir Juden waren. Boyce war begeistert. Sogar die fünfundsiebzig Jahre alte Ruine, in die ich mich verliebt hatte und die ich mehr als alles andere auf der Welt begehrte – ich rede von dem Haus –, wurde für ihn plötzlich immer reizvoller. (Offen gestanden hätte ich lieber in der City gewohnt, aber das kam für Boyce wegen der hohen Kriminalität nicht in Frage.)

Er hat keine Freunde, keine Hobbys, keine besonderen Interessen. Halt, ich will nicht lügen, Interessen hat er schon: seine Modelleisenbahn. Und die Driving range für Golfanfänger in Yonkers. Stundenlang treibt er sich dort herum. Und außerdem sämtliche Footballspiele im Fernsehen. Und Basketball. Und Baseball.

Und diesen Mann habe ich geheiratet?

*»Ach, die Smithers! Sie ist ja ganz passabel … aber hast du IHN schon mal gesehen?«*

Mein Blick fiel auf unser Hochzeitsfoto. Es war so gräßlich, daß ich es zusammen mit ein paar Cartoons aus dem *New Yorker* und einer witzigen Jane-Fonda-Dartscheibe in der Damentoilette aufgehängt hatte. Boyce und ich sind gerade dabei, unsere Hochzeitstorte anzuschneiden – in »Die Große Pinzaten« in Frankfurt. Ich trage zu diesem festlichen Anlaß ein lachsfarbenes Crêpe-de-Chine-Kleid mit Fledermausärmeln (die etwas unvorteilhaft wirken, wenn man eine Torte anschneidet und dabei fotografiert wird) und Boyce einen Nadelstreifenanzug, dessen »Nadelstreifen« so dick sind, daß man glaubt, er stünde hinter einem Lattenzaun. Greg Schumeyer, ein Anwalt von Union Carbide Deutschland, hat das Foto mit seiner Sofortbildkamera geschossen. Breit grinsend glotzen wir in die Kamera, und unsere Augen sind nur kleine rote Punkte. Wir sehen aus wie Außerirdische in einem Horrorfilm. »Hochzeit der Verdammten«, nannte meine Freundin Judy das Bild immer.

Das Klopfen an der Tür wurde immer heftiger. Schließlich überließ ich mein Versteck einer alten Frau mit einem gelben Regenmantel, die irgendwas mit Kunst in öffentlichen Gebäuden zu tun hatte. Der Breakdance schien vorbei zu sein. Wollte schon jemand gehen? Ich sah zur Haustür – und wurde mit dem bemerkenswertesten Anblick des Abends belohnt. Dort stand Boyce, ins Gespräch vertieft mit … *Mrs. Garrett!*

Einen kurzen, glorreichen Moment lang schlug mein Herz höher. Vielleicht waren dann auch all die anderen reichen Kunstsammler eingeladen worden, und jetzt trudelten sie endlich ein. Diese Vorstellung hatte etwas Traumhaft-Unwirkliches, aber wie sonst war Mrs. Garretts Anwesenheit zu erklären?

Ich rannte zur Tür, um den neuen Gast zu begrüßen.

»Bus?« fragte Boyce. »Was für ein Bus?«

»Der gelbe Schulbus, der auf meinem Rasen parkt.«

»Na schön, Verehrteste, wenn Sie meinen, fahren wir ihn weg. Okay?«

»Danke«, erwiderte sie und machte auf dem Absatz kehrt. Dabei trafen sich unsere Blicke. Sie wußte, wer ich war, daran gab es nicht den geringsten Zweifel: die Gastgeberin, die hinter allem steckte. Und obwohl sie mich höchstens eine Sekunde ansah, sprach dieser Blick Bände. In Japan stürzt man sich in einen Vulkan, wenn man so angesehen wird. Den ganzen Abend hatte ich gegen dieses Gefühl angekämpft, aber jetzt mußte ich mich der grausamen Wahrheit stellen: Mit Mrs. Garretts Blick war mein gesellschaftliches Schicksal in Bronxville, New York, ein für allemal besiegelt.

# Kapitel Zwei

»Weshalb sind Sie hier?«
Es war drei Monate später. Während
ich über diese Frage nachdachte, folg-
te mein Blick dem Sonnenstrahl, der an diesem Spätnach-
mittag durch die Fenster von Dr. Finemans Sprechzimmer fiel und die ganze innenarchitektonische Ungeheuer-
lichkeit in flirrendes, melancholisches Licht tauchte –
seine Frau Marsha hatte sie verbrochen, wie ich später
erfuhr. Ich war immer der Meinung gewesen, das Sprechzimmer eines Psychotherapeuten sollte einen gewissen
Glamour oder doch zumindest guten Geschmack wider-
spiegeln. Aber dieser Ort hier – er hatte die traurige und
dilettantische Aura der Wohnaccessoires-Abteilung von
Walmart: eine »Deco«-Vase in Himbeerrot und Pflaumenblau, vor zwei Jahren der letzte Schrei; ein Gemälde mit
einem kleinen Mädchen in einem Meer von Gänse-
blümchen; ein Porzellandelphin, mit einem Messingnagel
auf einem Stück Treibholz gehalten. All diese und andere
Scheußlichkeiten buhlten auf einer wackligen Etagere
aus Chrom und Glas um Aufmerksamkeit.
Trotzdem – es war längst nicht so schlimm wie das
Sprechzimmer von Dr. Erica Blume, das ich gestern besucht hatte. Sie bat mich, auf einem Sitzsack Platz zu
nehmen. Und als ich mich verabschiedete, umarmte sie
mich. Das war eine der Eigenschaften, die mir an Dr. Fineman am besten gefielen: Er sah nicht so aus, als ob er
mich jemals in den Arm nehmen würde.
»Weil ich krank bin«, antwortete ich, angewidert von dem
weinerlichen Ton meiner Stimme. »Ich bin schon seit Monaten krank. Und niemand kann feststellen, was mir fehlt.«

»Was fehlt Ihnen denn Ihrer Meinung nach?«

Ich schluckte. »Ich glaube ... ich habe Krebs.« Was für eine unglaubliche Erleichterung, es endlich auszusprechen! Die Spannung wurde allein dadurch geringer, daß ich das Problem endlich in Worte gefaßt hatte. Wenn ich heute daran denke, wozu mein Leben verkommen war ... ganze Tage verstrichen, an denen ich überhaupt nicht aus dem Bett kam. Ich lag nur da, auf meine Porthault-Kissen gestützt, und bewegte mein Handgelenk langsam auf und ab, damit meine Armbanduhr mit Aufziehautomatik nicht stehenblieb. Eines Tages passierte es trotzdem – für mich ein untrügliches Zeichen, daß ich bald sterben würde. Wenn ich mich aufraffen konnte, nahm ich manchmal ein Bad. Das erforderte einen enormen Kraftaufwand. Danach ließ ich dann das Wasser auslaufen und blieb in der leeren Wanne liegen, während mir die gräßlichsten Gedanken durch den Kopf gingen und ich meine Brust nach Knoten abtastete.

Meine Lieblingslektüre waren jetzt Erfahrungsberichte von Sterbenden. Ich fand sie außerordentlich spannend: beispielsweise *Eric* von Doris Lund und die sehr persönlichen Veröffentlichungen von Mrs. Cornelius Ryan. Normalerweise fangen solche Bücher mit der Diagnose an, schildern die verschiedenen Therapieversuche, die alle erfolglos bleiben, dann folgt die Beschreibung der allmählichen Verschlechterung, der Haarausfall, und schließlich der Teil, in dem der Kranke zum Heiligen wird: Er oder sie fängt an, vor dem eigenen Tod die zukünftigen Überlebenden zu trösten. Irgendwie konnte ich mich nicht so recht in dieser Rolle sehen. Wahrscheinlich würde ich bis zum bitteren Ende jammern und zetern. Ich habe gelesen, daß sich Aimee Semple McPherson mit einem Telefon im Sarg beerdigen ließ. Dafür habe ich größtes Verständnis.

Und Elisabeth Kübler-Ross. Sie wurde meine Busenfreundin! Ich war hingerissen von *Leben, bis wir Abschied nehmen;* ich hatte alle fünf Stadien genau im Kopf. Auch *Über den Tod und das Leben danach* und ihr schon zu den Klassikern zählendes Werk *Was können wir noch tun?* habe ich verschlungen; selbst das wenig bekannte und allgemein unterschätzte *Verstehen, was Sterbende sagen wollen* und *Interviews mit Sterbenden* schätzte ich sehr, ebenso den Bildband, der sich mit der gleichen Thematik befaßt. Ich war fasziniert von dem Kapitel, in dem das todkranke Mannequin als eine ihrer letzten Unternehmungen einen Einkaufsbummel macht, um sich eine Urne auszusuchen. (Allerdings mißbilligte ich ihre Entscheidung für einen Messingbehälter mit Cloisonné-Blümchen. Ich würde so ein Ding nicht im Haus dulden.) Ja, ich weiß, das Image von Elisabeth K.-R. ist stark angekratzt, seit sie in einem *Playboy*-Interview behauptet hat, daß in ihrem Salzstreuer winzigkleine Marsmännchen leben. Aber dennoch hat sie mir in jener schweren Zeit sehr viel geholfen.

Dr. Fineman schwieg einen Moment, dann lehnte er sich in seinem Stuhl zurück. Bestimmt hatte Marsha ihn gekauft, weil sie meinte, daß er aussah wie ein Eames-Stuhl – was sicher nicht ganz falsch war. Aber der Trick bei einem solchen Stuhl ist: Wenn man auch nur knapp danebenliegt, ist die ganze Wirkung im Eimer.

»Was für Symptome haben Sie denn?«

Darauf war ich vorbereitet. Ich zog den Zettel aus meiner Handtasche, auf dem ich alles notiert hatte. »Ich habe Fieber«, fing ich an. »Jeden Nachmittag, egal, bei welchem Wetter.«

»Wie hoch?«

»Das ist ja das Merkwürdige«, erwiderte ich. Jetzt kam ich richtig in Fahrt. »Die Temperatur steigt immer bis genau

37,3. Dann bleibt sie ungefähr drei Stunden konstant. Und dann fällt sie wieder. An einem Nachmittag ist das Fieber sogar auf 37,7 gestiegen. Ich war zutiefst beunruhigt. Merkwürdigerweise tritt es auch nie vormittags auf – immer nur nachmittags. Wenn ich morgens meine Temperatur messe, ist sie sogar niedriger als normal. Manchmal habe ich nur 36,1. Ich habe Fieberkurven angelegt, ich kann sie Ihnen gerne zeigen ...«

»Sonst noch etwas?«

»Ja. Ich habe eine Halsentzündung, die einen ganzen *Monat* gedauert hat. Dann hatte ich noch einen Ausschlag. Und das Gelenk in meiner großen Zehe tut weh. Ja, und ich bin ständig müde. Wenn ich in der Bank Schlange stehen muß, habe ich das Gefühl, jeden Moment umzukippen. Außerdem habe ich Schweißausbrüche. Und ...« Sollte ich den merkwürdigen Stuhlgang erwähnen? »Äh ... was war es noch ... Meine Haare fühlen sich komisch an.«

»Ihre Haare?«

»Ja. Bei unserem Hund ist mir aufgefallen, daß man an seinem Fell merkt, wenn er krank ist. Es fühlt sich einfach komisch an – irgendwie schmutzig, aber gleichzeitig trocken. Na ja, genauso fühlen sich meine Haare auch an.«

Dr. Fineman betrachtete mich lange und durchdringend. Dann holte er ein Blatt Papier hervor. »Ich sehe, Dr. Wooster hat Sie überwiesen. Was war sein Befund?«

»Daß alles in bester Ordnung ist! Er hat behauptet, ich sei einfach deprimiert! Natürlich bin ich deprimiert! Weil ich krank bin!«

»Haben Sie schon einmal erwogen, sich an einen anderen Arzt zu wenden?«

»Dr. Wooster war bereits der dritte! Die anderen beiden

haben gesagt, ich sei überreizt! Natürlich bin ich überreizt! Weil ich krank bin!«

Dr. Fineman zählte nicht zu den Therapeuten, die sich hinter ihrem Schreibtisch verschanzen. Ja, es gab überhaupt keinen Schreibtisch in diesem Zimmer, nur eine Polstergruppe. So entstand eine ungezwungene und entspannte Atmosphäre, als ob wir in einer Hotelhalle miteinander plauderten; allerdings mußte der Patient den Anblick von Dr. Finemans feisten Oberschenkeln verkraften, die in eine enge graue Flanellhose gezwängt waren und fast aus den Nähten platzten. Seine Oberschenkel waren viel, viel schlimmer als meine – eine Erkenntnis, die ich seltsam tröstlich fand.

»Erinnern Sie sich noch, wann die Symptome zum erstenmal aufgetreten sind?« fragte er.

»Ja, auf den Tag genau. Es war im März. Am Abend davor haben wir eine Party gegeben.« Ich hielt kurz inne. »Für Blanchette Rockefeller.«

»Für wen?«

»Mrs. John D. Rockefeller. Die Dritte. Sie ist die Präsidentin des Museum of Modern Art.«

»Eine Freundin von Ihnen?«

»Oh, ich würde nicht direkt *Freundin* sagen ...«

Einen Augenblick lang war es still. Ich ertappte mich dabei, wie ich mit geheucheltem Interesse eine Pariser Straßenszene betrachtete, die an der gegenüberliegenden Wand hing. Ein Druck, der entfernt an Dufy erinnerte – allerdings sehr entfernt. Eine Boulangerie, eine Frau, die einen Pudel ausführt, zwei Matrosen, die gerade einen mit Bäumen bestandenen Park betreten ... Ich wünschte mir sehnlichst, einer von uns würde etwas sagen.

»Mimi?«

»Ja?«

»Haben Sie schon einmal Entspannungsübungen gemacht?«

»Welcher Art?«

»Entspannen Sie die Unterkiefermuskeln! Kommen Sie
schon! Ganz locker! ... Noch mehr! Knirschen Sie im
Schlaf mit den Zähnen?«

»Nicht, daß ich wüßte.«

»Möchten Sie sich auf die Couch legen?«

Die Couch lauerte am anderen Ende des Zimmers, ungefähr so unauffällig wie ein elektrischer Stuhl. Bisher war
ich immer der Meinung gewesen, die Couch sei für die
wirklich schweren Fälle reserviert. Aber *so* schlecht sah
es doch bei mir gar nicht aus. Oder?

»Ich weiß nicht recht«, antwortete ich. »Soll ich?«

»Das liegt bei Ihnen.«

Argwöhnisch beäugte ich die Couch. Meine Mutter besaß
eine ähnliche. Sie hatte sie bei Levitz Furniture für unser
Wohnzimmer gekauft, und ich mochte sie nie. Der grobe
Stoffbezug mit den naturfarbenen Längsstreifen erinnerte mich an die Codierung auf den Preisetiketten im Supermarkt. Wenn im Fernsehen Frauen interviewt werden,
die ihre Schecks vom Sozialamt nicht rechtzeitig bekommen haben, sitzen sie immer auf einer derartigen Couch.

Ich kann mich nicht erinnern, eine Entscheidung getroffen zu haben, geschweige denn, hinübergegangen zu sein
und mich hingelegt zu haben; aber ich weiß noch, daß
mich eine äußerst absonderliche Erregung befiel, sobald
ich flachlag. Ich auf der Couch eines Psychoanalytikers.
Was kam als nächstes? Die Zwangsjacke? Ich starrte an
die Decke, und in Sekundenschnelle passierte schon wieder etwas höchst Erstaunliches. Dr. Fineman verwandelte sich wie durch Zauberhand von einem dicklichen, bär-

tigen New Yorker Juden in eine körperlose Stimme, die irgendwo hinter mir eine Aura absoluter Autorität verstrahlte. »Schließen Sie die Augen«, sagte die Stimme. Sie redete immer weiter, sanft und monoton, beruhigend und einlullend.

»Ich möchte, daß Sie sich einen geheimen Ort vorstellen. Es ist ein ganz besonderer Ort, den nur Sie allein kennen. Er gewährt Ihnen Schutz, Sie sind dort in Sicherheit. Niemand kann Ihnen weh tun.« Die Stimme machte mir einige Vorschläge für altbewährte geheime Orte: einen tropischen Strand, eine Bergwiese. Doch das brachte mich nicht weiter. Erstens habe ich mich in einem Badeanzug noch nie hundertprozentig wohl gefühlt; und was die Bergwiese angeht – ich bin in der neunten Klasse bei einem Abenteuerzeltlager, zu dem mich meine Mutter überredet hat, auf einer Bergwiese in Colorado beinahe auf eine Klapperschlange getreten. Trotzdem gab ich mir redlich Mühe, mich zu konzentrieren, und nach kurzer Zeit tauchte auch schon *mein* geheimer Ort vor mir auf, wie eine Fotografie in der Entwicklerflüssigkeit. Das Bild hatte eine frappierende Ähnlichkeit mit der Parfümerieabteilung von Bergdorf's.

Mit dem einzigen Unterschied, daß es sich bei mir um ein luxuriöses Badezimmer handelte. Es war einfach bezaubernd. Marmorne Einlegearbeit in drei verschiedenen Farbtönen – austernfarben, grün und koralle – zierte Wände und Fußboden. Die Sanitäreinrichtungen waren aus weißem Porzellan, solide und altmodisch, irgendwie europäisch, und erinnerten an etwas, das man im Georges V. in Paris vorfinden würde. Es gab ein Bidet, beheizte Handtuchständer und all die angenehmen Kleinigkeiten, die man so braucht: Seife, Shampoo, Nähzeug, Festiger, Mundwasser, von allem natürlich die exquisitesten Marken. Die indirekte Beleuchtung im Deckengewölbe tauchte alles in Rosé. Es kam kein Tageslicht herein, ja, es gab überhaupt kein Fenster. Nur eine Tür, ganz am anderen Ende. Sie war schwarz. Und sie war geschlossen.

»Fühlen Sie sich wohl, Mimi?«

»Ja«, antwortete ich. Doch irgend etwas an der Tür machte mich nervös. War sie wirklich geschlossen? War sie *abgesperrt?*

»Stört Sie etwas?«

»Nein.«

Eine lange Pause folgte. Die Sekunden verstrichen, bis Dr. Fineman schließlich das Wort ergriff.

»Wovor haben Sie solche Angst, Mimi?«

In diesem Moment brach ich in Tränen aus. Und ich schluchzte nicht etwa vornehm und zurückhaltend; ich schniefte laut, heulte Rotz und Wasser, gab gurgelnde Geräusche von mir und einen winselnden Pfeifton beim Einatmen. Es war extrem peinlich. Dr. Fineman reichte mir ein paar Papiertaschentücher und wartete. Es schien Lichtjahre zu dauern, bis ich es endlich schaffte, mich zusammenzureißen; aber schließlich schneuzte ich mich ein letztesmal. Der Zeitpunkt war gekommen, meine geheimsten Ängste zu offenbaren. Und ich war bereit. Leider mußten meine geheimsten Ängste sich noch etwas gedulden, denn zuerst mußten wir die Honorarfrage klären und besprechen, wie oft ich pro Woche kommen würde. Außerdem wollte Dr. Fineman wissen, welche Krankenversicherung Boyce besaß. Aber ich wußte, wir würden zu meinen geheimsten Ängsten vordringen, wenn die Zeit reif war ...

Mir gefiel die Therapie auf Anhieb. Besonders ihre Regelmäßigkeit: jeden Montag, Mittwoch und Freitag. Schon allein die Fahrt nach Scarsdale war angenehm (alle guten Psychotherapeuten in Westchester praktizieren in Scarsdale); dann das Einparken auf dem Patientenparkplatz; der letzte prüfende Blick in den Rückspiegel, ob meine Frisur auch richtig saß; das kurze Rekapitulieren dessen, was ich sagen wollte. Wie ich sehr bald merkte, verlangte es die Etikette, daß der Patient den Eröffnungssatz sprach, und ich bereitete mich immer gründlich darauf vor. Manche gelangen mir ganz hervorragend. »Um meine Familie zusammenzuhalten, brauchte man jede Menge Heftpflaster«, war eindeutig mein größter Erfolg; Dr. F. zitierte ihn wochenlang. Aber auch: »Letzte Nacht hatte ich einen höchst seltsamen Traum«, funktionierte immer. Obwohl man bestimmte Worte vermeiden mußte. Bei der Einführung in die Geschichte meiner kurzlebigen religiösen Ekstase im Alter von dreizehn Jahren hatte ich mit den Worten begonnen: »Neulich habe ich viel über den Himmel nachgedacht.« Da hakte Dr. Fineman nach: »Hat es geregnet?«

Wenn ich früh genug dort war, konnte ich die gedämpften Stimmen aus der Praxis hören, während ich im Wartezimmer saß. Obwohl man dort immer mit Musikgedudel berieselt wurde, so daß man beim besten Willen nicht lauschen konnte. Zu allem Überfluß spielte auch noch jeden Tag um die gleiche Zeit dasselbe Band. Immer die gleichen Songs in derselben Reihenfolge. Heute noch habe ich »(I'm a) Girl Watcher«, gefolgt von »Montego Bay« und »Kung Fu Fighting« im Ohr, alles arrangiert für Streichorchester. Gewöhnlich marschierte ich unter den Klängen von »Bonanza« in Dr. Finemans Allerheiligstes.

Das Sprechen über mich selbst machte mir von der ersten Minute an Spaß, allerdings wurde ich rasch süchtig danach. Aus mir sprudelte *alles* heraus, Einsichten und

Erinnerungen, viele seit Jahren verschüttet wie jene an den Tag, als ich mir mit der Nagelschere die Haare abschnitt oder als ich im Schwimmbad vom Lubbock Country Club mein Bikinioberteil verlor. Die meisten der ausgegrabenen Gefühle waren nicht angenehm, aber Dr. Fineman machte mir Mut, mich ihnen zu stellen. Das hatte zur Folge, daß ich nach kurzer Zeit über mich redete, als wäre ich menschlicher Abschaum. Dr. Fineman hielt das für einen echten Fortschritt. Das einzige, was er noch lieber hörte, war, wenn ich über meine Mutter herzog. Kein Thema war tabu, doch ich bewahrte mir mein Taktgefühl. Aus einleuchtenden Gründen erwähnte ich kaum einmal meine Oberschenkel, und selbstverständlich verschwieg ich ihm den Traum, in dem ich am Bahnhof stand und Dr. F. entdeckte, der gerade nach Auschwitz abtransportiert wurde.

Obwohl das »Herzstück« unserer Sitzungen fast immer Boyce war, wies Dr. F. scharfsichtig darauf hin, daß meine Probleme schon lange vor unserer Eheschließung begonnen hatten und daß es viele Bereiche gab – wie mangelndes Selbstwertgefühl, Zwangsneurosen, die Unfähigkeit, mich auf Intimität und Nähe einzulassen, Defizite in der Persönlichkeitsentwicklung und die Blockaden gegen den Kontakt mit dem Kind in mir –, an denen wir »arbeiten« mußten. Es sah ganz so aus, als ob diese Arbeit ewig dauern könnte, aber ich richtete mich nur allzugern auf eine lange Zeitspanne ein. Selbst Boyce war entzückt, denn meine »invalide Phase« hatte uns beiden zu schaffen gemacht. Obwohl ich zugeben muß, daß er sich immer sehr rücksichtsvoll verhalten hat und sogar – mehr oder minder auf unbestimmte Zeit – zum Schlafen ins Arbeitszimmer gezogen ist.

Ich hoffe, daß ich nicht den Eindruck vermittelt habe,

eine Therapie sei das reine Vergnügen. Sie ist oft sehr schmerzlich. Nehmen wir zum Beispiel Dr. Finemans Angewohnheit, mir Hausaufgaben zu geben (so nannte er es – »Hausaufgaben«). Manche davon waren relativ harmlos, wie die, auf jeden Gegenstand, der mir zu Hause Angst einflößte, einen kleinen blauen Punkt zu kleben. Ich mußte dreimal in den Schreibwarenladen zurückgehen, um welche nachzukaufen. Was ich wirklich haßte, war »Angststeuerung«. Die Grundidee ist, daß man vor etwas Angst hat – in meinem Fall, an Krebs zu sterben – und sich stündlich genau drei Minuten vor der vollen Stunde bis zum Stundenschlag darüber Sorgen machen soll. Theoretisch hat man dann die anderen siebenundfünfzig Minuten keine Angst. Aber Sie können es sich wahrscheinlich vorstellen – ich sah unentwegt auf die Uhr und dachte: »Verdammt, erst zwanzig nach, und ich mache mir schon höllische Sorgen.«

Trotz allem fand ich die Reise in mein Inneres einfach phantastisch – mit einer Ausnahme. Als der Juni zu Ende ging und im Juli die Tage allmählich immer heißer wurden, hörte ich aus verschiedenen Bemerkungen von Dr. Fineman heraus, daß sich am Horizont dunkle Wolken zusammenballten. Er bat mich, ihm meinen Tagesablauf zu schildern, und nachdem ich das getan hatte, meinte er: »Das klingt nicht gerade, als müßten Sie sich abrackern.« Dann gab er mir *Welche Farbe beflügelt Sie?* zu lesen mit. Und ich fühlte, wie es unaufhaltsam näher kam. Ich wußte genau, was geschehen würde, aber es gefiel mir ganz und gar nicht.

Er würde mich auffordern, mir einen Job zu suchen.

# Kapitel Drei

Eines Morgens Anfang August stand ich in der Küche und zerquetschte mit dem Boden eines Gewürzglases das Dilantin für Baby – er leidet an Hundeepilepsie –, als mir plötzlich der Gedanke kam, daß ich um die Mittagszeit bei Saks sein konnte, wenn ich auf der Stelle losfuhr. Um die Bedeutung dieses Gedankens entsprechend würdigen zu können, müssen Sie sich vor Augen halten, daß ich schon seit über sechs Monaten nicht mehr bei Saks gewesen war. Genaugenommen seit Ausbruch meiner Krankheit. Das bedeutete nicht nur, daß es inzwischen ein komplett neues Warenangebot gab, sondern auch etwas viel Wichtigeres: Ich war wieder ich selbst.

Ich bin immer schon liebend gern einkaufen gegangen. Ich weiß nicht mehr, wann es angefangen hat, wahrscheinlich irgendwann in grauer Vorzeit. Meine Leidenschaft führte sogar dazu, daß ich zum ersten- und einzigenmal mit dem Gesetz in Konflikt geriet: Im Alter von dreizehn Jahren wurde ich zusammen mit Cheryl Skaggs bei Woolworth verhaftet, weil wir einen Augenbrauenstift geklaut hatten. Wenn ich in eine neue Stadt komme, steht Einkaufen auf meiner Prioritätenliste ganz oben. Museen sind ganz nett, nehmen aber erst den dritten Platz ein. (An zweiter Stelle rangieren Spazierfahrten durch die schicken Stadtteile.) Nicht einmal in Teheran kühlte meine Leidenschaft ab, und dazu muß man wissen, daß es nirgendwo auf der Welt so schlecht ums Einkaufen bestellt ist wie in Teheran. Alle Importe werden streng kontrolliert, damit sich die Politiker bereichern können. Die Folgen sind eine dürftige Auswahl und jene unsäglichen bulgarischen Obstkonserven, an die jeder, der einmal in der Dritten Welt gelebt hat, nur mit Schrecken zurückdenkt. Und was die legendären orientalischen Basare betrifft – vergessen Sie's. Genau wie in der Fourteenth Street. Sony-Cassetten, Unterhaltungselektronik, Saftgläser. Zwar gab es einige interessante Antiquitätenläden in der Radafih Street, in der Nähe jener merkwürdigen Sporthalle, in der die Männer Gewichte stemmten, während sie ihre Gebete sangen. Doch die angebotene Ware war ein bißchen zu teuer, obwohl es auch einige enorm günstige Kamelsättel gab, die förmlich danach schrien, mit Ponyleder neu bezogen und adrett um meinen Kamin gruppiert zu werden.

Teheran hatte nur ein einziges halbwegs akzeptables Kaufhaus aufzuweisen (und das in einer Drei-Millionen-Stadt!). Es hieß »Die Weiße Ente«, benannt nach einem altpersischen Glückssymbol. Das Stammhaus der »Weißen Ente« war im Zentrum gegenüber vom Postamt und hieß im Volksmund »Die Alte Ente«. Die neuere Filiale in der Murahni Avenue neben dem Palast war unter dem Namen »Die Neue Ente« bekannt. Eine weitere Filiale stand gegenüber vom französischen Krankenhaus und hieß »Die Kranke Ente«. Alle waren gespannt darauf, welchen Spitznamen die jüngste Filiale erhalten würde. Sie lag etwas außerhalb, hinter der Universität in einem Stadtviertel namens Korbhinah, wo eine Menge hübscher, neuer Apartmenthäuser stehen. In der Boulevardpresse wurden verschiedene Namen vorgeschlagen – »Die Reiche Ente«, »Die Schlaue Ente« –, aber keiner davon wurde aufgegriffen. Dann explodierte just am Eröffnungstag in der Cafeteria des Hauses eine von Terroristen gelegte Bombe, wobei fünf Kunden ums Leben kamen und zahlreiche weitere schwer verletzt wurden. Von da an hieß das Kaufhaus »Die Tote Ente«.

Nur aus einem einzigen Grund zählte ich nicht zu den Opfern: Ich war schon wieder gegangen. In meiner unbezähmbaren Neugier hatte ich mich schon um neun Uhr morgens zum Kaufhaus begeben und mich unter die Wartenden gemischt. »Eine Gruppe modisch gekleideter Frauen« hieß es später in der Zeitung. Als um drei Uhr nachmittags die Bombe explodierte, war ich längst wieder zu Hause. Trotzdem gibt einem so etwas zu denken. Als die amerikanische Botschaft Weisung erteilte, amerikanische Staatsbürger sollten nicht mehr in den »Enten« einkaufen, hielt ich mich daran – jedenfalls zu Anfang. Aber nach einer Weile dachte ich: Genau das wollen die Terroristen doch! Willst du dich etwa von solchen Leuten herumkommandieren lassen? Also ging ich wieder dort einkaufen. Es war eine politische Tat.

Neun Minuten vor zwölf drückte ich die schwere Bronzetür von Saks Fifth Avenue auf und war augenblicklich umhüllt von einer Parfümwolke, so intensiv, daß ich mich an der Handschuh-Theke festhalten mußte, um nicht vor Verzückung in Ohnmacht zu fallen. Ich erinnere mich, einmal von einem französischen Schriftsteller gelesen zu haben, der zufällig einen »Biscuit« roch, und plötzlich rollte sein ganzes Leben wie ein Film vor seinem inneren Auge ab. Ein tiefer Atemzug bei Saks löste bei mir eine ähnliche Reaktion aus. Ach, wieviel Zeit habe ich schon in Kaufhäusern verbracht! Und ich bereue keine Sekunde davon. Ich liebe diese Orte. Die Geräusche. Die wunderbaren Durchsagen im Erdgeschoß. Das Klacken hochhackiger Schuhe. Welch himmlische Vorstellung: Vor mir lagen zwei Stunden reinster Glückseligkeit! Ich konnte mich nicht einmal erinnern, wie ich hergekommen war. Die Bahnfahrt, der Fußweg von der Grand Central – alles war wie ausgelöscht. Ich hatte ganz instinktiv zu Saks gefunden.

Sicher, man kann in Museen die wunderbarsten Dinge entdecken, aber man wird nichts davon je sein eigen nennen. Und genau das liebe ich so an Kaufhäusern: All diese Dinge kann man kaufen! Die Kosmetika – sie könnten alle mir gehören. Ich könnte eine von diesen supereleganten Verkäuferinnen bitten, mir ihr Sortiment vorzuführen. Dann könnte ich eine Auswahl treffen. Ich könnte Parfüms, Accessoires, hübsche Dinge für mein Haus bekommen. Oder diesen mit Pailletten bestickten Bill-Blass-Pullover, den ich tags zuvor in der *Times* gesehen hatte. Ich brauchte nur zuzugreifen!

Und genau das tat ich auch. Innerhalb von fünf Minuten war ich 120 Dollar los, ohne mich weiter als fünfzehn Meter in den Laden begeben zu haben. Gekauft hatte ich ein Paar Strümpfe, zwei goldene Ohrringe, designed von Hattie Carnegie, und einen Seidenschal. Auf dem Etikett stand »Made in Italy«.

Nur mit äußerster Willensanstrengung schaffte ich es, das Haus zu verlassen. »Reiß dich zusammen«, sagte ich mir immer wieder, als ich draußen in der 50th Street vor dem Eingang stand. »Entspann dich.« Die heiligen Mauern der Saint Patrick's Cathedral starrten mich an. Ich überquerte die Straße und betrat das stille, kühle Kirchenschiff. Ab und zu komme ich ganz gern hierher. Es ist angenehm ruhig, die Bänke sind bequem, und es macht Spaß, die Leute zu beobachten. Doch in diesem Augenblick war ich zu aufgekratzt, um irgendwen zu beobachten. Ich hatte gerade Modeschmuck bei Saks gekauft. Was war nur los mit mir? Und überhaupt – war Hattie Carnegie nicht schon seit zwanzig Jahren out?

Vielleicht war es einfach die Aufregung. Ja, das mußte es

sein – ich war so aufgeregt, weil ich endlich wieder zu mir selbst gefunden hatte. Obwohl ich Presbyterianerin bin, sprach ich ein stilles Gebet zur Heiligen Jungfrau Maria, die ich undeutlich in einer Nische ausmachen konnte, umgeben vom Schein zahlreicher Kerzen.

Nach etwa zehn Minuten fühlte ich mich schon wesentlich besser. Beim Hinausgehen warf ich einen kurzen Blick in den kleinen Souvenirladen am Ausgang der Kirche. Zwar verkaufte er überwiegend billigen religiösen Kitsch, aber gelegentlich konnte man auch ein hübsches Kreuz dort finden. Dann schlenderte ich gemächlich die Fifth Avenue entlang. Was ich brauchte, war ein Geschäft, in dem ich herumstöbern konnte, ohne etwas zu kaufen. Damit war die Auswahl im Prinzip auf zwei Läden beschränkt: F. A. O. Schwarz, der Spielwarenladen, und Hunting World. Die Vorstellung, als erwachsene Frau durch einen Spielzeugladen zu streunen und nach den Preisen für Puppengeschirr zu fragen, erschien mir nicht sonderlich verlockend – also war meine Entscheidung schnell getroffen.

Haben Sie schon mal von Hunting World gehört? Ich betrachte es als meine persönliche Entdeckung. Nein, es handelt sich dabei nicht um eine Verkaufsstelle für Pfadfinderveteranen, sondern um ein hochexklusives Geschäft, in dem man Expeditionsausrüstung für gehobene Ansprüche bekommt. Nicht selten sieht man die bestgekleideten Frauen auf der Madison Avenue mit Hunting-World-Einkaufstaschen herumlaufen.

Der Trick bei Hunting World besteht darin, daß man den Anschein erwecken muß, als sei man tatsächlich auf der Suche nach einer Feldflasche für fünfhundert Dollar. Ich habe den Dreh noch nicht ganz raus, deshalb schleiche ich mich immer unauffällig hinein und steuere sofort auf den hinteren Teil des Geschäfts zu, wo sogenannte »Restposten« angeboten werden. Da stand ich also, begutachtete einen ziemlich reizlosen Schmuck aus Elefantenhaaren und nahm dabei meine Umgebung in Augenschein.

Es war alles wie immer. Zwei Japanerinnen – mit absolut hinreißenden Frisuren! – trippelten mit ihren Gucci-Einkaufstaschen herum und plapperten in ihrer unverständlichen Sprache. Die Verkäuferin erklärte gerade einem distinguiert aussehenden, weißhaarigen Herrn den komplizierten Verschluß eines Gewehrkoffers. Sie war etwa in meinem Alter und machte einen sehr kompetenten Eindruck; vor ihrer Brust baumelte eine Brille, und ihre Stimme klang so, als ob sie den ganzen Tag Pfefferminzbonbons lutschte. Ich fragte mich, wo sie wohl wohnte. Vielleicht in Tudor City. Wieviel mochte sie verdienen? Ob ich vielleicht auch so einen Job bekommen könnte? Es würde mir Spaß machen, zur Abwechslung mal einschüchternd zu wirken. Aber wer würde *mich* schon einstellen?

Die Tür ging auf, und ein Mann kam herein. Er sah sich einmal kurz um und marschierte dann schnurstracks zu einem Tisch, auf dem verschiedene Schuhe und Stiefel ausgestellt waren. Ohne zu zögern, griff er nach einem einzelnen Schuh und vertiefte sich in die Betrachtung des Schnürsenkels.

Es war Tom Potts, der Mann von der Party.

Mein erster Gedanke war, mich an der Wand entlang zum Ausgang zu schleichen und das Weite zu suchen. Ich hasse peinliche Situationen. Aus irgendeinem Grund konnte ich jedoch den Blick einfach nicht von seinem Hemd abwenden. Es war ein schlichtes kurzärmeliges Hemd – Perry Ellis, wie ich später herausfand –, aber es hatte den schönsten Blauton, den man sich vorstellen kann. Das Blau erinnerte an die Werbung für die Virgin Islands mit ihrem strahlend türkisblauen Wasser. Noch nie hatte ich ein Hemd in dieser Farbe gesehen. Und auch seine Hose war hübsch: khakifarben, mit ziemlich üppigen Bundfalten, ein klein wenig verwaschen – einfach perfekt –, dazu als Kontrast ein schmaler Schlangenhautgürtel. Am Handgelenk trug er eine schwarze Armbanduhr mit schwarzem Band. Und orangefarbenem Ziffernblatt.

Ich war hingerissen. Noch nie zuvor hatte ich jemanden gesehen, der soviel natürliche Autorität in Sachen Mode ausstrahlte. Schlicht gekleidet, wie er war, wirkte er doch unendlich exquisit. Wie gebannt starrte ich ihn an – bis er zurückstarrte.

»Hallo!« rief ich. »Kennen Sie mich noch?«

Offensichtlich nicht.

»Ich bin Mimi Smithers«, sagte ich und eilte mit ausgestreckter Hand auf ihn zu. »Sie waren damals auf meiner Party in Bronxville. Mit Mrs. Rockefeller.«

»Ach, ja!« rief er aus. »Die Lesben haben das ganze Büfett leergefressen!«

Ich wurde knallrot, doch niemand schien zugehört zu haben.

»Und schwarze Jugendliche«, fuhr er fort. »Wenn ich mich recht entsinne, war da eine Menge übler schwarzer Teenager.«

»Die auf meinem Boden eine Menge übler schwarzer Fußabdrücke hinterlassen haben.«

Er lachte. »Ganz schön schlagfertig! Toll! Sie gefallen mir!«

Vielleicht habe ich es mit den Ausrufezeichen ein bißchen übertrieben, aber ich glaube, Sie können sich jetzt ungefähr ein Bild machen. Wir verstanden uns auf Anhieb. In Hunting World sprühten die Funken.

»Sagen Sie«, meinte er und streckte mir den Schuh entgegen, den er ausgesucht hatte, »was halten Sie von dem?«

Er war halb aus Leder und halb aus Leinen; von der Sorte, die man zur Regenzeit in der Serengeti-Wüste anhat. »Er gefällt mir«, erwiderte ich. »Und wenn Sie heimkommen, können Sie ihn zur Not als Schirmständer benutzen.«

»Hä?« machte er, und ich beschloß, mich mit meinen witzigen Bemerkungen etwas zurückzuhalten.

Es erschien nur logisch, daß ich ihn zur Kasse begleitete, als er die Schuhe bezahlte. Irgendwie gab es Schwierigkeiten mit seiner Kreditkarte; er schnitt Miss Pfefferminz hinter ihrem Rücken Grimassen, und die ganze Situation war schrecklich komisch. Wir kicherten noch, als wir schließlich draußen auf der Straße standen.

»Na«, sagte er, »wohin jetzt?«

»Ich wollte rüber zu Rizzoli's.«

»Rizz-oli's.«

»Wie bitte?«

»Rizz-oli's. Es heißt Rizz-oli's.«

»Ach so. Na, da wollte ich jedenfalls hin.«

»Das trifft sich gut. Ich nämlich auch.« Er nahm meinen Arm, und übermütig lachend flitzten wir bei Rot über die Fifth Avenue, daß die Taxis hupten und unsere Einkaufstaschen im Wind flatterten.

An jenem Nachmittag lernte ich nicht nur die korrekte Aussprache von »Rizzoli«. (Übrigens wird »Bulgari« genauso betont.) Tom Potts war ein wahrer Fundus von Informationen, nach denen ich mein Leben lang gelechzt hatte. Er wußte, wen man anrufen mußte, um in den Vorführraum von Calvin Klein zu kommen, wo die Sachen zum halben Preis verschleudert werden. Er wußte, wo es günstig Schals und Taschen von Hermès zu kaufen gab. Judith Leiber, die Handtaschendesignerin, kannte er persönlich; außerdem einen Mann, der gestohlene Haute

Couture feilbot. Er wußte alles über Restaurants, welche »in« waren und welche nicht. Mit Clubs, Kinos, Theatern, dem gesamten Spektrum des New Yorker Nachtlebens war er bestens vertraut. Zu seinen Freunden zählte Clovis Ruffin ebenso wie Eddie Rosenberg, der Türsteher von Studio 54, mit dem er einmal ein Landhaus geteilt hatte. Lainie Kazan kam dort zu Besuch, und zwar so oft, daß die beiden ihr den Spitznamen »die Untermieterin« gaben.

All das und noch viel mehr erfuhr ich, während wir die Madison Avenue entlangschlenderten, die Tom als »die beste Einkaufsadresse Nordamerikas« bezeichnete. Unter seinen Fittichen begriff ich bald, warum. Wir machten unterwegs in verschiedenen exklusiven Boutiquen halt, in die ich mich alleine nie getraut hätte, und entdeckten einige echt erlesene Stücke, beispielsweise eine Majolika-Blumensäule, circa Jahrgang 1920, in Form einer riesigen Selleriestange. In vielen dieser Geschäfte kannte man Tom mit Namen. Die Frau im Primavera gab ihm einen Kuß, und der Inhaber von Mädderlake (dem Blumenladen) war offenbar ein enger Freund. Wir blieben dort zwanzig Minuten, und während die beiden über gemeinsame Bekannte plauderten, sah ich mich ein wenig um, sog den moosartigen Duft dieses himmlischen Ortes ein und warf einen gelegentlichen Blick ins Hinterzimmer, wo ein Gehilfe mit Blumenzwiebeln hantierte.

Einen Mann wie Tom Potts hatte ich noch nie kennengelernt, soviel war gewiß. Er war nicht das, was man gemeinhin als gutaussehend bezeichnet: ziemlich groß – genauer gesagt, eins neunzig –, mit hängenden Schultern und einem für große Männer typischen Kopf, der im Verhältnis zum Körper etwas zu klein wirkte. Später fand ich heraus, daß seine Freunde ihn gern »Kamel« nannten, wahrscheinlich wegen seinem eigenartig federnden Gang:

Wenn Tom nervös wurde, beschleunigte er seinen Schritt und hoppelte herum wie Groucho Marx.

Eigentlich mag ich weder rote Haare noch blasse Haut und auch keine Sommersprossen, aber bei Tom gefiel es mir irgendwie, und sein Bart trug dazu sicher nicht unwesentlich bei. Wie manche seiner Geschlechtsgenossen litt er unter seinem beginnenden Haarausfall und frisierte sich immer auf eine ganz bestimmte Art. Damit gelang es ihm recht gut, die kahlen Stellen zu kaschieren, jedenfalls solange kein Windstoß kam.

Aber sein Aussehen interessierte mich ohnehin nicht im geringsten. Mich faszinierte, daß wir sofort einen »Draht« zueinander hatten. Wir hatten so vieles gemeinsam. Tom war ein Möbelnarr, ein noch schlimmerer als ich. Seine Eigentumswohnung im Village sei »mit Antiquitäten vollgestopft«, behauptete er. Dann zählte er einige der ausgefalleneren Stücke auf – einen Louis-seize-Sekretär, einen österreichischen »Stitzeltoffer«, einige seltene Glaswaren aus der Depressionszeit und einen Spiegelglas-Couchtisch, der einst der legendären Mrs. Byron Foy gehört hatte.

Und auch berufsmäßig beschäftigte er sich mit Kunst. Er hatte eine eigene kleine Agentur und beriet Kunden wie das Metropolitan Museum, Jazzmobile oder das Internationale Zentrum für Tanznotation in allen möglichen Fragen, beispielsweise, wo und wie man zu Fördermitteln kommt oder was man bei der Unterzeichnung von Verträgen beachten muß. Er kannte Henry Geldzahler ebenso wie Kitty Carlisle Hart. »Die hab' ich in der Tasche«, beschrieb er sein Verhältnis zu Ms. Hart.

Und er war so witzig! Er ließ ein wahres Feuerwerk sarkastischer Bemerkungen auf mich los, und ich lachte mich schief. Es war fast wie bei den Kicheranfällen, die man in

der siebten Klasse hat. Mein Bauch tat mir richtig weh vor
lauter Lachen. Ein Beispiel: Wir redeten über mexikani-
sche Restaurants, und ich meinte, das wichtigste dort sei
doch wohl das Essen, nicht die Einrichtung. Aber er entgegnete, das Essen sei völlig nebensächlich, und es
komme einzig und allein darauf an, daß man gute Margari-
tas kriegte. »Wen kümmert's, wie das Essen schmeckt!«
rief er. »Es kann auch das alte El Paso aus der Mikrowelle
sein!« Ich lachte, bis mir die Tränen kamen.
Gegen vier Uhr wurde ich unruhig: Bald würde all das vorbei sein, und ich mußte wie Aschenputtel mit der New
York Central nach Hause fahren. Aber da schlug Tom vor,
– und ich spürte, daß es ernst gemeint und nicht nur eine
Höflichkeitsfloskel war –, wir könnten doch ins Carlyle
gehen und etwas trinken. Nein, nicht etwas trinken –
*einen Cocktail nehmen.* Ich fühlte mich wie im siebten
Himmel! Wir machten es uns auf einer Polsterbank bequem, es war kühl und dunkel, und wir hielten den Atem
an. Ich war noch nie im Café Carlyle gewesen und mußte
die neuen Eindrücke erst einmal auf mich wirken lassen.
Gebannt starrte ich auf das Klavier; war es vielleicht das-
jenige, an dem Bobby Short berühmt geworden war? Ich
versuchte mir vorzustellen, wie es hier um zehn Uhr
abends aussah, wenn sich die glitzernde Prominenz der
gesamten westlichen Hemisphäre versammelte. Ein um-
werfender Gedanke, daß Caroline Herrera dann vielleicht
auf dieser Bank saß!
Um vier Uhr nachmittags waren die einzigen anderen
Gäste allerdings ein halbes Dutzend liebenswürdiger Alkoholiker von nebenan. Der Barkeeper hatte kaum etwas
zu tun und setzte sich zu uns; das fand ich zunächst etwas
befremdlich, bis ich erfuhr, daß er und Tom sich aus
einem Fitneßclub in der 28th Street kannten.

Die zweite Runde Old Fashioned ging auf Kosten des Hauses, womit ich nicht im Traum gerechnet hätte. Doch während Tom seinen Cocktail schlürfte, schien er sich zunehmend unbehaglich zu fühlen. Er sackte in sich zusammen und seufzte mehrfach, und zum erstenmal an diesem Nachmittag hatte ich das Gefühl, daß es nun an mir war, das Gespräch auf Touren zu bringen.

»Ihre Arbeit hört sich wirklich faszinierend an«, begann ich und wirbelte die Kirsche in meinem Glas herum.

Er schnitt ein Gesicht. »Ja, das glauben viele.«

»Ist es denn nicht so?«

»Mein Job ist nicht immer eitel Sonnenschein, wissen Sie. Es ist harte Arbeit.«

»Ja, das kann ich mir vorstellen.«

»Und im Augenblick stecken wir ziemlich in der Krise.«

»Oh, nein!«

»Doch. Unsere Sekretärin zieht nach Washington.«

Pause. Dann ich: »D. C.?«

Er sah mich an. »Nein – *Staat* Washington. Die arme Irre zieht zu ihrem Freund, einem Fernsehkameramann. Frauen sind ziemlich bescheuert, wenn Sie mich fragen.« Er kippte seinen Drink hinunter und seufzte wieder, diesmal richtig laut. »Was sollen wir bloß machen? Wo sollen wir denn jemanden herbekommen, der für diesen Hungerlohn arbeitet?«

Ich schwieg eine Weile, ehe ich erwiderte: »Vielleicht finden Sie eine freie Mitarbeiterin, die sich für so was interessiert.«

»Eine freie Mitarbeiterin?« schnaubte er. »Welcher Schwachkopf setzt sich denn für ein Taschengeld in ein Büro und tippt?«

Ich lächelte. »Ein Schwachkopf wie ich.«

»Hä?«

»Ich kann tippen. Zwar nicht besonders schnell ..., aber ich kenne mich mit Büroarbeit aus, und im künstlerischen Bereich wollte ich schon immer arbeiten ...«

Er lehnte sich zurück und dachte einen Moment nach. »So, so«, meinte er dann versonnen.

»Lieber Gott, bitte«, betete ich. Irgend etwas an meinem Drink erregte seine Aufmerksamkeit. »Essen Sie Ihre Kirsche?«

»Wie bitte?«

»Ihre Kirsche.« Er deutete auf mein Glas. »Essen Sie die noch?«

»Nein, Sie können sie gern haben! Bitte!«

Er nahm die Kirsche am Stiel, steckte sie in den Mund und fing an, daran zu saugen. Dann sah er mich mit einem verschwörerischen Lächeln an, und ich wußte, daß ich den Job hatte.

# Kapitel Vier

Ich habe noch jeden meiner bisherigen Jobs gehaßt. Mir will einfach nicht in den Kopf, daß Frauen freiwillig das Haus verlassen, um sich selbst zu verwirklichen. Ich *hasse* es, mein Haus zu verlassen. Und wofür? Für acht Stunden Gefangenschaft! (Wie ich allerdings zugeben muß, ist es eine ungeheuer intensive Erfahrung, wenn man sich während der Arbeitszeit für ein paar Stunden zu einem Einkaufsbummel davonstiehlt. Aber alles in allem ist es die Sache nicht wert. Außerdem würde es mich mal interessieren, wer um Himmels willen für die Gestaltung der Arbeitsplätze verantwortlich ist. Sie verschlingen immense Geldsummen, und das Ergebnis ist gräßlich, fade, »funktionell«. Warum kann ein Büro denn nicht ansprechend wirken?)

Meinen ersten Job nach dem College bekam ich über die USO, und ich packte die Gelegenheit beim Schopf, ein Jahr bei der Truppenbetreuung in Guam zu verbringen. (»Hmmmm«, brummte Dr. Fineman. »Vielleicht wollten Sie möglichst weit weg von Ihrer Mutter.«) »Sie brachte den Matrosen bei, wie man Bridge spielt, hahaha«, lästerte Boyce manchmal anderen Leuten gegenüber. In Wirklichkeit arbeitete ich in einem Büro der Mooney Air Force Base direkt hinter den Sportplätzen. Hauptsächlich tippte ich und bediente den Kopierapparat. Das war meine Spezialität. Ich war eine großartige Kopiererin, ich hatte einfach ein Händchen für die Maschine. Bei mir stimmte der Toner immer ganz genau. Zu schade, daß so etwas Teil einer ansonsten unendlich öden Bürotätigkeit ist.

Aus irgendeinem Grund hielt mich die US Army danach

für befähigt, stellvertretende Leiterin der Kunstgewerbe-schule für Armeeangehörige in der deutschen Stadt Kai-serslautern zu werden. Ein Titel, der was hermacht, zwei-fellos, aber die Arbeit war noch fader als die im Büro. Plötzlich hatte ich alle möglichen »Verwaltungsarbeiten« zu erledigen. Beispielsweise mußte ich die monatliche Heizkostenabrechnung bezahlen. Einmal tat ich es nicht, weil wir in diesem Monat den Lieferanten gewechselt hat-ten. Ich wußte einfach nicht, welchen ich bezahlen sollte, und es war mir peinlich nachzufragen. Also schob ich es immer wieder auf, und schließlich waren wir drei Monate im Rückstand. Ich war vollkommen ratlos – die Bücher stimmten von vorne bis hinten nicht mehr! Da erhielten wir diesen bösen Anwaltsbrief. Zum Glück bestand eine meiner Verwaltungstätigkeiten darin, die Post zu öffnen. An diesem Tag entschloß ich mich, Boyce' Heiratsantrag anzunehmen.

Nachdem ich in meinem Leben beide Erfahrungen ge-macht hatte, fand ich es erstrebenswerter, frei zu arbei-ten und nicht als Angestellte. Auf diese Weise hat man kei-nen Druck und fühlt sich mehr zum Team gehörig. Und Tom und ich gaben ein großartiges Team ab, das muß ich schon sagen. Er gewährte mir wirklich bei allem den tota-len Einblick. Ja, ich saß beinahe jeden Nachmittag bei ihm im Büro, wo wir stundenlang plauderten. Wir sprachen über Theaterstücke und Filme, die wir gesehen hatten, die neuesten Restaurantkritiken im *New-York*-Magazin, die Klatschspalte auf Seite sechs und all die vielen ande-ren Dinge, die New York zu dem machen, was es ist.

Doch am allerbesten gefiel mir, wenn wir zusammen essen gingen. Das taten wir ziemlich oft. In einer Woche sogar zweimal, am Montag zu Luigi's Grotto di Mare in der 55th Street (Tom hatte eine Schwäche für Tintenfisch) und am

Donnerstag ins Coq d'Or in der Eighth Avenue, ein sehr empfehlenswertes französisches Lokal, das für seine preiswerte Tageskarte bekannt war. Am Freitag, dem 2. Oktober, gingen wir zu Jean Lafitte, und Marsha Mason saß am Tisch direkt neben uns! Ich notierte diese Ereignisse verschlüsselt in meinem Schreibtischkalender.

Es war wunderbar, für Tom zu arbeiten, und ich schätze mich glücklich, sagen zu dürfen, daß er mit meiner Arbeit sehr zufrieden schien. Eine der Hauptaufgaben unserer Agentur war es, für unsere Kunden Zuschußanträge zu entwerfen, die absolut einwandfrei aussehen mußten, ohne einen einzigen Tippfehler, vor allem nicht bei der Budgetaufstellung. Das wäre eine Katastrophe gewesen. Und Sie hätten diese Budgetaufstellungen sehen sollen – seitenlange Zahlenkolonnen, die exakt untereinander getippt werden mußten. Ich lieh mir eine elektrische Schreibmaschine, damit ich die Arbeitsrückstände zu Hause aufarbeiten konnte. Trotzdem war ich überfordert. Schließlich brachte ich das Zeug zu einer Frau in der Carmine Avenue in Yonkers. Sie war, dem Himmel sei Dank, ans Bett gefesselt und hatte nicht die blasseste Ahnung von der Inflation, und ihre Preise waren deshalb auf dem Stand von 1962. Sie tippte einen dreißigseitigen Kostenvoranschlag für 7,50 Dollar, und das fehlerfrei. Tom war begeistert. Er wunderte sich lediglich darüber, daß ich im Büro nie so gut tippen konnte.

Gretchen Schiller wurde grün vor Neid über meinen neuen Job. Und Boyce war hellauf begeistert. Auf diese Art war ich beschäftigt, und, noch besser, wir gingen uns nicht auf die Nerven. Denn einer von uns mußte immer bis spätabends arbeiten: entweder Boyce in der Zentrale von Union Carbide in Stamford, Connecticut, oder eben ich in unserem Büro in der 55th Street.

Seltsamerweise nahm Dr. Fineman mein neues Leben alles andere als erfreut zur Kenntnis. Ich glaube, er war ein bißchen eingeschnappt, weil ich mich ohne sein Zutun um einen Job gekümmert hatte. Er tat meine Arbeit immer etwas geringschätzig ab; sein Tonfall ließ durchblicken, daß ich mir bloß die Zeit vertreiben wollte – wie diese Frauen, die Touristen in historischen Gebäuden herumführen oder Rouletteabende organisieren. Unter diesen Umständen finden Sie es sicherlich verzeihlich, daß ich gewisse Details ein wenig »retuschierte«. Was hätte er machen sollen? Vorbeikommen und nachsehen, ob ich gelogen hatte?

Ich konnte nur hoffen, daß er es nicht tat. Schon allein wegen der Lage unseres Büros. Ich hatte es ihm als »Penthouse in der Stadtmitte« beschrieben. Und obwohl das im Prinzip korrekt war, hätte ich vielleicht darauf hinweisen sollen, daß sich diese Dachterrassenwohnung in einem jener Gebäude an der Westside befand, die so rußgeschwärzt und schmutzig sind, daß sie inzwischen buchstäblich schwarz aussehen. Besagtes Haus war tatsächlich einmal sehr elegant gewesen, aber das war sehr, sehr lange her. Heute wurde es zum Teil gewerblich genutzt, von kleinen Firmen wie Gomezfilm und Mardi Gras Fashions, die überall wie Pilze aus dem Boden schossen; und im ersten Stock gab es angeblich einen Hostessenservice. Ein paar Mieter waren noch verblieben, hauptsächlich ältere Frauen, die sich der rauhen Umgebung angepaßt hatten. Mrs. Bernstein beispielsweise war berühmt dafür, daß sie einem die Fahrstuhltür direkt vor der Nase zuschlug. Und da wir gerade vom Fahrstuhl sprechen – ich habe mehr als einmal eine Urinpfütze in der Ecke entdeckt.

In besseren Tagen brachte man auf dem Dach des Gebäudes die Dienstmädchen unter – in etwas, was ich als eine Art große Hütte beschreiben möchte. Genauer gesagt handelte es sich um ein Labyrinth kleiner Räume mitten auf dem Dach. Der geldgierige Vermieter hatte das Ganze kürzlich renoviert und Büroräume daraus gemacht. Aber die ließen sich nicht so einfach vermieten, denn der Fahrstuhl ging nur bis zum achten Stock. Das bedeutete, daß man noch ein paar Treppen erklimmen mußte, ehe man auf dem Dach ankam, wo in beträchtlicher Entfernung die Umrisse von Art Resources Inc. zu erkennen waren. Ja, an einem nebligen Morgen hatte ich Schwierigkeiten, sie überhaupt auszumachen.

Es gab zwei Möglichkeiten, hinzukommen. Die eine Route, ein kleiner Umweg, führte an schornsteinartigen Apparaturen und einem Wassertank vorbei. Die andere war direkter, aber man mußte über eine kleine Mauer klettern.

Nie werde ich meinen ersten Arbeitstag vergessen. Ich war hundertprozentig davon überzeugt, daß ich mich in der Adresse geirrt hatte, und wanderte auf dem ganzen Dach herum, preßte die Nase an Fensterscheiben platt und suchte Hilfe, bis ich endlich ein Lebenszeichen entdeckte. Eine junge Frau mit Pferdegebiß und spindeldürren Beinen stand in einem winzigen Konferenzraum vor einer Gruppe Chinesen, die wild gestikulierten und durcheinanderschrien. »Mist-ah Wong, Mist-ah Wong!« flehte die Frau immer wieder, mit einem deutlich britischen Akzent. Auf der Tafel stand in großen Druckbuchstaben nur ein Wort: DEFIZIT.

Da war mir schlagartig klar: Hier muß es sein. Mein neuer Job! Alles schien mir sehr unkonventionell und aufregend. Nur etwas beunruhigte mich.

Wer war diese *Frau?*

Ihr Name war Lavinia, und sie war Toms Teilhaberin. Und wie Tom es ausdrückte: »Sie gehört zweifellos zu den bizarren Erscheinungen des Lebens.« Was einem als erstes die Sprache verschlug, war Lavinias Aufmachung. Nicht, daß ihre Kleidungsstücke an sich außergewöhnlich gewesen wären, nein, sie trug normale Röcke, Blusen und Hosen. Aber die Farben! Erbsensuppengrün. Sonnenblumengelb. Magentarot. Chartreusegrün. Ihre Lieblingskombination war Purpur mit gebranntem Siena. Tom vertrat die Theorie, daß irgend etwas mit den Stäbchen und Zäpfchen ihrer Netzhaut nicht in Ordnung war.

Wie jemand, der in der noblen Tradition von Liberty of London, J. Ashberry und Aquascutum groß geworden war, an einer derartigen Geschmacksverirrung leiden konnte, machte alles um so unbegreiflicher. Wobei einem der hohe Polyesteranteil ihrer Lieblingsstoffe vielleicht am meisten weh tat. Ihre Sachen strahlten buchstäblich, wenn die Morgensonne in das Büro schien, das wir uns teilten! Mein Schreibtisch stand so nah neben ihrem, daß ich praktisch mit ansehen konnte, wie sich ihre Klamotten statisch aufluden.

Sie hatte viele ungewöhnliche Stücke in ihrer Garderobe, aber am vielleicht ausgefallensten war jenes Kleid, das sie an einem ungewöhnlich warmen Herbsttag trug; es waren über 30 Grad. Ich erinnere mich noch an jedes Detail: glänzender schwarzer Satin, ein tiefer gerader Ausschnitt, keine Ärmel und ein weiter Rock. Doch was den Blick fesselte, waren die Papageien. Das Kleid war über und über mit grellbunten Papageien bedruckt, die durch den Dschungel flatterten.

Tom fand als erster die Sprache wieder. »Himmel, Lavinia – das ist ja ein Kleid!«

»Jaa, sup-ah, nicht waahr?« trällerte sie. »Kaum zu glauben, daß es mal ein Abendfummel war. Ich habe einfach den Rock gekürzt.«

Leider muß ich sagen, daß Tom Lavinia nicht sonderlich gut behandelte. Das drückte sich unter anderem darin aus, daß er sie regelrecht schuften ließ. Sie erledigte ungefähr achtzig Prozent aller anfallenden Arbeiten. Sie schrieb die Zuschußanträge. Sie erledigte die Korrespondenz. Sie sorgte dafür, daß der Trinkwasserbehälter immer gefüllt war. Das einzige, womit sie nichts zu tun hatte, waren die Bücher; die behielt sich Tom höchstpersönlich vor. Außerdem schickte er Lavinia zu allen möglichen Seminaren und Konferenzen, die sich irgendwie mit Kulturverwaltung beschäftigten; sie hatte strikte Anweisung, dort für alles und jeden aufgeschlossen zu sein und die Werbetrommel zu rühren. Außer wenn dort ein Vortrag zu halten war. Das erledigte wieder Tom. Er war ein begnadeter Redner, sehr amüsant und sehr begehrt. Sein berühmtestes Thema lautete: »Wie man einen Zuschußantrag ausfüllt, auch wenn man ein kompletter Idiot ist«.

Manchmal trat Toms Feindseligkeit auch offener zutage. Erinnern Sie sich an den entsetzlichen Brand im Affenhaus des Bronx-Zoos? Mimsy, der Gorilla, kam dabei zu Tode. Nun, wie es der Zufall wollte, meldete sich Lavinia ausgerechnet an diesem Tag krank. »Was haben Sie denn?« fragte Tom. »Eine Rauchvergiftung?«

Zugegeben, sie war keine Schönheit. Ihre Nase war ein bißchen zu groß, ihre Augen ein bißchen zu klein ... und dann dieser Mund! Vielleicht kompensierte sie mit der überschäumenden Begeisterung, die sie für alles und jedes aufbrachte, ihren Mangel an körperlichen Vorzügen. Alles war immer: »Sup-ah, sup-ah!« Einmal ging mir durch den Kopf, wie fix und fertig sie am Ende eines Tages sein mußte. So viele Wellen der Begeisterung hatten ihren

Körper gepackt und geschüttelt, daß sie bestimmt völlig erschöpft ins Bett kroch.

Man erfährt eine Menge über jemanden, wenn man acht Stunden am Tag neben ihm sitzt. Schon bald kannte ich Lavinias Lebensinhalt: einerseits ihre Tätigkeit im Büro, andererseits ihr Engagement in einer religiösen Sekte aus Forest Hills. Diese Gruppe war Auffangbecken für wohlhabende Außenseiter und wurde von einer Frau namens Joya geleitet. Ursprünglich war diese Joya eine ganz normale Hausfrau aus Brooklyn; doch dann machte sie eine Diät, um abzunehmen, und entdeckte dabei zu ihrer großen Überraschung, daß sie übernatürliche Kräfte besaß. Zuerst wurde sie Jüngerin des berühmten Baba Ram Dass, gründete nach einem Streit jedoch ihre eigene Sekte. Diese war sehr exklusiv und bestand aus nur wenigen hundert Mitgliedern, die alle in gemieteten Villen lebten. Jeden Samstag abend fand ein gemeinsames Gebet statt. Einmal ging Joya während einer Pause auf die Toilette und verließ fünf Minuten lang ihren Körper. Es war Gesprächsthema Nummer eins im Ashram. Wie mir Lavinia erzählte, hatte zwar eigentlich niemand gesehen, wie es passierte, man hatte aber einen fleischfarbenen Rückstand in der Badewanne entdeckt.

Jeder im Ashram war für eine bestimmte Aufgabe verantwortlich; Lavinias bestand darin, das Kerzenwachs aus den Teppichen zu entfernen. Das tat sie, indem sie eine Papiertüte auf die entsprechenden Stellen legte und dann mit einem warmen Bügeleisen darüberfuhr. Durch die Hitze schmolz das Wachs und wurde von der Papiertüte aufgesogen. (Probieren Sie es mal – es funktioniert tatsächlich.) Um das Gefühl der Gemeinsamkeit zu verstärken, hatte Joya jedem einen Hindu-Namen gegeben. Lavinia hieß Hanaman Giri, was soviel heißt wie »Bergaffe«. Mir schien das ziemlich taktlos. Immer mal wieder klingelte das Telefon, und eine Stimme fragte: »Kann ich bitte Hanaman Giri sprechen?«

Tom fand sich mit Joya ab, auch mit der überschwenglichen Begeisterung, ja sogar mit den Klamotten. Was ihn aber wirklich auf die Palme brachte, waren die Koalabären.

Lavinia hatte eine Schwäche für Koalabären. Der Himmel weiß warum; vielleicht füllten sie irgendeine Leere in ihrem Dasein. Die Wand hinter ihrem Schreibtisch war mit Fotos dieser possierlichen Kreaturen tapeziert. Und während der Mittagspause rannte Lavinia ständig zu Qantas hinüber, um sich weitere Poster zu erbetteln. Sie hatte einen Koalabären-Kalender, einen Koalabären-Schlüsselanhänger, und auf ihrem Schreibtisch saß eine ausgestopfte Koalafamilie. Sie hießen Humphrey, Lisette, Momo, Denise und Pickles. Tom arrangierte sie häufig in anstößigen Stellungen. Lavinia bemerkte es nie.

Warum hielt er es trotzdem mit ihr aus, werden Sie fragen. Wie kam ein Mann von Toms Geschmack und Stilempfinden dazu, sich geschäftlich mit einer solchen Frau zu liieren? Nun ja, Sie müssen wissen: Lavinia war nicht einfach Lavinia. Sie war Lady Lavinia Turnbull-Ward (oder, wie Tom sie manchmal rief, Lady Lavinia Trampelplatt). Und sie stand an fünfundsiebzigster Stelle der britischen Thronfolge.

Obwohl sie derzeit aufgrund einer Bevölkerungsexplosion in höchsten Adelskreisen auf die hundertundneunte Stelle gerutscht war. Sie stand jetzt vor ihrer Schwester Davina und hinter einer jugoslawischen Prinzessin, die in Brasilien lebte. Von Zeit zu Zeit ging Tom in die Bibliothek, um auf dem laufenden zu bleiben. Doch wie er ganz richtig bemerkte: »Ihre einzige Chance ist der Atomkrieg.«

Lavinia war die Tochter von Lord Stoneberry. Sie erinnern sich bestimmt an ihn – der Adelige mit dem Doppelleben, der mit einer jamaikanischen Stewardeß eine komplette zweite Familie gegründet hatte. Da dies für Lavinia eine ziemlich traumatische Erfahrung war, wurde sie von ihrer Großmutter Lady Louthe nach New York eingeschifft und schnell in einen Reiche-Leute-Job lanciert – bei der Förderungsabteilung des Metropolitan Museum.

Bei der Eröffnung der Etrusker-Schau lernte sie Tom kennen. Er war gelegentlich nett zu häßlichen Mädchen, und auch hier versprühte er seinen Charme, worauf sich Lavinia prompt bis über beide Ohren in ihn verliebt hatte. Das tat sie dann auf rührend altmodische Weise kund: Sie lud ihn ins Konzert ein. Da Tom auf diesem Gebiet Erfahrung hatte, lehnte er dankend ab. Lavinia aber setzte noch eins drauf – sie hatte Karten für eine begehrte Filmpremiere. Tom behauptete, er sei nicht in der Stadt. Da fuhr sie wirklich schweres Geschütz auf – eine Party im Pierre zu Ehren von Prinzessin Margaret.

Es ist eine von Toms Lieblingsgeschichten, und er erzählt sie so oft und so ungeniert, daß ich nicht verstehe, warum sie Lavinia nie zu Ohren gekommen ist. Am köstlichsten ist der Augenblick, wenn Prinzessin Margaret Lady L. begrüßte – ein verhaltener Aufschrei der entzückten Cousine, Küßchen auf die Wange. »Ich konnte mein Glück nicht fassen«, erzählt Tom dann immer. »Der Raum begann sich um mich zu drehen. Und egal, wohin ich blickte – überall Dollarzeichen!«

Eines Nachmittags Ende Oktober saß ich an meinem Schreibtisch und beobachtete, wie Tom und Lavinia übers Dach hasteten und durch die Tür hinunter zum achten Stock verschwanden. Wie immer hing Lavinia ein

Stück zurück, und wie immer schnauzte Tom sie an, sie solle sich beeilen. Sie waren auf dem Weg zu einer Vorstandssitzung der Tanzenden Rollstuhlfahrer und ziemlich spät dran.

Ich sah, wie die Tür hinter ihnen zuschlug. Dann wartete ich noch ein Weilchen: Vielleicht hatten sie etwas vergessen. Also sang ich »If I Loved You«. (So messe ich immer eine Minute.) Um ganz sicherzugehen, sang ich »If I Loved You« noch dreimal.

Ich arbeitete jetzt seit neun Wochen bei Arts Resources und war, offen gesagt, etwas besorgt. Tom hatte mich seit einer Woche nicht mehr zum Mittagessen eingeladen. Offenbar war ich zu einem Teil der Einrichtung degradiert worden. Eine gewisse Routine hatte eingesetzt. Lavinia und ich saßen in unserem Büro, ich tippte wie blöd, und sie schrieb Anträge und verhandelte mit Kunden, während Tom sich meistens in sein Privatbüro zurückzog. Die herrlichen Tage meiner Anfangszeit, in denen ich dort des öfteren ein Stündchen mit ihm geplaudert hatte, während Lavinia die Stellung hielt, schienen ein für allemal der Vergangenheit anzugehören.

Wieder inspizierte ich meinen Kalender. Es war nicht eine Woche her, seit wir das letztemal zusammen gegessen hatten. Nein, es waren mittlerweile *zwölf* Tage!

Ich stand auf und schlich zu seinem Büro.

Eine Freundin hatte er nicht, da war ich mir ganz sicher. Lavinia erwähnte zwar häufig irgendeine Museumsdirektorin aus Salt Lake City, mit der er sich angeblich traf, »Toms Süße aus dem Salt Lake«. (Und sie erwähnte sie sehr viel häufiger als nötig, nur um mich zu ärgern.) Doch ich glaubte ihr kein Wort. Wenn sie wirklich so heiß und innig verbandelt waren, warum rief sie dann nie an? Denn Sie müssen wissen, Tom litt an Telefonitis. Telefo-

63

nieren war seine Hauptbeschäftigung hinter der verschlossenen Tür seines Büros. Ich schätze, daß er an einem normalen Tag, neben der Zeit, die er zum Schlafen, für den Friseur, für Einkäufe, Theater, Kino und zum Essengehen brauchte, bestimmt drei bis vier Stunden am Telefon verbrachte. Und dabei rechne ich nur die Privatgespräche.

Ich nahm die Gespräche entgegen, also wußte ich, wer häufig anrief. Am häufigsten war Floyd an der Strippe. Er rief mehrmals täglich an. Aber ich kam einfach nicht dahinter, in welcher Beziehung er zu Tom eigentlich stand. Zuerst hielt ich die beiden für Brüder. Oder waren sie uralte Freunde aus Collegezeiten? Oder Geschäftspartner? Ehemalige Geschäftspartner? Manchmal hatten sie heftige Auseinandersetzungen, die sich tagelang hinzogen, und dann hinterließen sie sich gegenseitig sarkastische Nachrichten.

Auf Platz zwei rangierte Ronald Russo. Natürlich wußte ich, wer er war. Ich sah seine Annoncen mit Foto ja ständig in der Zeitung. Er besaß eine der größten Juwelierladenketten von New York und New Jersey und war erst kürzlich für die Hall of Fame der Juweliere nominiert worden. Er hatte zusammen mit Eva Gabor eine ausgefallene Serie mit Krawattennadeln und Ohrclips kreiert. Einmal am Tag rief er an. Seine Stimme klang tief und rauh. Ich werde nie vergessen, wie ich ihn in der Leitung hatte – er wartete darauf, daß Tom ein anderes Gespräch beendete –, und er sagte: »Darling, ich habe gehört, daß Sie eine märchenhaft reiche Frau sind, die aus dem Iran geflüchtet ist. Haben Sie vielleicht Interesse an einem *Bijoux?*«

Außerdem gab es eine Reihe junger Männer – Tony, Nick und Angel –, die nur von Zeit zu Zeit anriefen. Sie hörten sich alle reichlich jung an und wohnten mit Sicherheit *nicht* in der Park Avenue. Vielleicht war Tom in einem sozialen Projekt für männliche Jugendliche engagiert. Obwohl bei manchen Hopfen und Malz verloren schien: Ein Mann namens Dave Smith rief aus einem Gefängnis in Massachussetts an und wollte Geld für seine Kaution. Tom sagte mir, für diesen Menschen sei er nicht zu sprechen.

Vorsichtshalber sah ich mich rasch noch einmal um, dann drehte ich leise den Türknauf und stieß die Tür zu Toms Büro auf. Beim Einzug hatte er die Räumlichkeiten sehr ansprechend gestaltet. An den apfelgrünen Wänden hingen künstlerische Fotos von Kanaldeckeln und Luftschächten in schlichten schwarzen Rahmen. Eine Wandbreite wurde von verchromten Regalen eingenommen; auf dem Schreibtisch stand eine kostspielige italienische Lampe. Doch die High-Tech-Eleganz kam kaum zur Geltung und war faktisch nicht mehr wahrzunehmen, denn Tom war ein sehr schlampiger Mensch. Wohin man auch blickte, überall Aktenordner oder Ablagekörbe voll mit alten Zeitungsartikeln, Rundschreiben, Zeitschriften und so weiter. In jeder Ecke stapelten sich vergilbte Zeitungen, und die Pflanzen – ein Trio aus Arica-Palmen – siechten dahin, obwohl Lavinia und ich sie aufopfernd pflegten.

Ich spitzte die Ohren, damit mir kein Geräusch aus dem vorderen Büro entging, und bahnte mir den Weg zum Schreibtisch. Langsam öffnete ich die mittlere Schublade. Es war nichts Interessantes drin, außer einem Brief vom armenisch-amerikanischen Kulturausschuß, der seit Wochen vermißt wurde. Sonst nur Büromaterial, Heftklammern und eine Speisekarte von Shanghai Gardens. Und Schecks mit Toms Adresse, aber die kannte ich natürlich längst.

Ja, ich war sogar schon ein- oder zweimal dort gewesen, einfach nur so, um vor seinem Haus zu stehen. Man kommt leicht hin: Entweder fährt man mit der Linie IND die Sixth Avenue bis zur 14th Street und steigt dort um, oder man fährt mit der BMT und steigt dann in die LL. Oder man nimmt die U-Bahn Linie 1, dann muß man noch ein Stück laufen. Aber den Bus kann ich nicht empfehlen. Ich brauchte einmal mehr als drei Stunden hin und zurück und mußte die ganze Zeit über stehen. Um ehrlich zu sein, am besten nimmt man den Wagen. Es gibt in den Parkbuchten an der Hudson Street immer eine Lücke, und wenn mal wirklich nichts frei ist, fährt man einfach um den Block, bis jemand wegfährt.

Ich kannte auch die Nummer seines Apartments (9 G), wußte aber nicht genau, wo es lag. Allerdings stach einem der neunte Stock gleich ins Auge, denn einer der Mieter hatte anstelle von Gardinen schmuddelige Bettlaken aufgehängt. Ich konnte es nicht fassen – in einem eleganten Gebäude mit Türsteher und Tiefgarage! Diese Laken mußten für Tom doch der sprichwörtliche Pfahl im Fleische sein. Manchmal wehten sie aus den geöffneten Fenstern hinaus und flatterten im Wind wie Signalwimpel für Tieflieger.

Ich kramte weiter in Toms Schreibtisch und öffnete systematisch eine Schublade nach der anderen. Das Ergebnis war enttäuschend. Es war schon eine Menge Zeug da, wahllos hineingestopfte Unterlagen, aber alles war ... so unpersönlich. Noch nie hatte ich einen Schreibtisch durchwühlt, der so wenig Rückschlüsse auf die Persönlichkeit seines Besitzers zuließ. Ich war frustriert ... war hier absichtlich so wenig Aufschlußreiches untergebracht worden? Hatte er etwa damit gerechnet, daß jemand herumschnüffeln würde?

Dann kam ich zur letzten Schublade – links unten. Es waren nur drei Dinge darin. Aber die lieferten genügend

Stoff zum Nachdenken. Erstens eine Tüte Wäscheklammern. Ganz normale hölzerne Wäscheklammern. Zweitens eine Unterhose, ein knapper Slip Größe 5, nicht ganz sauber. Du lieber Himmel, dachte ich. Was hat er vor? Will er seine Unterwäsche im Büro waschen? Doch unter dem Slip machte ich einen noch merkwürdigeren Fund: eine kleine gelbe Schachtel mit ungefähr einem halben Dutzend Ampullen, jede in gelbem Material eingeschweißt.

Ich las die Aufschrift: »Amylnitrit«. Davon hatte ich schon gehört. Damals in Teheran hatte Fred Fransworth Amylnitrit genommen wegen seines Herzens. Ich glaube, es regt den Kreislauf an. Wie merkwürdig. Tom war ein echter Hypochonder, noch schlimmer als ich (soweit das möglich ist). Das war eine unserer Gemeinsamkeiten. Doch er hatte niemals etwas von einem schwachen Herzen verlauten lassen ...

Vorsichtig setzte ich mich auf den Schreibtischstuhl. Jetzt hatte mich die Neugier wirklich gepackt. Es *mußte* noch mehr da sein. Ich hatte nur noch nicht gründlich gesucht.

Es war schon nach fünf, als ich endlich fündig wurde. Ich mußte sämtliche Schubladen herausziehen, und dort, ganz hinten zwischen Schubladen und Rückwand, steckte es, zusammengeknüllt, seit weiß Gott wie langer Zeit: ein Eisenbahnfahrplan nach Long Island – zu einem Städtchen namens Sayville.

An sich nicht gerade weltbewegend; aber es steckte ein Foto drin. Nur ein Schnappschuß aus einer Sofortbildkamera, aber ich starrte darauf, bis es im Büro dunkel wurde und ich die edle italienische Schreibtischlampe anknipsen mußte. Das Bild zeigte die Veranda vor einem eleganten Strandhaus; im Hintergrund konnte man vor einem rosaroten Sonnenuntergang die Brandung sehen.

Ein Tisch war mit erlesenem Porzellan und Stoffservietten gedeckt; in Sturmlaternen flackerten Kerzen. An dem Tisch saßen drei Leute, und einer von ihnen war Tom. Obwohl es, ehrlich gesagt, kein sehr schmeichelhaftes Foto von ihm war. Er prustete gerade vor Lachen. Ein Auge war geschlossen, das andere aufgerissen, und sein Mund erinnerte an den offenen Schnabel eines Adlerjungen, das darauf wartet, einen Wurm hineingestopft zu bekommen.

Neben ihm saß ein auffallend attraktiver Mann Anfang bis Mitte dreißig. Er hatte dunkles, gewelltes Haar, wunderbare Augenbrauen und ein entschlossenes Kinn. Irgendwie erinnerte er mich an den Dressman, der für Jontue-Parfüm wirbt, außer daß seine Augen zu eng beieinanderstanden. Doch er blickte direkt und durchdringend in die Kamera und war beneidenswert braungebrannt.

Die dritte Person war eine Frau. Und was für eine Frau! – eine schwergewichtige Platinblondine mit schneeweißer Haut und grellrot geschminkten Lippen, die farblich zu ihrem an den Schultern breit gepolsterten Seidenkleid paßten. Offen gesagt, wirkte sie ein bißchen zu aufgedonnert für ein Abendessen am Strand. Diamanten – oder zumindest weiße Bergkristalle – funkelten an ihren Ohren und Handgelenken; kein Haar ihrer kunstvollen Frisur wurde von dem Wind in Unordnung gebracht, der den armen Tom ordentlich zauste. Ihr Gesicht verriet nicht so sehr eine Stimmung als vielmehr eine Grundhaltung, die ich als »empfindsame Arroganz« beschreiben würde – ein leicht affektiertes Lächeln, aber auch der Hauch eines höhnischen Grinsens. Ich hatte jemanden wie sie noch nie zu Gesicht bekommen, aber eines war sicher: Diese Frau war garantiert keine Museumsdirektorin aus Salt Lake City.

# Kapitel Fünf

Tom liebte Opern. Das heißt, eigentlich liebte er alle Kunstrichtungen – den Broadway, die Galerien, das Kino, Bestseller –, doch Opern waren seine große Leidenschaft. Einmal hörte ich ihn sagen: »Ich könnte nie eine ernsthafte Beziehung mit jemandem eingehen, der keine Opern mag.« Auf diesem Gebiet gab es nichts, was er nicht wußte; in dieser Hinsicht ähnelte er Boyce mit seinen Baseball-Tabellen. Es ist zu schade, daß die »Vierundsechzigtausend-Dollar-Frage« nicht mehr im Fernsehen läuft – er hätte Millionen gewinnen können. Jeden Samstagnachmittag überspielte er die Live-Übertragung aus der Met auf Band, und er hatte Abonnements für jedes Opernhaus der Stadt. Einmal fuhr er sogar mit dem Zug bis nach Philadelphia, nur um Judith Blegen in einer Oper zu hören, die sie noch nie gesungen hatte.

Auch ich mag Opern. Ja, wirklich! Meine erste Oper habe ich im Alter von fünf Jahren gesehen, ob Sie's glauben oder nicht. Damals nahm mich Sokrates mit ins Lamar Theater in der Wacker Street zum *Nußknacker*. Sokrates wohnte neben uns, zusammen mit dem alten Dr. McCutchen vom Fachbereich Kunst. Ich glaube, er war Grieche. Noch heute kann ich mich an das Mädchen erinnern, das die Hauptrolle spielte. Gott, zu welchen Begeisterungsstürmen sie ihr Publikum hinriß! Eines Tages, malte ich mir aus, würde man für mich genauso applaudieren. Natürlich mußte ich erst noch Ballettstunden nehmen. Dabei fällt mir ein: Wenn ich mich recht erinnere, ist der *Nußknacker* eher ein Ballett als eine Oper, aber Sie verstehen schon, was ich meine.

Unvergeßlich wird mir auch bleiben, wie Boyce und ich in Rom waren und uns in den Caracalla-Thermen eine Oper ansahen. Ich weiß nicht mehr, wie sie hieß, aber ich erinnere mich, daß sie im alten Ägypten spielte; irgendwann ertönte dann ein Marsch, und all diese Soldaten strömten aus einer Pyramide. Wahrhaft gigantisch – es müssen Hunderte von Soldaten gewesen sein, und das Publikum war hingerissen. Allerdings kam mir bei näherem Hinsehen einer der Soldaten auf einmal seltsam bekannt vor, und dann kamen mir plötzlich alle seltsam bekannt vor! Tatsächlich waren es *immer dieselben zwanzig Leute*, die da im Kreis marschierten! Doch als ich Boyce diese verblüffende Erkenntnis mitteilen wollte, schlief dieser tief und fest.

Aber wenn ich schonungslos ehrlich mit mir war, wußte ich, daß das Niveau meiner Kenntnisse nicht für die Kategorie »ernsthafte Beziehung« ausreichen würde. Deshalb wurde ich Stammgast im Rizzoli, wo ich in den Mittagspausen die einschlägigen Opernführer studierte. Ich kaufte mir sogar eine Platte von Eileen Farrell, auf der sie ihre Lieblingsarien schmettert. Zu meinem Entsetzen kannte ich keine einzige davon.

Anfangs konnte ich noch bluffen. Das war ziemlich einfach: Ich brauchte Tom nur zuzuhören und ihm in allem beizupflichten. Nach einer Weile bekam ich ein recht gutes Gespür dafür, was er mochte und was nicht. Er war der Opern-Typ, der die Callas anbetet, Pavarotti haßt und Beverly Sills als »Schreihals« abtut.

Als ich eines Tages gerade mit dem Korrekturlesen eines Zuschußantrags beschäftigt war, trat Tom zu mir und verkündete: »Ich mache eine Meinungsumfrage.«

»Oh, wie schön!« erwiderte ich. »Ich liebe Meinungsumfragen.«

»Wer ist Ihr Lieblingskomponist?«

Mein Kopf war wie leergefegt. Ein schwarzes Loch. Nicht nur mein Lieblingskomponist war weg – falls ich je einen gehabt hatte – mir fiel überhaupt kein Komponist mehr ein. Die Sekunden verstrichen. Ich gab vor, nachzudenken … ich runzelte die Stirn … ich sagte: »Nein, der nicht.« Und dabei starb ich innerlich tausend Tode. Bitte, lieber Gott, laß das Telefon klingeln, mach, daß irgendwas passiert …

Da kam mir die Erleuchtung. Erst am Abend zuvor hatten Boyce und ich einen alten Film im Fernsehen gesehen – die Marx Brothers im Kaufhaus. Ich mache mir nichts aus den Marx-Brothers, aber ich liebe Filme über Kaufhäuser. An einer Stelle singen sie alle zusammen dieses Lied »Sing While You Sell«. Und an eine Textzeile des Lieds konnte ich mich noch ganz deutlich erinnern: »If you want to sell a wienie, sing something by –«

»Rossini!« rief ich aus.

»Hmmmm«, meinte Tom. »Interessant.«

Aber nicht einmal Tom gelang es, Karten für die neue Inszenierung von »La Bohème« zu bekommen, bei der bis zu zweihundert Personen gleichzeitig auf der Bühne stehen sollten. Das Stück war in aller Munde und sofort für die ganze Saison ausverkauft. Tom telefonierte wie besessen, aber ohne Erfolg. Nicht einmal Blanchette konnte helfen, sie war mit I. M. Pei in Vail.

Plötzlich hatte ich eine Idee. Die Frau von Union Carbide! Bei Union Carbide arbeitete nämlich eine gewisse Miss Fischer. Ihre einzige Aufgabe bestand darin, Karten für Veranstaltungen aufzutreiben, wenn irgendwelche hohen Tiere zu Besuch kamen. Und dabei bewies sie ein sagenhaftes Talent. Einmal besorgte sie Imelda Marcos einhundert Karten für ein Konzert von Barbara Mandrell. Imelda schickte ihr dafür eine Brosche, auf die winzige Muscheln von den Philippinen geklebt waren. Und Miss Fischer war bekannt dafür, daß sie auch uns Normalsterblichen einen Gefallen tat, wenn man ihr nur lange genug auf die Nerven fiel ...

Ich hatte mir fest vorgenommen, uns einen netten Abend zu machen, deshalb reservierte ich mit Toms Zustimmung einen Tisch im Café des Artistes, seinem Lieblingslokal. Insgeheim hoffte ich, wir würden einen Platz unter den berühmten Wandgemälden bekommen, aber das klappte leider nicht. Nur einen kurzen Blick auf die Fresken konnten wir erhaschen, als man uns durch den Speisesaal auf einen schmalen Korridor führte, vorbei an der Küche, an einem Münzfernsprecher und einem Treppenaufgang, bis in den hinteren Speisesaal. Dieser hatte, ehrlich gesagt, wenig vom Flair des berühmten vorderen Saals.
Auch das Publikum kam mir etwas anders vor. Ich kann zwar nicht mit Sicherheit behaupten, daß ich vorne irgendwelche gefeierten Persönlichkeiten gesehen hätte, aber ein Mann hätte gut Adolph Green sein können. Hier hinten traf man eine andere Sorte Gäste. Am Tisch neben uns wurde beispielsweise eine Abschiedsparty für eine Sekretärin gefeiert. Immer wieder zuckten die Blitzlichter der Fotoapparate auf, und es wurde viel Aufhebens um das Ansteckbukett gemacht. Uns gegenüber saßen zwei ältere Frauen mit Hüten, neben ihnen eine große Gruppe von Pärchen aus New Jersey in Jogginganzügen und mit Fortunoff-Schmuck behängt, die durch ihr ohrenbetäubendes Gelächter auffielen.
»Sollen wir lieber woanders hingehen?« fragte ich.
»Ach, wozu?« seufzte Tom und faltete seine Serviette auseinander. Dann warf er einen argwöhnischen Blick auf mein Kleid. »Was sind denn das für Dinger?«

»Was für Dinger? Ach, das? Das sind Einsatzstreifen. Schauen Sie, es hat vorne zwei, da und da, dann welche hier an der Seite und noch zwei auf dem Rücken.«

»Lieber Himmel – Sie sind ja im Dauereinsatz.«

Er war denkbar schlecht gelaunt, und zwar schon den ganzen Tag. Wahrscheinlich steckte er in irgendeiner Krise. Am Nachmittag hatte er jemanden am Telefon angebrüllt. »Jetzt paß mal auf«, schrie er so laut, daß ich es durch die geschlossene Tür hören konnte, »von mir aus kann's auch unser *fünfzigster* Jahrestag sein! Es gibt keinen Waldorf-Salat, und damit basta!« Eine Bemerkung, die mir zu denken gab. Vielleicht gab es doch eine andere Frau …

Ich musterte ihn, wie er mürrisch den Mund verzog und seufzte. Würde es mir jemals gelingen, seinen Panzer zu durchbrechen? Schon den ganzen Abend hatte er den Blickkontakt mit mir vermieden. Er schaute dauernd in alle möglichen Richtungen, nur nicht in mein Gesicht. Momentan war er in die Betrachtung eines glatzköpfigen Puertoricaners am anderen Ende des Raums vertieft. Ich nehme an, der Mann rasierte sich den Kopf, um Eindruck zu schinden, denn eigentlich war er ziemlich jung und sah recht attraktiv aus mit seinem dünnen Schnauzbart. Tom starrte ihn unentwegt an, aber wenn man sich den Kopf rasiert, ist man wahrscheinlich daran gewöhnt, daß man angestarrt wird.

Da Tom keine Lust auf ein Gespräch zu haben schien, erzählte ich ihm in lockerem Plauderton ein paar amüsante Anekdoten aus meiner Zeit im Iran. Bis zum Dessert reichten sie gerade. Bei manchen hörte er aufmerksam zu, bei anderen nicht. Nur durch übermenschliche Anstrengungen gelang es mir, das nicht persönlich zu nehmen. Offenbar lag ihm immer noch dieser Waldorf-Salat im Magen, und ich überlegte mir, daß es wohl das beste wäre, wenn ich ihm tröstend zur Seite stand und auf seine Bedürfnisse einging – ganz im Gegensatz zu *ihr*, wer immer sie auch sein mochte ...

Während ich auf die Rechnung wartete, entschuldigte sich Tom und ging zur Herrentoilette. Er blieb ziemlich lange weg – so lang, daß ich schon befürchtete, wir würden zu spät in die Oper kommen. Ich saß da und starrte auf die Tür wie ein vor dem Metzgerladen angebundener Hund. Endlich ging die Tür auf, und Tom erschien, fröhlich pfeifend; wenige Sekunden später folgte der glatzköpfige Puertoricaner.

»Wollen wir?« meinte er und faltete einen kleinen Zettel zusammen. Als ich aufstand und den Mantel anzog, bemerkte ich, wie er den Zettel in seine Brieftasche steckte, gleich neben die Mastercard.

Eine wunderbare Eigenschaft besitzen alle großen Opern: Sie können eine momentane Stimmung schlagartig und von Grund auf ändern. Kaum hatte *La Bohème* angefangen, war Tom der Welt entrückt. Gebannt blickte er zur Bühne, derart fasziniert, daß er an den Fingernägeln kaute wie an einem Maiskolben. Eigentlich hatte ich gehofft, wir würden flüsternd fachkundige Bemerkungen austauschen, aber es war von Anfang an klar, daß Tom sich ganz seiner persönlichen Verzückung hingeben wollte.

Wie erfreulich, daß er wenigstens seinen Spaß hatte – ich war mit den Nerven vollkommen am Ende. Während der ersten zehn Minuten fühlte ich mich noch einigermaßen wohl. Der Vorhang ging auf und gab den Blick frei auf ein Künstleratelier im Paris des neunzehnten Jahrhunderts. Es war ein wunderbarer Raum, aber man hätte eine Menge Arbeit reinstecken müssen. Ich überlegte, daß ich als erstes die Balken weiß gestrichen hätte – und dann

Chintz, Chintz und noch mal Chintz. Unterdessen liefen da ein paar Männer auf der Bühne herum und gingen irgendwelchen unverständlichen Beschäftigungen nach. Einer wickelte sich in ein Tischtuch, ein anderer fing an, die Möbel zu verbrennen. Ich dachte gerade: »Meine Güte, wenn das noch drei Stunden so weitergeht ...«, da klingelte es an der Tür. Der Held öffnete sie eilfertig, und vor ihm stand eine Frau, das erbärmlichste Geschöpf, das ich je gesehen hatte, blaß, kränklich und aufgedunsen. Mit affektiertem Grinsen trippelte sie im Atelier herum und schenkte dem Helden das künstlichste Lächeln, das man sich vorstellen kann. Sie versuchte, sein Mitleid zu erregen, indem sie einen Hustenanfall vortäuschte, und benahm sich überhaupt reichlich daneben. Wer ist diese Frau, fragte ich mich, und schaute im Programmheft nach.

Ihr Name war Mimi.

Nun, das erklärte zumindest die Anspielungen, die Tom die ganze Woche über gemacht hatte.

Von diesem Augenblick an wurde die Oper zu einem Sammelsurium böser Vorzeichen. Mimis Schicksal wurde zu meinem. Was ihr zustieß, würde mich ebenso treffen – manchmal verrenne ich mich einfach in solche abergläubischen Hirngespinste und komme nicht mehr davon los. Einmal fuhr ich auf der Suche nach einem schwarzen Cadillac eine Stunde lang in Bronxville herum. Ich bildete mir ein, ich müßte sterben, wenn ich nicht bis fünf Uhr nachmittags einen zu Gesicht bekommen hätte. Die Lage wurde bereits kritisch, als mir plötzlich McGraths Leichenhalle einfiel. Dort parken immer welche vor dem Tor. Jedenfalls war diese Mimi schwer lungenkrank, und dafür recht leicht gekleidet mit ihrem dünnen Schal. Nach der Pause mußte sie eine längere Arie singen – mitten in einem *Schneesturm!* Ich spürte, daß es bald mit ihr zu Ende gehen würde. Holt sie doch endlich rein, dachte ich unablässig. Nach einer emotionalen Achterbahnfahrt, die für schwache Nerven absolut nicht geeignet war, senkte sich endlich der Vorhang. Zu meinem grenzenlosen Erstaunen war Mimi immer noch am Leben! Das Publikum applaudierte begeistert, doch niemand so erleichtert wie ich. Dann griff ich nach meinem Mantel.

»Was ist los?« fragte Tom. »Wollen Sie sich den vierten Akt nicht mehr ansehen?«

»Ach, wo denken Sie hin!« erwiderte ich mit verblüffender Geistesgegenwart. »Mir ist nur ein wenig kühl.« Den ganzen vierten Akt saß ich im Mantel da und mußte mit ansehen, wie Mimi eines qualvollen Todes starb, während mir der Schweiß von der Stirn perlte.

Doch dann war alles vorüber, und ich fuhr Tom nach Hause durch die Stadt, die nach einem Regenschauer in neuem Glanz erstrahlte. Tom war wie verwandelt, aufgekratzt und redselig erklärte er mir, was er von dem Stück hielt. Die zweihundert Statisten seien nichts weiter als überflüssige Effekthascherei, die Kostüme eine Geschmacksverirrung …

»Allerdings!« pflichtete ich ihm bei.

… und das Mädchen mit dem reichen alten Knacker hatte zweifellos bessere Tage gesehen.

»Aber die Musik!« rief er aus, indem er das Fenster herunterkurbelte und mit tiefen Atemzügen die frische Luft einsog. »Diese Musik möchte ich hören, wenn ich sterbe!«

»O ja, ich auch, ich auch.«

Neben Macy's mußten wir an einer roten Ampel halten. Ich hörte, wie Tom leise in sich hinein kicherte, und sah ihn an. Er räkelte sich in beinahe ungehöriger Weise auf dem Sitz und vermittelte den Eindruck völliger Entspanntheit. »Sagen Sie, Mimi«, meinte er, »waren Sie schon mal verliebt?«

Mein Herz begann zu pochen. »Ja«, sagte ich schlicht und würdevoll, »ich war schon *zweimal* verliebt.«

»Ja?«

»Das erstemal in Sokrates.«

»Ich meine nicht intellektuell.«

»Nein, nein, nicht *der* Sokrates. Meiner leitete eine Benimmschule für höhere Töchter am Military Drive. Warum es ihn 1950 nach Lubbock, Texas, verschlagen hat, weiß ich nicht. Auf jeden Fall hat er dort gewohnt. Er hatte Locken und große, braune Augen. Und er war immer nett zu mir. Manchmal, wenn es im Sommer nach dem Abendessen noch hell war, brachte er mir vor dem Haus Steptanz bei oder lud mich in die Milchbar ein. Oder wir fingen Glühwürmchen, die wir in ...«

»Und das zweitemal?«

Ich sah ihn an, und unsere Blicke trafen sich. Ich holte tief Luft. »Das zweitemal könnte jetzt sein.«

»Ach?« sagte er. »Sie haben einen Freund?«

Als ich von der Seventh Avenue in Toms Straße einbog, wollte ich unsere spätabendliche Vertrautheit unbedingt noch länger auskosten. Er war so umgänglich und offen, und endlich einmal bereit, über seine Gefühle zu sprechen. »Mimi, Mimi«, sagte er, als ich vor seinem Haus anhielt, wo – welch ein Wink des Schicksals! – sogar eine Parklücke frei war. »Sie sind eine höchst bemerkenswerte Frau, wissen Sie das?«

Ich errötete.

»Keiner kennt diese Straße. Sogar den Taxifahrern muß man den Weg erklären. Und Sie finden sie sofort.«

Ich schwieg, doch nur einen Augenblick. »Was soll ich dazu sagen? Ich bin eben eine Frau mit vielen Talenten.«

»Ja – jetzt müßten wir Ihnen nur noch beibringen, wie man sich richtig anzieht ...«

Wir lachten beide, dann herrschte Schweigen. »Tja«, meinte Tom schließlich, »dann will ich mal.« Seine rechte Hand tastete nach dem Türgriff.

Da packte ich seinen linken Arm. Er erstarrte zur Salzsäule. »Tom«, sagte ich leise.

»Ja?«

Ich hätte den Anflug von Panik aus seiner Stimme heraushören müssen, aber ich war schon zu weit gegangen, überwältigt von der Stimmung des Augenblicks. Mein Gesicht näherte sich seinem. Eigentlich hatte ich auf seinen Mund gezielt, und ich hätte ihn auch getroffen, wenn Tom nicht zurückgewichen wäre. So prallte mein Angriff an seiner Wange ab, und als meine Lippen seine Haut berührten, merkte ich, daß er vor Anspannung zitterte.

»Nochmals danke«, sagte er und stürzte aus dem Wagen. Der Knall der zuschlagenden Wagentür hallte noch in meinen Ohren, während er zum Haus spurtete.

Er blieb nicht stehen, um mir nachzuwinken.

# Kapitel Sechs

Ich weiß schon, was Sie jetzt denken: Was ist los mit dieser Frau? Hat sie denn Tomaten auf den Augen?

Natürlich war Tom nicht der erste Homosexuelle, den ich kennenlernte. Beispielsweise Mr. Kliendel, der Musiklehrer an der Highschool in Lubbock – die Kinder nannten ihn »Schwuchtel«, womit ich bis zur zehnten Klasse nichts anzufangen wußte. Auf mich machte er immer einen sehr netten, geistreichen und gepflegten Eindruck. Allerdings hatte ich nie Unterrichtsstunden bei ihm belegt, weil ich absolut unmusikalisch bin. Dann gab es noch den armen Donald Himmelman, der bei Schulaufführungen immer die Hauptrolle spielte. Als ich ihn in *Hexenjagd* sah, meinte ich, ein Chanel-Mannequin auf dem Laufsteg vor mir zu haben. Und in Teheran pflegte ich eine sehr angenehme Bekanntschaft mit zwei entzückenden älteren englischen Gentlemen, Nigel und Maurice, die Teppiche verkauften und in der Altstadt eine ungemein exquisite Villa besaßen. Ich besuchte sie mit meiner Freundin Judy von der kanadischen Botschaft regelmäßig zum Tee. Als sie die sechzig überschritten hatten, adoptierten die beiden sogar ein Baby!

Doch sehen wir den Tatsachen ins Auge: Neuneinhalb Jahre im Iran fordern ihren Tribut. Man bekommt einfach die neuesten Trends nicht mehr mit. All die sozialen Bewegungen – wie die Frauenbefreiung und das Engagement für die Umwelt – darüber liest man eben im *Time*-Magazin. Sogar mein Modebewußtsein verwahrloste – ich besaß viel zu viele Twinsets. Unsere Heimkehr in die Vereinigten Staaten war ein enormer Kulturschock. Als Boyce und ich einen Fernsehapparat kaufen wollten, stellten wir erst nach zehn Minuten fest, daß wir mit einem Mikrowellengerät geliebäugelt hatten.

Es war einfach nicht mehr dieselbe Gesellschaft, die wir vor Jahren verlassen hatten. Ich war angenehm überrascht, in den verschiedensten Bereichen positive Veränderungen wahrnehmen zu können – etwa auf dem Gebiet der Menschenrechte. Schwarze waren in allen besseren Geschäften keine Ausnahme mehr; es glotzte sie auch keiner mehr an. Vielleicht noch aufregender war die Tatsache, daß man Sportkleidung jetzt wirklich überall tragen konnte.

Doch ich bekenne ohne Umschweife – in oben beschriebener Situation war ich absolut begriffsstutzig. Überall lauerten Hinweise, aber ich übersah sie geflissentlich. Bis ich schließlich mit der Nase darauf gestoßen wurde ...

Der Valentinstag fiel dieses Jahr auf einen Mittwoch. Ich weiß das noch genau, weil an jenem Morgen Lavinia in der betont munteren Art, die typisch für sie war, bekanntgab, der Arzt habe gerade einen Knoten in ihrer Brust entdeckt. Sie würde sich gleich am nächsten Tag operieren lassen, aber das sei kein Grund zur Besorgnis, weil sie sich Arbeit mit ins Krankenhaus nehmen könnte.

Ich war ganz aus dem Häuschen. Das war genau die Gelegenheit, auf die ich gewartet hatte, um wieder Gnade vor Toms Augen zu finden. Denn nach unserem Opernabend hatte er mich fallenlassen wie eine heiße Kartoffel. Oh, er war höflich und alles, ich hatte ihm nichts vorzuwerfen. Wir unterhielten uns, wenn er an meinem Schreibtisch vorbeiging; wir tauschten Klatsch über die Kunden aus; daß Leute aus der Kulturverwaltung einen übermäßigen

Hang zum Alkohol zu haben schienen und deshalb häufig gefeuert wurden. Daß der Sohn von Miriam Moreland in Buffalo unter Mordverdacht verhaftet worden war. Peinliches Schweigen trat also nie ein. Aber die intimen Plaudereien in seinem Büro gehörten der Vergangenheit an. Jetzt paßte er auf wie ein Luchs, daß wir keine Sekunde allein waren.

Aber an diesem Morgen schlüpfte ich bei erster Gelegenheit in sein Büro. Er musterte mich argwöhnisch vom Schreibtisch aus, wo er gerade mit der Versicherung telefonierte; irgendwas wegen einer Kamera und einer Armbanduhr, die aus seiner Wohnung gestohlen worden waren.

»Wie soll's jetzt weitergehen?« fragte ich, als er endlich auf Warteschleife gelegt wurde.

»Was meinen Sie damit?«

»Wegen Lavinia.« Ich hatte alle möglichen Vorschläge parat. Ganz besonders gefiel mir der Gedanke, sie zurück nach England zu schicken. Sollte sich doch ihre Mutter um sie kümmern. Das letzte, was wir hier brauchen konnten, war ein Chemopatient, der uns zur Last fiel.

»Was geht mich Lavinia an!«

»Aber Tom – das können Sie doch nicht ernst meinen! Sie wissen doch, was für Probleme sie hat.«

»Ja, sie kriegt ihre Periode öfter, als Hemingway seine Sauftouren machte.«

»Aber Tom … es ist *Krebs!*«

»Sie hat 'nen Pickel am Busen. Kein Grund zur Panik.«

Wie sich herausstellen sollte, hatte Tom mit seiner Diagnose völlig recht. Der Knoten war nicht im mindesten bösartig. Im Krankenblatt wurde er als »Abszeß« bezeichnet. Trotzdem entschloß ich mich, Lavinia auf dem Heimweg von der Arbeit im Krankenhaus zu besuchen. Sie wollten sie über Nacht dabehalten, weil sie von der Narkose einen Ausschlag bekommen hatte.

Um ehrlich zu sein, ich mache gern Krankenbesuche. Kranke Leute sind immer so dankbar, und man muß auch nicht ewig bleiben, wenn man sich vorher eine passende Ausrede zurechtlegt. Leider war Lavinia im Roosevelt Hospital, diesem besonders trostlosen Kasten, in dem John Lennon gestorben ist. Ethel Merman hat hier gute Werke getan; in der Eingangshalle steht ihre Büste. Lavinia lag im siebten Stock auf einer Station, die verdächtig danach aussah, als sei öffentliche Wohlfahrt für die Behandlungskosten zuständig. Obwohl inzwischen wieder bei Bewußtsein, wirkte Lavinia reichlich angeschlagen. Ihre Haut war mit roten Flecken übersät, und ihr Gesicht derart aufgedunsen, daß ich mich schaudernd fragte, wie ihre spindeldürren Beine das ganze Gewicht bewältigen sollten. Die Laken waren nicht ganz sauber; ich war sicher, daß die Flecken von Erbrochenem herrührten.

»Lavinia, meine Liebe«, sagte ich und verbannte rasch den aufkeimenden Gedanken an einen schwesterlichen Kuß. »Wie fühlen Sie sich?«

»Mir ist ziemlich komisch«, meinte sie und versuchte, sich bequemer hinzulegen. Dann gestanden wir beide, wie erleichtert wir waren über das, was ich in meiner Verwirrung das »Autopsie«-Ergebnis nannte. Ehrlich gesagt mußte ich mich zusammenreißen, um nicht dauernd auf Lavinias Brust zu starren, die von einem gelben Flanellnachthemd mit marineblauen Paspeln und einem winzigen, sich wiederholenden Ananas-Muster verhüllt war. »Wo ist Tom?« krächzte sie heiser, mit drogenschwerer Zunge. »Kommt er nicht?«

»Natürlich kommt er noch«, erwiderte ich, obwohl ich es stark bezweifelte. Er hatte den Nachmittag damit verbracht, sich über ein Foto von Lavinia schiefzulachen, auf dem ihre linke Brust mit einem dicken schwarzen x durchgestrichen war.

»Meinen Sie, daß er böse ist, wenn ich erst am Donnerstag wiederkomme?«

»Aber natürlich nicht, meine Liebe.«

Obwohl sie noch ziemlich benommen war, konnte sie auch jetzt den Mund nicht halten. Sie gab verschiedene spirituelle Einsichten preis, die sie in ihrer Krise gewonnen hatte, und beschrieb dann, wie sie von einer Abordnung des Ashram besucht worden war. Die Gläubigen hatten sich um ihr Bett geschart und einen religiösen Singsang angestimmt. Doch als ein Mädchen Joni-Mitchell-Lieder zum besten geben wollte, wurde sie gebeten aufzuhören – zuerst von einigen Patienten, dann von einer Krankenschwester, und schließlich mußte sogar die Oberschwester eingreifen. Joya höchstpersönlich hatte ein besonderes Geschenk geschickt, das Lavinia jetzt stolz unter der Decke hervorzog, wo sie es fest in der Faust gehalten hatte. »Es ist ein Kieselstein aus einem heiligen Fluß in Indien«, erklärte sie. Garantiert, dachte ich. Die Ashrambewohner hatten außerdem noch mehrere Genesungskarten und einen Strauß Spinnennelken mitgebracht, der neben einem Zungenspatel und einem Plüschkoala auf dem Nachttisch prangte.

Ich konnte nur eins denken: »Oh, mein Gott, laß mein Leben nicht so enden. Wenn schon, dann lieber eine Kugel in den Kopf – bitte!« Man mußte sich nur umsehen – eine ganze Station voller mittelloser, ungeliebter Frauen, denen das Leben so übel zugesetzt hatte, daß sie körperlich krank wurden. Die Frau neben Lavinia wirkte besonders ungeliebt: eine fette Alte mit schmierigen Haaren und Schnurrbart. Sie lag auf ihrer Decke, als ob sie sich nur zu einem Nickerchen hingelegt hätte. Gott sei Dank war ich in der Union-Carbide-Betriebskrankenkasse mitversichert. Und die war hervorragend. Ich führte vielleicht nicht die glücklichste Ehe der Welt, aber wenn ich je krank wurde, bekam ich die bestmögliche Pflege, garantiert. In Momenten wie diesem wird mir immer klar, wie wichtig solche Dinge sind.

»Du lieber Himmel!« rief Lavinia aus.

Ich drehte mich um, und alle anderen mit mir. Im Eingang stand ein Mann, den ich sofort wiedererkannte. Es war der Mann von dem Foto, das ich in Toms Schreibtisch gefunden hatte – dieser unerhört attraktive Mann, der aussah wie einer Parfümanzeige entsprungen. Heute trug er einen dunkelgrauen Anzug und hielt in der Hand einen Blumenstrauß. Den gleichen Strauß, den ich an der U-Bahn-Station auf zwei Dollar achtundneunzig herabgesetzt gesehen hatte.

»Blumen für das kranke Mädchen!« rief er, und ich wäre beinahe tot umgefallen. Es war Floyd! Ich erkannte seine Stimme, vom Telefon – die beiden waren ein und dieselbe Person. Ich war platt. Sprachlos beobachtete ich, wie er hereinmarschierte und Lavinia den Blumenstrauß überreichte. Sie nahm ihn in die Arme und wiegte ihn wie die *Pietà*.

»Oh, die Blümchen haben Durst«, säuselte sie. »Wir müssen eine Vase auftreiben.«

»Ich werde etwas Passendes suchen«, meldete ich mich freiwillig. »Übrigens, ich bin Mimi.«

»Sie sind Mimi!« kreischte Floyd. »Die berühmte Mimi?« Dann fielen wir uns in die Arme. Wie es passierte, wußte ich hinterher nicht mehr.

»Da lernen wir uns also endlich kennen«, sagte ich.

»Tom spricht unentwegt von Ihnen.«

Ich rollte etwas skeptisch die Augen.

»Doch, wirklich, das tut er.«

»Wir müssen eine Vase auftreiben«, wiederholte Lavinia, diesmal ein wenig lauter.

Floyd und ich fuhren zusammen im Fahrstuhl nach unten. Wenn man ihn aus der Nähe betrachtete, sah er immer noch gut aus, aber man begann gewisse Mängel wahrzunehmen. Beispielsweise war ich ziemlich sicher, daß er sich die Nase rasierte. Nicht die Härchen, die aus der Nase wachsen, sondern die Nase selbst: Sie war voller winziger Stoppeln. Wahrscheinlich machte er das alle drei Tage oder so. Und dann die Warzen an seinen Fingern. So etwas kann einen ganz aus dem Konzept bringen; ich verstehe nicht, warum sich die Leute ihre Warzen nicht wegoperieren lassen. Und in dem harten Neonlicht des Fahrstuhls wirkte auch sein wunderschönes dunkles, welliges Haar nicht mehr so dicht wie auf dem Foto. Wie Tom mir später einmal anvertraute, hatte Floyd eine Technik entwickelt, Schuhcreme in die Haare zu schmieren, damit sie voller wirkten. Offensichtlich funktionierte das ziemlich gut. Man verdächtigt einen Mann ja leicht, ein Toupet oder ein Haarteil zu tragen, aber *Schuhcreme?*

»So ein Blödsinn«, sagte Floyd gerade. Er zischte das *S*. »Warum kommt er Lavinia nicht besuchen? Er ist dermaßen gedankenlos, ein alter Egoist.«

»Sie bleibt doch nur für eine Nacht hier«, ergriff ich Partei.

»Er hat einfach keine Manieren«, fuhr Floyd mit seiner Tirade fort. »Er denkt nie an andere. Immer nur ich, ich, ich. Denken Sie doch nur daran, wie er *Sie* behandelt.«

Ich merkte, wie meine Ohren feuerrot wurden. Tom behandelte mich durchaus zuvorkommend, vielen Dank.

Ganz anders, als er Lavinia behandelte. Welten lagen dazwischen.

»Schon etwas vor zum Abendessen?«

Mich überraschte diese Frage so, daß mir keine Antwort einfallen wollte.

»Na, zieren Sie sich nicht. Wir wollten uns was vom Chinesen kommen lassen und dann das Callas-Porträt im Fernsehen ansehen.«

*Wir?*

Floyd erwischte ein Taxi, das uns in der einbrechenden Dunkelheit durch den Central Park transportierte. Ich war schrecklich nervös und bekam kaum etwas von der Fahrt mit. Bitte, bitte, lieber Gott, mach, daß Tom sich freut, mich zu sehen. Bitte. »Hihihi«, kicherte Floyd, als wir im Fahrstuhl nach oben glitten. Er wohnte in einem dieser wahnsinnig hohen, modernen Gebäude in der Madison Avenue. »Der wird Augen machen.«

Das tat er allerdings. Wir überraschten ihn in Unterhosen auf dem Sofa, wie er »Familienduell« glotzte und dabei einen Schokoriegel knabberte. »Du lieber Himmel!« sagte er zur Begrüßung, sprang auf und entfloh über den Gang. Ich hatte seine Oberschenkel bisher noch nie gesehen und war erstaunt, wie blaß sie waren, zumindest von hinten.

»Warten Sie hier«, sagte Floyd und rannte ihm nach.

Ich stand mitten im Wohnzimmer, meinem Eindruck nach eine halbe Ewigkeit. Es sah sehr nach B. Altman aus, und nicht gerade nach der Exklusivabteilung. Wann werden die Leute endlich kapieren, daß man ein Vermögen ausgeben muß, wenn man sich im englischen Landhausstil einrichten will! Die Chesterfield-Couch war mit einem Stoff bezogen, der viel zu sehr glänzte und viel zu neu aussah; die Jagdszenen an der Wand hatten viel zu grelle Farben und steckten in mauvefarbenen Rahmen statt in klassisch weißen oder schwarzen. Und dann dieser grünkarierte Wollstoff auf dem Ohrensessel – eine sehr gewagte Anleihe an den frühamerikanischen Pionierstil.

Obwohl wir uns im achtunddreißigsten Stockwerk befanden, wurde die Aussicht von einem beinahe identischen Gebäude verstellt, das nur etwa zehn Meter entfernt war. Die Frau gegenüber sah sich ebenfalls »Familienduell« im Fernsehen an. Ihr Haar war leuchtend rot.

Was sollte ich tun? Ich schlich auf Zehenspitzen zum Gang und spitzte die Ohren.

»Tolle Antwort, tolle Antwort!« jubelten die Kandidaten. Es handelte sich um eine Familie, deren männliche Mitglieder alle bei der Feuerwehr arbeiteten.

Irgendwo im Hintergrund knallte eine Tür zu, und zwar so laut, daß es nicht aus dem Fernseher kommen konnte. Ich huschte zurück ins Wohnzimmer. Wirklich großartig, dachte ich und merkte, daß meine Hände vor Nervosität schwitzten.

Die Minute mit der Werbeeinblendung schien ewig zu dauern. Doch gerade, als die Bonusrunde begann, tauchten die beiden wieder auf. Tom hatte einen fröhlich-bunten Bademantel an, sein Gesicht war aber immer noch düster.

»Entschuldigung, ich gehe wohl besser«, sagte ich.

»Nein, bleiben Sie«, sagte Tom.

»Ich will keine Umstände machen.«

»Sie machen keine Umstände.«

So ging das noch eine Weile hin und her, bis Tom meinte, ich solle mich nicht so anstellen und mich endlich hinsetzen. Ich wurde das Gefühl nicht los, daß er gerade beschlossen hatte, sich in das kleinere Übel zu fügen. Dem Himmel sei Dank, daß es in solchen Situationen das Fernsehen gibt! Da konnten wir uns alle beruhigen – der

Wodka half sicher auch dabei – und uns der Illusion hingeben, daß wir uns bei einem ganz normalen geselligen Zusammensein befanden. Tom streckte sich auf dem Sofa aus und war nach ein paar Minuten so entspannt, daß er die Füße auf den Couchtisch legte. Der Tisch war ein zierliches Gebilde aus Messing und Glas, und Floyd forderte Tom auf, die Füße wieder herunterzunehmen, was zu einer kleinen Auseinandersetzung führte – anscheinend die Fortsetzung eines schon länger währenden Disputs. Ich ließ mich auf der Kante des grünkarierten Sessels nieder und starrte auf den Fernseher, entwickelte dabei jedoch rasch ungeahnte Fähigkeiten im peripheren Sehen.

Dann begann ein Basketballspiel. Tom gab ein angewidertes Geräusch von sich und begann die Sender durchzuprobieren. Plötzlich erschien Julia Child auf der Bildfläche; ihre rechte Faust steckte gerade im Innern einer Ente. »Floyd!« rief Tom. Floyd füllte in der Küche die Drinks nach. »Beeil dich!«

»Wir lieben Julia Child«, erklärte Tom, und zugegebenermaßen habe ich selten erlebt, daß jemand eine Kochvorführung mit soviel gespannter Aufmerksamkeit verfolgte. Julia Childs Darbietung wurde bis ins kleinste Detail analysiert, und es gab eine ausufernde Debatte darüber, ob ihre Frisur sich verändert hatte. Merkwürdigerweise schienen die Jungs kaum an dem Essen selbst interessiert zu sein, obwohl die schwungvolle Handbewegung, mit der Ms. Child den Vogel zuschnürte, bevor sie ihn ins Bratrohr schob, von beiden mit lauten Bravorufen bedacht wurde.

Inzwischen kam auch unser Essen – geliefert von einem jungen Chinesen, der offenbar schon häufiger dagewesen war (er grinste höflich, weigerte sich hereinzukommen und entledigte sich seiner Bestellung an der Schwelle) –, und jetzt begann auch ich mich zu entspannen und wohl zu fühlen. Tom war zweifellos wieder ganz sein altes sarkastisches Selbst, und ich lachte lauthals über seine Bemerkungen, auch wenn ich die meisten davon nicht verstand. Floyd belegte in der Sparte Humor eindeutig den zweiten Platz, aber jedesmal, wenn er sich an einem Bonmot versuchte, kicherte ich höflich – was man von Tom nicht behaupten konnte.

Ich bestand darauf, Floyd beim Decken des Couchtischs zu helfen, und erhaschte dabei einen unverstellten Blick auf seine Ausstattung für Dinnereinladungen. Sie hatte ihren Platz in einem Wandschrank, der früher einmal als Garderobe gedient hatte. Offenbar hatte Floyd weder Kosten noch Mühen gescheut, ihn mit unendlich vielen Zusatzregalen und -schubladen auszurüsten. Bisher war mir meine Sammlung ausgefallener Geschirrteile immer recht umfangreich vorgekommen, aber Floyds Kollektion stellte meine mühelos in den Schatten. Er besaß wirklich *alles:* spezielle Teller für Maiskolben; Toastständer in rauhen Mengen; Mangogäbelchen; mehrere Sets Likörgläser aus verschiedenen Serien; drei verschiedene Eiskübel. Die Untersetzer paßten zu den Cocktailgläsern. Allerdings benutzten wir gerade die mit den Signalflaggenmotiven, die ich eher geschmacklos fand. Was interessieren mich Motive, die »Gefahr« bedeuten oder »Lade/Entlade Explosivstoffe«? Besondere Aufmerksamkeit verdienten allerdings die Serviettenringe, für die Floyd eine besondere Schwäche hatte, wie er mir gestand. »Die aus Bambus habe ich in St. Thomas gekauft. Sind sie nicht atemberaubend? Und sehen Sie sich diese hier an – das ist echtes Kristall, kein Plastik. Merken Sie, wie schwer die sind? Und für offizielle Anlässe habe ich natürlich die aus Sterlingsilber. Und diese hier – die sind vergoldet!«

»Du meine Güte«, staunte ich. »Sie haben wohl sehr oft Gäste?«

»Inzwischen nicht mehr«, antwortete er und warf einen Blick nach hinten ins Wohnzimmer. »Nicht mehr, seit *sie* unter fliegender Hitze leidet.«

Während wir unsere Moo-Goo-Gai-Pfanne verzehrten, wurden wir Zeugen einer Fahrt des Flugzeugträgers U.S.S. *Eisenhower*, die von Lesley Stahl, CBS News, und einem gutaussehenden jungen Leutnant zur See kommentiert wurde. Er verkündete stolz, daß er aus Brooklyn, New York, stammte. Tom und Floyd wandten keinen Blick von ihm. Hummersoße tropfte ihnen vom Kinn, ohne daß sie es merkten. Ihre Hände tasteten blind nach den Drinks.

»Möchte jemand einen Glückskeks?« fragte ich.

»Pssst«, zischte Tom.

»Oh, sieh nur!« quietschte Floyd. »Diese niedlichen Etagenbetten.«

Ich entschuldigte mich und ging ins Bad. Um dorthin zu kommen, mußte man ein tipptopp aufgeräumtes Schlafzimmer mit einem Himmelbett durchqueren. Das Badezimmer selbst war ganz nach den Ratschlägen aus *Good Housekeeping* eingerichtet und in Pflaumenblau und Lachsrosa gehalten. Die Tapete (ich hasse Tapeten im Bad) hatte das gleiche Muschelmotiv wie die Kleenexbox. Am Duschvorhang prangte Volantbesatz. Die Handtücher waren mit Monogrammen versehen – FFW –, und es lagen kleine, noch in Zellophan verpackte Seifenstücke in der Keramikmuschelschale neben dem Potpourritöpfchen.

Dieser Floyd war ein seltsamer Kauz. Oh, er war durchaus nett, und man bekam eine angenehme Gänsehaut, wenn man in der Öffentlichkeit an seiner Seite gesehen wurde – er sah wirklich hinreißend aus! Die Krankenschwestern hatten ihn buchstäblich mit den Augen verschlungen.

Und in der Bank, wo er festverzinsliche Wertpapiere oder etwas Derartiges verkaufte, schien er recht erfolgreich zu sein. Trotzdem – was ist das für ein Mann, der seinen Toilettendeckel mit einem dieser Plüschschoner bezieht, die genau zur Bademette passen, und außerdem noch drei weitere solcher Sets frisch gewaschen und ordentlich zusammengelegt in seinem Wäscheschrank aufbewahrt? Als wäre er eine biedere Hausfrau ... Wie konnte Tom das nur ertragen? Und dann diese nasale Stimme, die Floyds Herkunft aus dem Mittelwesten verriet – vielleicht fanden manche Leute sie einschmeichelnd, aber auf mich wirkte sie allzu feminin.

Und wer war überhaupt diese »Sie«, von der er unentwegt sprach?

Während ich durch das Schlafzimmer zurückging, fiel mein Blick auf den Nachttisch. Ich bin Spezialistin für Nachttische. Anhand der Dinge, die ein Mensch auf seinem Nachttisch stehen hat, kann man tiefe Schlüsse auf seine Persönlichkeit ziehen. Nehmen wir doch nur mal meinen. Da steht neben den Erinnerungsfotos der Nagellack, außerdem liegt da ein Stapel Fachzeitschriften für Innenarchitektur und ein Buch mit dem Titel *Wie Sie Ihr Leben in den Griff bekommen*, das Dr. Fineman mir ans Herz gelegt hat; und dann noch eine Packung Aspirin, mein Radiowecker und ein paar Briefe, die ich schon lange mal beantworten wollte. Ich sollte ihn wirklich mal abräumen. Boyce hat auf seinem die Fernsehzeitschrift und ein Fläschchen Beruhigungspillen.

Floyds Nachttisch hingegen war, wie vorauszusehen, extrem ordentlich. Er sah aus, als sei er eben erst abgestaubt worden. Außer der Lampe – einem unscheinbaren, ockerfarbenen Keramikgefäß – befanden sich genau drei Gegenstände darauf: eine sehr teure, aber ausgesprochen

häßliche Uhr, ganz aus Messing und Kristall; eine Schach-
tel Kleenextücher; und ein Schnappschuß in einem herz-
förmigen Rahmen. Den nahm ich in die Hand, um einen ge-
naueren Blick darauf zu werfen. Das Foto zeigte Tom und
Floyd vor mehreren Jahren, als sie beide noch lange
Haare hatten – genauer gesagt: vor mehreren Jahren, als
sie beide noch Haare hatten.
Sie küßten sich.
Auf den Mund.
Ich stellte das Bild genau dorthin zurück, wo ich es wegge-
nommen hatte, und ging wieder ins Wohnzimmer. Das
Maria-Callas-Porträt fing gerade an. »Sie, ein dickes
Mädchen aus der Bronx, sollte zur berühmtesten Frau
ihrer Zeit werden«, leierte der Ansager. »Ich bin zu etwas
bestimmt‹, hat sie einst gesagt. ›Zu etwas ganz Großem.‹«
Auf der Couch saßen Tom und Floyd dicht nebeneinan-
der; ihre Schenkel berührten sich. Ich nahm auf dem grünkarierten Sessel Platz und versuchte, mich auf die Sen-
dung zu konzentrieren. Aber vergebens. Es liegt nicht an
mir, dachte ich unentwegt, und mir war ganz schwindelig
vor Erleichterung. Er haßt nicht *mich* … All die Tage und
Wochen, die ich geglaubt hatte, daß er mich haßte …
Aber nein, es lag nicht an mir … Er haßte *alle* Frauen.

# Kapitel Sieben

Homosexuelle wurden schon immer diskriminiert. Vielleicht hat keine andere Minderheit eine derartig »schlechte Presse« bekommen. Und dafür sollten wir uns schämen, denn Homosexuelle sind eigentlich ganz anders, als man sie sich vorstellt.

All diese unzutreffenden Stereotypen, diese Mythen (wenn man sie so nennen will) pflanzen sich unablässig fort. Und vielleicht ist jetzt der richtige Zeitpunkt, um den einen oder anderen Mythos zu entlarven und das schiefe Bild in unseren Köpfen geradezurücken.

Mythos Nummer eins: »Sie sind allesamt halbseidene Friseure.« Das ist so lächerlich, daß sich eine Entgegnung eigentlich erübrigt. Sehen Sie, allein zum engeren Freundeskreis von Tom und Floyd zählten beispielsweise der stellvertretende Direktor einer größeren New Yorker Werbeagentur, ein angesehener Dozent für Shakespeare-Forschung und ein ... hm ... »ein Weltmeister im Eiskunstlauf«, lag mir auf der Zunge, aber bei genauerer Überlegung wird mir klar, daß das meiner Argumentation nicht gerade förderlich ist. Da fällt mir ein, daß Tom und Floyd tatsächlich eine Menge Friseure kannten. Natürlich wurden sie nicht Friseure genannt. Nein, sie »schnitten Haare«. Das hörte sich viel männlicher an, etwa wie Kabel verlegen. Manche von ihnen waren äußerst erfolgreich und führten eigene Salons in der 57th Street. Trotzdem blieben sie mit einem Stigma behaftet. Jedesmal, wenn sie den Raum verließen, machten sich die anderen Homosexuellen furchtbar lustig über sie und nannten sie »Haarkastrierer« oder »Dr. h. c.« (Doktor der Haarchirurgie).

Mythos Nummer zwei: »Sie lieben ihre Mutter.« Stimmt nicht. Tom haßte nicht nur seine eigene Mutter, sondern auch die von Floyd, die in Pittsburgh lebte – »mit einem Haufen dunkler Mahagoni-Möbel und einer Marienstatue im Vorgarten«. Außerdem war sie »dem polnischen Laster« verfallen, wie Tom es ausdrückte – soll heißen, sie war Bingo-süchtig. Toms Mutter wohnte in Davenport, Iowa, und soweit ich es mitbekam, war sie eine besserwisserische Vereinsmeierin. Wenn Tom sie besuchte, buchte er immer gleich den Rückflug mit, damit er nicht über Nacht bleiben mußte. Und Ronald Russos Mutter wiederum haßte *ihn*. Er stellte in ihrer Wohnung immer alle Möbel um und schrie sie furchtbar an, wenn sie alles wieder an den alten Platz räumen wollte.

Mythos Nummer drei: »Sie machen sich an kleine Jungs ran.« Ist nicht wahr! Der einzige im Umfeld von Tom und Floyd, dem man so etwas nachsagen konnte, war Bart Hufstater. Der Wahrheit zuliebe muß ich hinzufügen, daß er das wirklich exzessiv betrieb. Den ganzen Sommer graste er den Strand ab und hatte als Köder immer eine Kühltasche voll Bier bei sich. Man wußte von ihm auch, daß er in den Mittagspausen stets mit der U-Bahn nach Coney Island hinausfuhr. Er verbrachte so viel Zeit im Freien, daß er auf dem Schädel Hautkrebs bekam – er hatte eine Glatze, der er seine Mißerfolge zuschrieb –, und mußte bis ans Ende seiner Tage immer einen Hut tragen.

Mythos Nummer vier: »Sie sind alle Alkoholiker.« In jeder sozialen Gruppe gibt es Alkoholiker, und die Homosexuellenkreise sind da keine Ausnahme. Ich akzeptiere das. »Richtet nicht, auf daß ihr nicht gerichtet werdet.« Was mich allerdings beunruhigte, war der Drogenkonsum. Selbst Tom war hierbei nicht frei von Schuld. Ronald Russo erzählte mir einmal, daß Tom die Innenseite einer

Plastiktüte abgeleckt hatte, an der Kokainreste klebten. Was Ronald daran störte, war allerdings lediglich, daß Tom die Tüte nicht weitergereicht und die anderen an seinem »Reichtum« hatte teilhaben lassen; aber mich beunruhigte dieser Vorfall. Und erinnern Sie sich an das Kreislaufmittel, das ich in Toms Schublade gefunden hatte? Die Jungs inhalierten das Zeug in der Disco! Man stelle sich vor – da tanzten sie zu den neuesten Hits und nahmen herzstärkende Medikamente! Es mußte ein Bild für die Götter sein. Ich wäre für mein Leben gern einmal mitgegangen. Daß Frauen Zutritt hatten, wußte ich, angeblich waren sogar einmal Liza Minnelli und Margaux Hemingway am gleichen Abend in ein und derselben Disco gesichtet worden.

Mythos Nummer fünf: »Sie können keine langfristigen Beziehungen eingehen.« Tom und Floyd waren das perfekte Gegenbeispiel. Sie waren seit zwölf Jahren zusammen – »zwölf lange Jahre«, wie Tom sich ausdrückte. Wie zahlreiche andere schwule Paare hatten sie sich im Peace Corps kennengelernt. Anfangs wohnten sie zusammen – sie wußten herrliche Geschichten zu erzählen, wie sie die Betten immer auseinanderstellten, wenn Verwandte zu Besuch kamen –, doch als sie älter wurden, tauchten schwerwiegendere Probleme auf. Eines Tages kam Tom in die Küche und hielt Floyd vor, er schneide den römischen Salat falsch, was einen furchtbaren Krach zur Folge hatte. Tom nahm sich eine eigene Wohnung, und sie führten ihre Beziehung fortan auf anderer Ebene weiter. Floyd, der gern anderen Leuten intime Geständnisse macht, erzählte mir, daß sie kaum noch miteinander schliefen, außer während des Streiks im öffentlichen Verkehr.

Sie sind also nicht unbedingt so, wie man sie sich vorstellt, die Homosexuellen. Man findet sie in den verschiedensten Kreisen und in den unterschiedlichsten ethnischen Gruppen. Manche sind Millionäre, andere sind arm. Manche sind verantwortungsbewußte Bürger, andere gewöhnliche Kriminelle. Eigentlich sind Homosexuelle so unterschiedlich, daß mir kaum etwas einfällt, was sie alle verbindet. Aber halt, das muß ich zurücknehmen – es gibt doch etwas – eine Eigenschaft, die sie alle besitzen. Genau genommen handelt es sich dabei sogar um ihren wichtigsten und beständigsten Lebensinhalt: Sie sind alle scharf auf Jungs. Genau wie die Mädchen in den unteren Highschool-Klassen, die knallenge Pullis tragen und stolz darauf sind, mit älteren Schülern Zungenküsse auszutauschen.

So etwas war mir vorher noch nie untergekommen. Ihre Blicke wanderten unablässig suchend hin und her. Wenn man sich mit ihnen in der Öffentlichkeit befand, hatte man ständig das Gefühl, daß sie nicht ganz bei der Sache waren und einem nur mit halbem Ohr zuhörten. Man konnte darauf wetten, daß sie *immer* ganz genau wußten, wer der zuständige Oberkellner war. Tom und Floyd machten einander sogar durch ein spezielles Zeichen darauf aufmerksam, wenn ein attraktiver Mann ins Blickfeld rückte: Sie fingen an zu kläffen. Ich werde nie vergessen, wie wir einmal in der 23rd Street im Stau steckten, als aus der Polizeiakademie gerade die Schüler herauskamen. Der Fahrer unseres Taxis muß geglaubt haben, er säße in einem Hundezwinger.

Ich liebe den Frühling. Schon als junges Mädchen in Lubbock fand ich seine prickelnde Frische ungemein stimulierend. Nichts schien unmöglich. Vielleicht würde ich dieses Jahr nicht dick und unbeliebt sein. Diese Hoffnung bestand immer. Doch sie sollte sich erst erfüllen, als ich das erste Frühjahr bei Arts Resources arbeitete. Ich blühte buchstäblich auf, von Tag zu Tag mehr. Jeden Morgen sprang ich munter aus dem Bett, und statt dem neuen Tag ängstlich und bedrückt entgegenzusehen, freute ich mich darauf, was er mir heute wohl bringen würde. Des öfteren ertappte ich mich dabei, wie ich einen Schlager vor mich hin trällerte – ich hörte inzwischen die Hitparade –, während ich irgendeine alltägliche Arbeit verrichtete, zum Beispiel das Tafelsilber polierte.

Boyce war oft auf Geschäftsreise, was sicher nicht unwesentlich zu meinem Wohlbefinden beitrug.

Ich nahm mir vor, endlich Mut zu fassen und die Therapie bei Dr. Fineman abzubrechen. Warum auch nicht? Schließlich war ich geheilt. Schon seit Monaten waren keine Symptome mehr aufgetreten. Außerdem war Dr. F.s Einstellung gegenüber Homosexuellen haarsträubend. Er sagte: »Halten Sie immer genügend Distanz zu diesen Leuten, sonst rufen die noch um drei Uhr nachts an, um Ihnen das Herz auszuschütten.« Nur weil er einmal eine entsprechende Erfahrung mit einem Homosexuellen gemacht hatte, glaubte er, das müßte bei allen so sein.

Er begriff offenbar nicht, wie innig unsere Freundschaft war, wieviel Spaß wir zusammen hatten. Tom, Floyd, Ronald Russo und ich waren praktisch unzertrennlich geworden, und ich war gewissermaßen ihr Maskottchen. Wir waren viel unterwegs, sahen uns die neuesten Broadway-Stücke an (ich liebe Arthur Kopit!) und aßen in den schicksten Restaurants der City. Wir gingen ins Odeon, zu J. S. Vandam, selbst in irgendwelche chinesische Bruchbuden, die nur den Jungs bekannt waren. Wir besuchten Filmvorführungen in der achtundzwanzigsten Etage von Paramount, wo Tom mit der gesamten Werbeabteilung befreundet war. Und dann waren wir unentwegt im Public Theater. Tom kannte den Programmdirektor, und als Witz für Insider wurde er als Spender von 5000 Dollar im Programmheft erwähnt.

Doch von all den Lokalitäten in jenem wunderbaren Frühjahr, an die ich mich erinnern kann, hat mich keine so sehr in ihren Bann gezogen wie das Five Oaks im Village. Es war gleichzeitig Restaurant und Bar, lag in einem Keller, war nicht gerade billig, und man bekam miserables Essen. Es gab einen Raum für Raucher und einen für Kettenraucher. Aber wenn Sie mich fragen – es war das bezauberndste Lokal von Manhattan. Wir waren Stammkunden, und ich liebte das Five Oaks heiß und innig.

Ein kleiner Tip: Wenn Sie sich mit dem Gedanken tragen, ein Geschäft zu eröffnen, und Sie einen todsicheren Tip von mir haben wollen, dann machen Sie ein Lokal auf, in dem sich Homosexuelle treffen und Musical-Songs singen können. Damit kann man sich eine goldene Nase verdienen, glauben Sie mir. Ich weiß nicht, woran es liegt, aber kaum stimmt jemand auf dem Klavier »Some Enchanted Evening« oder »I Got Lost in His Arms« an, sind alle Schwulen hin und weg. Es ist für sie wohl so etwas wie für normale Männer Football.

In Manhattan gibt es derartige Lokale wie Sand am Meer, aber das Five Oaks war eine Klasse für sich. Denn es hatte eine ganz besondere Masche. Man stand nicht nur mit der Bierflasche in der Hand ums Klavier herum und schüttete das Zeug gedankenlos in sich hinein wie beispielsweise im Regent East. Nein, im Five Oaks gab es eine offene Bühne. Das bedeutete, daß man einfach zum Mikrofon gehen und vor den anderen Gästen etwas zum besten geben konnte. Man sang ein paar Nummern, die anderen hörten mehr oder weniger aufmerksam zu und klatschten danach höflich. Begleitet wurde man von einer Schwarzen namens Marie. Es gab allem Anschein nach keinen Song, den sie nicht kannte, und sie hämmerte den ganzen Abend mit unbewegter Miene einen nach dem anderen herunter; nur gelegentlich warf sie einen Blick auf die Uhr. Aber drehen wir die Zeit gleich vor bis zu einem gewissen Samstag im Juni. Wir – das heißt Tom, Floyd, Ronald Russo und ich – steigen vor dem Five Oaks aus einem Taxi. Wir haben uns gerade *Evita* angesehen, und zwar auf den Privatplätzen von Hal Prince. Zu dieser Ehre kamen wir deshalb, weil Ronald Russo Judy Prince einen guten Preis für ein paar Memoire-Ringe und einen Anhänger gemacht hatte. Obwohl mir das Mädchen, das die Hauptrolle spielte, nicht besonders gefiel, fand ich die Geschichte sehr ergreifend. Und dann diese Kleider! Während des ganzen zweiten Akts stellte ich mir vor, wie ich mich in so einem klassisch-schlichten Kostüm machen würde.

Wir waren alle bester Laune. Die ganze Fahrt über hatte Ronald Russo uns mit seiner Version von »Don't Cry for Me, Argentina« unterhalten, die »Don't Cry for Me, Massapequa« hieß und seine Kindheit auf Long Island beschrieb. Er sang noch, als wir die roten Stufen hinunterhüpften und, vorbei an dem in die Wand eingelassenen Aquarium, in der Nähe der Bar ankamen, wo sich die alleinstehenden Männer ohne Rendezvous trafen. Angenehme Musik und schrilles Gelächter füllten den Raum. Der Herr des Hauses begrüßte uns, als sei Jackie Kennedy persönlich erschienen, dann führte er uns zu unserem Stammtisch. Lassen Sie mich ehrlich sein: Ich liebe es, zuvorkommend behandelt zu werden.

Nachdem ich mich gesetzt hatte, betrachtete ich das Publikum. Zwar sah man hie und da eine Frau (im Five Oaks fühlte sich eine Frau nie fehl am Platz), aber ich schätze, daß mindestens achtzig Prozent der Gäste Männer waren. Man konnte sie in drei Kategorien einteilen:

1. Die jugendlichen Chargen. Jung, schlank, mit dem Flair der Bühne. Sie scharten sich in Zehnergrüppchen um die großen Tische, qualmten ununterbrochen und diskutierten über Jobs beim Sommertheater. Man bekam den Eindruck, sie hätten irgendwo in Ohio eine unglückliche Kindheit verbracht und wären schon im Sandkasten von allen schikaniert worden. Wenn sie ans Mikro traten, sangen sie Sachen wie: »Wenn meine Freunde mich sehen könnten«. Dann gingen sie zu Balladen über. Obwohl sie technisch oft sehr professionell klangen und den richtigen Ton trafen, finde ich es doch sehr beunruhigend, wenn ein erwachsener Mann den Mund aufmacht und singt: »O mein Mann, ich liebe ihn so ...« Und wenn sie sich an etwas Komischem versuchten, wurde es endgültig peinlich. Sie hätten sehen sollen, wie Gordon Keyes seine Fassung von »Please, Mrs. Worthington« zum besten gab. Es klang derart gekünstelt, daß Ronald Russo den Kopf unter seiner Serviette versteckte. Wir waren uns alle ziemlich einig, daß er Lippenstift trug. (Gordon Keyes, meine ich. Denn Ronald Russo benutzte immer nur einen Hauch Rouge, ließ sich allerdings Augenbrauen und Wimpern färben.)

2. Der zweite Typ war eher mittleren Alters und unauffällig. Diese Männer hatten durchwegs gute Jobs. Ihrem konservativen und doch sportlichen Erscheinungsbild nach zu urteilen, trugen sie wesentlich dazu bei, daß Paul Stuart immer noch beträchtliche Umsätze machte. Sie liebten Musicals ebenso wie Tom seine Opern, und sie kannten jede im Handel erhältliche Platte von der ersten bis zur letzten Note auswendig. Im allgemeinen kamen sie nicht ans Mikro, aber man sah ihnen an, daß sie ständig davon träumten und ihnen nur der nötige Mut fehlte.

3. Die dritte Gruppe bestand aus älteren, rundlichen Herren, die meistens bei der Presse arbeiteten. Sie gaben sich furchtbar geschäftig, hetzten ständig von einem Tisch zum anderen und hatten ein enormes Mitteilungsbedürfnis, was gebrochene und verfettete Herzen betraf. Auf der Bühne sah man sie nur bei besonderen Anlässen; beispielsweise sang Manny Wolfson jedes Jahr an seinem Geburtstag »Everything's Coming Up Roses«, mit einer Stimme, die man von Ethel Merman kaum unterscheiden konnte. Außerdem war er berühmt wegen seiner Schals.

Unsere kleine Gruppe dagegen paßte in keine dieser Schablonen. Es wäre für uns undenkbar gewesen, auf die Bühne zu gehen – so etwas war unter unserer Würde. Wir saßen einfach an unserem Tisch und beobachteten mit kühler Gelassenheit, was sich um uns herum abspielte; wir amüsierten uns, ohne amüsant zu sein – jedenfalls nicht für die anderen Gäste. Uns galten neidische Blicke. Und war das nicht verständlich? Da saß Tom mit seinem unbestechlichen Geschmack für Kleidung und Accessoires, ganz zu schweigen von seiner Selbstsicherheit und seiner faszinierenden Ausstrahlung. Oder Floyd – meist war er der bestaussehende Mann im Raum, solange er nicht zuviel kicherte. Und dann war da natürlich noch Ronald Russo.

Jeder erkannte ihn sofort aufgrund seiner Zeitungsreklame (»Ich mache Ihre Diamantenträume wahr!«), aber woran ich mich am deutlichsten erinnere, war seine Stimme, ein tiefes, rauhes Brummen, wie Tallulah Bankhead. Leider verriet sein Akzent mit jeder Silbe, daß er aus der unteren Mittelschicht New Yorks stammte. Ich werde nie vergessen, wie er »Interessiert mich nicht!« sagte. Das war sein Lieblingssatz. (Auf Platz zwei rangierte »Ich hasse das!«) Von seinen Gesichtszügen her könnte man ihn als groben Lauren-Bacall-Verschnitt bezeichnen. Andererseits wußte man vorher nie genau, wie Ronald beim nächstenmal aussehen würde. Erst vor kurzem hatte er sich blonde Strähnchen ins Haar und in den Schnauzer färben lassen.

An jenem Abend gingen wir vor dem Theater auf einen Cocktail in Ronalds Wohnung, eine kleine Maisonette in der 53rd Street. Die Wohnung war sehr aufwendig eingerichtet, und wir kamen beinahe zu spät ins Theater, weil ich alles genau in Augenschein nehmen mußte. Allein seine Sammlung von Vuitton-Koffern und -Taschen! Sie war sicherlich die größte in ganz New York. Er besaß sogar eine Vuitton-Hundetragetasche für Lady Poo, seine englische Cocker-Dame mit ihren häßlichen schwarzen Lippen, die man bei Cockern gelegentlich sieht. »Oh, mein schüschesch Pummelschen!« flötete er und drückte die Nase gegen ihre Schnauze.

Tom meinte einmal, um Ronald zu mögen, müsse man sich erst eine lange Zeit an ihn gewöhnen. Und obwohl Ronalds Bemerkungen geistreich waren und er oft großzügig unsere gemeinsamen Rechnungen bezahlte, gab es eine Menge Leute, die ihn nicht ausstehen konnten. Auf einem Parkplatz in New Jersey hatte ihm jemand eine Pistole unter die Nase gehalten und seine Koffer mit den Musterkollektionen geklaut. Er wußte auch mit Bestimmtheit, daß in der Juwelierbranche, die für ihre Beziehungen zur Unterwelt berüchtigt war, verschiedene Komplotte gegen ihn geschmiedet wurden. Vor kurzem hatte man ihn in einem Restaurant in Philadelphia tätlich angegriffen. Allerdings erzählte mir Tom unter dem Siegel der Verschwiegenheit, daß das nichts mit irgendwelchen Banden zu tun gehabt hätte; vielmehr sei einem Schwulenhasser Ronalds unablässiges Geplapper auf die Nerven gegangen.

Sie können sich nicht vorstellen, wie aufregend es für mich war, mit solchen Menschen zusammenzusein. Zum erstenmal in meinem Leben war ich Teil der »Szene«. Ich dachte oft daran, wie ich auf der Highschool permanent wegen meiner krausen roten Haare aufgezogen worden war. Schon mit dreizehn hatte ich meine endgültige Körpergröße von eins achtundsiebzig erreicht, und meine einzigen Freunde waren ähnlich Mißgestaltete. Die meiste Zeit verbrachte ich mit Margaret MacIlroney, die die dicksten Brillengläser trug, die ich je gesehen habe – trotzdem konnte sie nichts lesen, wenn das Buch mehr als sieben Zentimeter von ihrer Nase entfernt war. Die anderen Kinder äfften sie immer nach, und ich wäre am liebsten im Erdboden versunken. Aber im Notfall hätte ich Margaret augenblicklich fallenlassen. Mein bevorzugter Zeitvertreib war es, mir die unglaublichsten Vorfälle auszumalen, durch die ich plötzlich »dazugehören« würde. Mein beliebtester Tagtraum war der, in dem sich herausstellte, daß Tony Curtis mein leiblicher Vater war.

Ich verachtete die Insider-Kreise, weil sie arrogante Schwätzer waren. Aber insgeheim betete ich sie an wie Halbgötter. Die Partys, die sie gaben – wie gern wäre ich dazu eingeladen worden! Statt dessen sah ich mir dann sehnsüchtig die Feten-Fotos im Jahrbuch an. Noch heute kann ich genau beschreiben, wie die Wandvertäfelung in Sandi McAults Zimmer aussah. Oder das Bild von Helen Hapaugh im College-Pulli ihres Freundes; mit der Marlboro im Mund, die sie im Keller der Methodistenkirche paffte, wirkte sie ungeheuer kultiviert. Und die Seite, die der Nachthemd-Party gewidmet war, an der die zehn beliebtesten Mädchen der Schule teilnahmen, eine Art Nachthemd-Gipfeltreffen, wenn man so will. Auf einem Bild sieht man, wie sie alle auf dem Boden liegen, den

Kopf immer auf dem Bauch einer anderen, und dieses komische Lach-Spiel spielen. *Ich* hätte dort liegen sollen, mit dem Kopf auf Pam Daniels Bauch!

Gemäß unserem Status im Five Oaks setzten wir uns nie an einen Tisch, wo bereits jemand saß. Von Zeit zu Zeit hielten wir jedoch hof, vorausgesetzt, der betreffende Gast war wichtig genug. Diesmal saßen wir gerade etwa fünf Minuten da, nippten an unseren Drinks und hörten einem jungen Mann in einem Hemd mit Flatterärmeln zu, der »Soon It's Gonna Rain« sang, als wir Stan Moses auf uns zuwanken sahen. Er grinste übers ganze Gesicht, in der Hand hielt er einen Drink, und er amüsierte sich offenbar prächtig. Allerdings hatte er die Entfernung zu unserem Tisch falsch eingeschätzt, und bei dem damit unvermeidbaren Zusammenprall ergoß sich ein Schwall Wodka über Ronald Russo.

»Auf was ist *die* denn drauf?« empörte sich Ronald, während er ein seidenes Taschentuch aus der Brusttasche seines Basile-Sakkos zog und damit sein Revers abtupfte.

»Süße, ich bin auf allem möglichen drauf, nur nicht auf Rollschuhen«, erwiderte Stan. Er war Inspizient eines Broadway-Theaters und verdiente ein Heidengeld, indem er mit Stars, die ihr Comeback versuchten, auf Tournee ging. Daß er zur Creme der Homosexuellenszene gehörte, stand außer Frage; er war zwar klein und stämmig, aber ansonsten absolut auf unserem Niveau. Mit Dolores Grey verband ihn eine enge Freundschaft, und sie hatte ihm einen ihrer Tony-Preise geschenkt, der jetzt auf seinem Kaminsims stand.

»Setz dich doch«, meinte Tom, der immer gern den jüngsten Klatsch aus dem Show-Geschäft hörte.

Stan sah auf unser kleines Grüppchen hinab. Meine

Schenkel schienen plötzlich ungeheuer viel Platz wegzunehmen. »Miriam Hopkins!« rief er laut; er schien mich erst jetzt bemerkt zu haben. Stan nannte mich immer Miriam Hopkins, ich weiß nicht, warum. Aber er sagte es auf eine nette Art.

»Ich hole Ihnen einen Stuhl«, bot ich an und stand auf.

»Nein, lassen Sie nur«, entgegnete er und drückte mich auf meinen Platz zurück. »Meine große Liebe wartet auf mich.« Dabei deutete er auf einen gutaussehenden jungen Mann in einer Ecke.

»Ach *die*«, meinte Ronald Russo. »Haben wir die nicht mal am Hafen gesehen? Die bläst doch jedem einen für 'nen Vierteldollar, stimmt's?«

»Ich werde ihm sagen, daß er sich aus deinem Revier heraushalten soll.«

»Jedenfalls kann ich noch ganz gut davon leben.«

»Und das in deinem Alter!«

In diesem Stil ging es zur allgemeinen Belustigung noch ein Weilchen weiter, aber schließlich machte Stan Moses Anstalten, zum nächsten Tisch weiterzutorkeln. »Ach«, sagte er und drehte sich noch einmal um, »fast hätte ich's vergessen. Ich hab' gehört, ihr nehmt Wolfgangs Haus?«

Ronald Russo zuckte zusammen, dann erwiderte er: »Ja, aber hast du es mal gesehen? Modernes dänisches Design, seit Jahren! Reichlich Monique Van Vooren.«

»Aber der Swimmingpool!« warf Tom ein. »Es hat den schönsten Pool auf der ganzen Insel.«

»Trotzdem, zwanzigtausend Dollar!« meinte Floyd. »Und das für eine kurze Saison.«

»Keiner behauptet, daß Fire Island *billig* ist«, sagte Tom naserümpfend. »Es ist etwas Besonderes, und das gehört eben dazu.«

Jetzt ging mir ein Licht auf. Sie hatten zusammen ein Haus

auf Fire Island gemietet! Sie hatten ein Haus gemietet, ohne mir einen Ton davon zu sagen. Wie war das nur möglich? Und was noch wichtiger war: Würden sie mich einladen?

»Wir werden es neu herrichten«, sagte Ronald Russo. Verschiedene Möglichkeiten wurden diskutiert, wie man eindrucksvolle, aber möglichst leichtgewichtige Möbelstücke auf die Insel transportieren könnte. Es war ziemlich kompliziert; man mußte dafür einen Schleppkahn mieten. Floyd warf ein, man könnte auch interessante Effekte mit Laken erzielen. »Mit Laken!« spotteten Tom und Ronald.

»Fire Island soll sehr schön sein«, gab ich den Wink mit dem Zaunpfahl.

»Und sündhaft teuer«, meinte Floyd.

»Ach, hör schon auf«, erwiderte Tom. »Du kannst ja den Sommer auf *Staten* Island verbringen. Zusammen mit deinem Pfaffen. Dann könnt ihr das Pfarrhaus mit Laken dekorieren.«

»Na, na«, griff Ronald Russo ein. Der fragliche Priester war von der Episkopalkirche; er und Floyd hatten sich bei einem Chorkonzert (Matthäuspassion) getroffen. Auf Staten Island war sein Pfarrbezirk, mit einer hübschen kleinen Schindeldachkirche namens St. Hilary.

»Ja, vielleicht tu' ich das auch«, sagte Floyd.

»Soll mir nur recht sein«, erwiderte Tom.

»Meine Damen, *bitte*«, sagte Ronald Russo.

Schweigen.

»Ist es ein großes Haus?« fragte ich.

»O Gott«, stöhnte Tom plötzlich, und wir folgten alle seinem Blick. Soeben betrat Laurence O'Boyle die Bühne und machte sich zum Singen fertig. »O Gott«, stöhnten wir anderen jetzt auch.

Laurence O'Boyle ist die Kehrseite der Medaille, wenn die

Bühne jedem offensteht, der sich eine Flasche Bier zu einem Dollar fünfundzwanzig leisten kann. Das Problem lag weniger in seinen stimmlichen Qualitäten – obwohl er tatsächlich ein schlechter, ja ein *miserabler* Sänger war. Laurence war das, was man einen »Varietékünstler« nennt. In New York City läuft eine ganze Menge solcher Gestalten herum. Ihr ganzes Leben verbringen sie damit, ihre Nummern einzustudieren, versuchen dann einen »Gig« im Duplex zu bekommen, kopieren Flugblätter, die sie in der ganzen Stadt an die Laternenpfähle kleben, und versetzen ihr letztes Hab und Gut für eine winzige Anzeige in der *Village Voice*. Schließlich spielen sie vor einem Publikum von sechs Leuten, von denen fünf mit ihnen verwandt sind und der sechste zufällig von der Straße hereinstolpert und wieder geht, bevor er ausgetrunken hat. Niemand ist dagegen gefeit, zu einem Varietédarsteller herabzusinken, es kann Männer wie Frauen gleichermaßen treffen. Der Amerikanische Psychologenverband hat erst neulich Varietédarbietungen als eine Sucht klassifiziert, und es gibt sogar die Anonymen Varietékünstler. Die treffen sich in Kellerräumen kirchlicher Einrichtungen, wo sie dann aufstehen und sagen: »Ich heiße Brenda, und ich bin Varietékünstlerin.«

»Die Rechnung, bitte«, sagte Tom so laut, daß die anderen Gäste zu kichern anfingen.

Doch Laurence O'Boyle ließ das vollkommen kalt. Er traf weiter seine Vorbereitungen. Nachdem er eine Weile an seinem schwarzen Rollkragen herumgezupft hatte, schloß er die Augen. Dann atmete er mit geblähten Nasenflügeln tief ein und zog seine Hängeschultern zurück. In dieser Pose verharrte er eine Weile, ehe er Marie zunickte. Sie schlug einen Akkord an, und er begann mit »Losing My Mind« aus *Follies*.

»O Gott«, sagte Ronald Russo wieder. »Jetzt kommt sie uns auch noch mit Sondheim.«

»Ich weiß, wem dieses Lied gewidmet ist«, flüsterte Tom mir zu.

»Tatsächlich?« sagte ich erwartungsvoll.

»Ja. Einer absoluten Null.«

Während wir Laurence O'Boyle zusahen, ereignete sich etwas ganz Außergewöhnliches. Stille senkte sich über den Raum. Die Leute hörten auf zu reden und lauschten aufmerksam. Ja, heute war der Sänger richtig *gut!* Auch ein blindes Huhn findet mal ein Korn, dachte ich. Klar, er traf immer noch nicht jeden Ton. Und er war nach wie vor ein unattraktiver Mittdreißiger, der mit seiner verwitweten Mutter in der Bronx lebte und sich von seinen Freunden Sharon nennen ließ. Und es stimmte auch, daß er mit seinen klimpernden Augendeckeln und seinem ständigen Herumgefuchtel vor der Brust etwas zu dick auftrug. Doch der Sänger und sein Lied paßten perfekt zusammen. Die unerwiderte Liebe, die grenzenlose Leidenschaft, dann die Textpassage, wo er dasteht und nicht mehr aus noch ein weiß – das alles glaubte man ihm Wort für Wort.

Ich sah Tom an. Mit unergründlicher Miene verfolgte er Laurence' Darbietung. Das war typisch für Tom: Er war einfach unergründlich. Ist Ihnen schon aufgefallen, daß er mich nie in seine Wohnung einlud? Ich war schon bei Floyd und Ronald Russo gewesen, aber nie bei ihm. Finden Sie das nicht auch eigenartig?

Ich blickte zu Floyd. Der starrte Tom an. Und wie, in Gottes Namen, war *sein* Blick zu deuten? Liebte er Tom etwa noch immer? Es sah ganz danach aus. Aber wie war das möglich, wenn er sich andererseits ganz unverhohlen mit seinem Priester traf?

Auch Ronald Russo starrte mit kuhäugig-verliebtem Blick

in die Gegend. Zuerst erkannte ich nicht, wen er im Visier hatte. Dann bemerkte ich, daß er in den Spiegel hinter uns glotzte.

Während Laurence O'Boyle sich bei den letzten Takten zu einer wahren Glanzleistung aufschwang, konzentrierte ich mich wieder auf Tom. Jetzt fixierte auch er jemanden, und zwar einen jungen Mann, der an der Bar stand. Der Mann erwiderte seinen Blick zwar, heuchelte aber Desinteresse. Mir gefiel er nicht. Er war groß und plump und hatte ein finsteres Unterschichts-Gesicht. Und erst das Hemd! Die Ärmel waren absolut jenseits von Gut und Böse. Ich kniff die Augen zusammen, und bei genauerem Hinsehen erkannte ich, daß es gar keine Ärmel waren, sondern Tätowierungen. Seine Arme waren blaß, wie bei einem Häftling, und vollständig mit Tätowierungen bedeckt. Es sah aus wie ein Blue-Willow-Muster.

Noch ehe Laurence O'Boyles letzter Ton verklungen war, brandete der Applaus auf. »Entschuldigt mich«, sagte Tom, stand auf und ging zur Bar. Floyd und Ronald Russo tauschten einen flüchtigen, aber bedeutungsvollen Blick.

Laurence O'Boyle trat wieder ans Mikrofon. Er kostete seinen Erfolg kräftig aus, warf dem unentwegt weiterklatschenden Publikum Kußhände zu, und schließlich wurde allen klar, daß er durchaus nicht die Absicht hatte, die Bühne zu verlassen. In der daraufhin einsetzenden Stille beugte er sich ganz nah zum Mikro und sagte mit tiefer, hauchender Stimme: »Der nächste Song ist für einen ganz besonderen Menschen.« Dann schloß er die Augen, wiegte sich leicht im Takt à la Nancy Wilson und begann seine Version von »Happiness Is a Thing Called Joe«.

Als ich das Five Oaks verließ, fing es gerade an zu regnen. Dicke Tropfen peitschten mir ins Gesicht. Am Ende des

Blocks wirbelte der warme, nasse Wind den Abfall aus dem Rinnstein hoch in die Luft.

Ich sah mich nach einem Taxi um.

Warum verspürte ich immer diese vage Unruhe, wenn ich mich von Tom und seinen Freunden trennen mußte? Noch vor einer Stunde hatte ich geglaubt, die Welt läge mir zu Füßen. Jetzt war ich bedrückt und fühlte mich wie eine Außenseiterin.

Es war gegen elf Uhr dreißig gewesen, als ich wieder die Anzeichen bemerkte, die vertrauten Anzeichen eines jeden Samstagabends. Erst wurden die Männer unkonzentriert und sahen nervös umher, dann erzählten sie sich Witze – im Flüsterton –, und dann bekamen sie glänzende Augen. Der Abend hatte erst angefangen. Eine Nacht voller Abenteuer lag vor ihnen –, aber nicht vor mir. »Mimi«, mahnten sie, »Sie verpassen Ihren Zug!«

Plötzlich wimmelte es auf den Straßen des Village von Homosexuellen. Aus billigen Mietwohnungen und luxuriösen strömten sie, verließen die Läden, in denen sie Zigaretten gekauft hatten, standen vor den Telefonzellen Schlange. Und alle waren sie frisch geduscht.

Wohin gingen sie denn alle?

Ich entdeckte ein Taxi und rannte darauf zu. Doch drei Männer kamen mir zuvor und stiegen ein, ohne sich umzudrehen. Alle trugen sie das gleiche: enge Jeans und noch engere T-Shirts. Und sie hatten alle kurze Haare und einen ähnlichen Schnauzbart. Nur in der Körpergröße unterschieden sie sich.

Was denken die sich eigentlich, diese Homosexuellen, fragte ich mich. Da grapschen sie sich einfach sämtliche Taxis!

Schließlich erreichte ich die Grand Central Station und stieg in den 12-Uhr-29-Zug. Zu Hause war ich erst nach eins. Als das Taxi in die Auffahrt einbog, bemerkte ich zu meinem Entsetzen, daß Licht brannte. Das konnte nur eins bedeuten: Boyce war von seiner Geschäftsreise zurück. Jetzt sank meine Stimmung gänzlich auf den Nullpunkt.

Mit einem äußerst unguten Gefühl ging ich die Treppe hinauf. Es fiel mir immer schwerer, Interesse zu heucheln für das, was mein Mann mir zu sagen hatte. Meine einzige Hoffnung war, daß er durch die Zeitverschiebung nicht allzu aufgekratzt war.

Wie sich herausstellte, war er zwar aufgekratzt, aber nicht vom Fliegen. Mit einem Glas Scotch in der Hand marschierte er im Schlafzimmer auf und ab. »Weiß'u was? Weiß'u was?« krächzte er. Er war ziemlich betrunken.

»Was?«

»Ich hab' den Job!«

»Job?« Boyce erzählte mir ständig von irgendwelchen Jobs, die er bekommen würde. Das ging bei mir zum einen Ohr rein und zum anderen wieder raus. »Was für einen Job?«

»Den in Indien.«

Ich griff haltsuchend nach der Stuhllehne. »Indien?«

»J-Jaaa!« jubelte er lallend. »Wie lang brauchs' du sum Packen?«

111

# Kapitel Acht

Lavinia gehörte zu den Leuten, die New York lieben. Sie schwärmte für alles, was die Stadt zu bieten hatte. Ja, sie trug sogar einen dieser »I❤NY«-Buttons am Mantelrevers; ein altmodisches Revers, das so riesig war, daß es schon bei der kleinsten Brise flatterte und dann schlabbrig und unkleidsam herunterhing; für gewöhnlich ertrug Tom diesen Anblick irgendwann nicht mehr und brachte den Kragen wieder in Ordnung.

Ich erinnere mich an einen Nachmittag, als wir zu dritt die Eighth Street entlangschlenderten, wir waren auf dem Weg zu einem Treffen im Büro des Zentrums für Tanznotation. Und was entdeckten unsere müden Augen da? Die seltsamste Gestalt, die man sich vorstellen kann: Der Mann war um die vierzig, mit knallroten Haaren, einem Van-Dyke-Bart, angezogen wie ein Hofnarr aus der Zeit Elizabeth' I. Seine purpurrote Ausstattung war kunstvoll verziert und offensichtlich in liebevoller Handarbeit gefertigt – Kniebundhosen, die an seinen mageren Schenkeln klebten, eine spitze Kappe mit Glöckchen dran. Jeder normale Mensch hätte bei diesem Anblick den Kopf weggedreht. Ich meine, hier war dieser arme Irre, der den ganzen Tag allein in seinem Zimmer saß und Stich für Stich Brokat- und Samtfetzen zusammennähte, die Sachen dann gegen vier Uhr nachmittags anzog und damit durch die Straßen wandelte ... ein bedauernswerter Psychopath, der wahrscheinlich Stimmen hörte, die ihm befahlen, auszugehen und sich auf diese besonders bizarre und demütigende Weise zum Hanswurst zu machen – und wissen Sie, was Lavinia dazu sagte? Sie klatschte vor Begeisterung in die Hände und juchzte: »Das gibt es eben nur in New York!«

»Oder in Polen«, brummte Tom in seinen Bart.

So wird es Sie wahrscheinlich auch nicht überraschen, daß Lavinia ein besonderes Faible für die kostenlosen Open-Air-Konzerte im Central Park hatte. Das war für sie der Höhepunkt des Jahres. Ja, sie konnte es kaum erwarten, bis der Sommer endlich anbrach, damit sie mit 120 000 anderen Geizkragen im Gras sitzen, Mücken totschlagen und sich aus krächzenden Lautsprechern klassische Musik anhören durfte. Normalerweise tat sie das mit einer Gruppe Gleichgesinnter aus dem Ashram; aber nicht an dem einen Abend im Jahr, der für den jährlichen Betriebsausflug unseres Büros reserviert war – eine Tradition, die Lavinia begründet hatte und hingebungsvoll pflegte. Da glänzte sie für einen kurzen Augenblick als Gastgeberin. Eine Person durfte man mitbringen, sonst waren nur Büroangehörige zugelassen. Das Ereignis war berüchtigt als harte Nervenprobe. »Nehmt Drogen«, lautete Toms Rat.

Dieses Jahr wurde der jährliche Betriebsausflug zugleich zum offiziellen »Abschiedsfest für Mimi« deklariert.

Ich willigte ein, Lavinia an dem großen Tag zum Great Lawn hinter dem Metropolitan Museum zu begleiten. Wir verließen schon mittags das Büro, was mir ein wenig früh erschien, da das Konzert erst um acht Uhr abends beginnen sollte. Doch Lavinia wußte aus Erfahrung, daß man rechtzeitig dort sein und sich sein Terrain sichern mußte. Alle anderen Besucher wußten offensichtlich ebenfalls Bescheid, denn trotz der frühen Stunde waren bereits alle guten Plätze belegt. Wir lagerten so weit von der Bühne entfernt, daß die Arbeiter, die die Anlage aufbauten, wie Ameisen aussahen. Die zahllosen Tücher und Decken vor uns fügten sich zu einem riesigen, aberwitzigen Patchworkmuster zusammen, jeder Flicken stellvertretend für eine Gruppe wie die unsere; es erinnert an die Pullover, die man im Theater auf die Sitze legt, um zu signalisieren: »Dieser Platz ist besetzt!« Manche Decken waren noch frei, andere nicht mehr; dort kauerte dann ein einsames Individuum mit einem Taschenbuch, bereit, den ganzen Tag die Stellung zu halten.

»Und nun«, meinte Lavinia und wühlte in einer Einkaufstüte von Macy's, »müssen wir als erstes den Zaun machen.«

»Wie bitte?«

»Den Zaun. Hier.«

Sie drückte mir ein Bündel Drahtkleiderbügel in die Hand, die ungefähr in diese Form gebogen waren: $\diamondsuit$ . Die steckte sie in etwa einem Meter Abstand so ins Gras, daß sie ein Rechteck bildeten; dann zog sie eine Rolle Schnur heraus und fädelte sie durch die Drahtbügel. Auf diese Weise entstand ein kleiner, etwa 20 Zentimeter hoher Zaun, der unseren Platz vollkommen abriegelte. Und wollen Sie wissen, was das schlimmste war? Dasselbe taten alle anderen auch! Wir waren von lauter kleinen Zäunen umgeben. Der ganze Great Lawn war voll von diesen Dingern, als sollten Rekruten hier ihre Hindernisläufe machen.

Gerade als Lavinia ihr Werk beendet hatte, kam ein Parkwächter und befahl den Leuten, die Zäune wieder abzubauen. Sie hätten hören sollen, was für Schimpftiraden der arme Mann über sich ergehen lassen mußte! Diese kulturbeflissenen, musikliebenden Deckenbewacher konnten erstaunlich ausfallend werden. »Wo steht, daß wir keinen Zaun haben dürfen, häh? Wo steht das? Zeigen Sie mir erst mal, wo das steht!«

»Die Dinger sind gefährlich«, beharrte der Wächter. Damit hatte er zweifellos recht. Lavinia war bereits zweimal ge-

115

stolpert, und das über ihren *eigenen* Zaun. Aber sie probierte es auf die freundliche Tour. »Machen Sie sich keine Sorgen«, grinste sie ihm frech ins Gesicht. »*Sie* wird darauf aufpassen.«

Und dabei zeigte sie auf *mich!*

Man kann über eine Menge Dinge nachdenken, wenn man den ganzen Nachmittag auf einer Decke im Central Park sitzt. Was mich vor- und aufdringlich beschäftigte, waren die Ameisen und Käfer – und die nicht ganz abwegige Möglichkeit, daß es anfangen könnte zu regnen. Doch nach und nach erweiterte sich mein Horizont. Ich sah über das Meer von Tüchern und Decken hinweg und mußte an ein Foto in dem Buch denken, das mir Lavinia als Abschiedsgeschenk überreicht hatte – *Indien in Bildern*. Auf dem Foto sah man die zum Trocknen ausgebreitete Wäsche am Ufer des Ganges.

Indien! Kein Land auf der Erde interessierte mich weniger. Ich haßte indisches Essen. Indische Kunst fand ich abstoßend. Die explodierende Geburtenrate schockierte mich. Und all diese erotischen Skulpturen – das war einfach nicht »mein Ding«. Außerdem – ich hatte in Lavinias Buch geblättert und nichts entdeckt, was auch nur entfernt als »akzeptable Wohngegend« richtig beschrieben gewesen wäre.

Oh, vermutlich hätte ich es schon ein Jahr oder so in Bombay oder Neu-Delhi ausgehalten. Ich hätte dann mit den Diplomatengattinnen bummeln oder auf die Jagd nach Antiquitäten gehen können, falls der Radscha welche übriggelassen hatte. Mir war zu Ohren gekommen, daß man bei Mogul-Gemälden immer noch ein Schnäppchen machen konnte. Aber wir zogen nicht nach Bombay oder Neu-Delhi. Wir zogen in eine kleine Stadt, von der ich noch nie in meinem Leben etwas gehört hatte – nach Bhopal. Ich habe im Atlas nachgeschlagen: Sie liegt im westlichen Teil des Landes, dort, wo es besonders trocken und staubig ist. Aber es gibt eine berühmte Festung. Und eigentlich ist die Stadt gar nicht so klein – mehr als zwei Millionen Einwohner.

Boyce war bereits zweimal dort gewesen. Um genau zu sein, war er auch im Augenblick dort und hatte mich gestern abend angerufen, um mit mir das Angebot des örtlichen Wohnungsmarkts zu besprechen. Wir hatten zwei Möglichkeiten: irgendwas ohne Telefon an einer belebten Straße, oder ein Betonklotz neben dem YMCA-Gebäude. »Was meinst du mit ›Betonklotz‹?« fragte ich. »Herr im Himmel!« kreischte Boyce. »Da krabbelt die größte Spinne, die ich je gesehen habe, direkt auf mich zu!« Ich hörte mit an, wie er versuchte, sie umzubringen. Aber sie floh ins Badezimmer und versteckte sich hinter der Toilette, und dort lauerte sie dann ...

Gegen vier kam Lavinia zurück. Sie zog einen Einkaufswagen hinter sich her, einen dieser Drahtkarren, wie ihn die alten Frauen vom Broadway rüber zum Fairway ziehen. Lavinias Gesicht war wild entschlossen, und ich mußte sofort an die Inszenierung der *Mutter Courage* im Public Theater denken, in die mich Tom geschleppt hatte; die, in der Rita Moreno die Hauptrolle spielte.

Obwohl sie behauptete, in der Küche geschuftet zu haben, um »Toms Leibgericht« zuzubereiten – glasierte Hühnerbrüstchen in Aspik (Toms Leibgericht? Das war mir neu) –, war nicht zu übersehen, daß sie die meiste Zeit im Badezimmer verbracht und sich aufgetakelt hatte. Wie die meisten nicht sehr attraktiven Menschen schaffte sie es, alles noch schlimmer zu machen, als es sowieso schon war. Auf ihren Wangen leuchtete knallrotes Rouge und überdeckte ihren einzigen körperlichen Vorzug, die makellose englische Blässe. Und der blaue Lidschatten war ein unglücklicher Rückfall in eine längst vergangene Mode-Epoche.

Erinnern Sie sich an Connie Francis in *Where the Boys Are?* Haargenau diese Art von Klamotten trug Lavinia: Caprihosen mit Marinemotiven, und als Oberteil eine dazu passende Matrosenbluse mit rundem Ausschnitt. Meiner unmaßgeblichen Meinung nach sollte eine Frau mit spindeldürren Beinen Caprihosen unter *allen Umständen* meiden, ebenso wie Reiter- und (Gott bewahre!) Radlerhosen.

»Tut mir leid, daß es so lange gedauert hat«, zwitscherte sie und begann auszuladen, was man landläufig unter kulinarischen Köstlichkeiten versteht. Brie hatte sie dabei. Und Weißwein. Rohkostsalate. Außerdem Knäckebrot – und dann das *Pièce de résistance* – besagte Hühnerbrüstchen. Sie lagen in einer Tupperschüssel und wurden wie heilige Reliquien behandelt. Was heißt, daß Lavinia sie hin und her schob, bis sie den gebührenden Ehrenplatz gefunden hatte: direkt in der Mitte, wo man sie am leichtesten im Auge behalten konnte.

Wie ich mit einem Blick feststellte, gab es *keine* Torte oder sonst ein Abschiedsdessert.

Um die Wahrheit zu sagen, die Reaktion meiner Freunde auf meinen bevorstehenden Weggang hatte mich ziemlich verletzt. Sie schienen die Neuigkeit mühelos zu verdauen; keiner unternahm auch nur die leiseste Anstrengung, mir die Sache auszureden. Oh, natürlich hörte Floyd nicht auf zu beteuern, wie sehr er mich vermissen würde; ich mußte ihm hoch und heilig versprechen zu schreiben. Aber Ronald Russo hatte mit mir kein Wort mehr gewechselt, nachdem ich ihm unmißverständlich klargemacht hatte, daß ich wegen meines Umzugs kein Schmuckstück bei ihm kaufen würde. Und Dr. Fineman, von dem ich dachte, er stünde auf meiner Seite, meinte nur, daß Indien eine wichtige Erfahrung für mich sein könnte, und bat mich, meine Abschlußrechnung möglichst umgehend zu begleichen. Unsere letzte Sitzung dauerte ganze zwanzig Minuten! Und was Tom betraf – er schien hellauf begeistert zu sein. »Indien!« rief er aus, als ich ihm die Nachricht überbrachte. »Ich wollte schon immer mal nach Indien. Eine große Liebe von mir lebt in Indien: Franck. Mit *ck*. Er war Steward bei der Swissair und hatte seinen festen Wohnsitz in Kalkutta. Anscheinend haben sie dort ein faszinierendes Nachtleben. Er wohnt noch immer dort. Sie sollten mal bei ihm vorbeischauen. Ach, und dann *Lavinia!* Haben Sie schon mit Lavinia gesprochen?«

»Mit Lavinia? Wieso mit Lavinia?«

Er musterte mich mit diesem herablassenden »Wie-blöd-sind-Sie-eigentlich«-Blick. »Ihre Urururgroßmutter war Queen Victoria, Herrscherin über Indien! Sie kennt in Indien jede Menge Leute«.

Plötzlich war ich Lavinias beste Freundin. Kaum zog ich 10 000 Kilometer weit weg, schon überschüttete sie mich mit Aufmerksamkeit. Aber jemanden wie mich würde sie nicht noch mal als Sekretärin einstellen, das stand fest. Sie hatte bereits eine Nachfolgerin für meinen Posten, ein Mädchen aus dem Ashram namens Debbie, das zu Hause in Oregon bei einem Sekretärinnenwettbewerb zur »Perle des Büros« gekürt worden war.

Für eine Frau wie mich war es eine wahrhaft demütigende Erfahrung, die Organisation meiner Abschiedsfeier in Lavinias Hände gelegt zu sehen. Nehmen wir nur mal diesen Folienluftballon. Er war an den Einkaufswagen gebunden und hing schlapp in der schwülen Nachmittagsluft, ein kreisförmiges, flaches Gebilde, das an ein Sofakissen erinnerte. Gerade ging mir durch den Kopf: »Das ist ja wirklich das Scheußlichste, was ich je gesehen habe«, da steigerte sich mein Entsetzen noch, denn ich erkannte, daß das blaue Design an der Seite tatsächlich ein Bild von Mr. T. war – die Werbefigur der gleichnamigen Supermarktkette.

»Lavinia«, meinte ich ganz locker, »brauchen wir denn wirklich diesen Ballon?«

»Ja, den brauchen wir.«

»Ja?«

»Wie sollen die anderen uns sonst finden?«

Das war also der Grund. All diese Flaggen und Banner und Ballons waren keine mißglückten Dekorationsversuche. Es waren Signale. Der ganze Great Lawn war übersät von ihnen. Und obwohl auch andere Leute sich mit Luftballons kenntlich machten, waren wir, da bin ich mir ziemlich sicher, die einzigen mit diesem blöden Mr.-T.-Porträt.

»Ach so«, sagte ich. »Aber haben Sie nicht gesagt, daß alle wissen, wo wir sind?«

»Stimmt«, erwiderte sie. »Außer Debbie.«

»Debbie?«

»Ja! Ach, ihr zwei habt euch ja noch gar nicht kennengelernt.«

Von diesem Augenblick an kannte ich nur noch ein Ziel: Ich mußte diesen Mr.-T.-Ballon loswerden. Es war *meine* Party, und ich wollte mir auf keinen Fall von irgendeiner Schnelltippse aus Oregon die Show stehlen lassen.

Allerdings blieb mir nicht mehr viel Zeit. Der Park füllte sich rapide. Horden von Menschen strömten von Osten und Westen herbei, eine erkleckliche Anzahl kunstbeflissener Mittelschichtbürger. Viele traten in Grüppchen von je zwei Paaren auf, wie die Yuppies gleich neben uns. Sie hatten sogar einen mehrarmigen Kerzenleuchter mitgebracht. Dann gab es noch angespannt dreinschauende jüdische Ehepaare, die aussahen, als ob beide an einer Highschool in Queens unterrichteten, Studis von der Columbia und bebrillte Jurastudenten mit Weib und Kind im Schlepptau; auch eine größere Gruppe geistig Behinderter hatte sich eingefunden; außerdem gab es Homosexuelle in rauhen Mengen. Sie hätten die direkt hinter uns sehen sollen: Alle vier hatten bereits die Fünfzig überschritten; geschmackvoll gekleidet (einer trug sogar einen Plastron) schlürften sie Piper-Heidsieck zu ihrer Lachspastete. Eine uralte geheimnisvolle Frau mit flammend rotem Haar hatte sich ihnen angeschlossen; sie thronte auf einem Klappstuhl und sprach kein Wort.

Während des Krieges war Lavinias Mutter die Seitenumblätterin von Dame Myra Hess gewesen, und obwohl ich die Geschichte bereits kannte, lauschte ich gebannt, als Lavinia sie wieder einmal zum besten gab. Gleichzeitig schaffte ich es, unauffällig zum Einkaufswagen hinüber zu rutschen. Ich wartete, bis mir Lavinia den Rücken zukehrte, dann untersuchte ich die Befestigung des Ballons. Der Gordische Knoten war ein Witz dagegen.

»Oh, liebste Lavinia, könnten Sie mir bitte meine Handtasche reichen?«

Gott sei Dank war sie nervös und nicht recht bei der Sache. Die anderen Gruppen waren schon mitten im Feiern, und wir warteten immer noch auf unsere Gäste. Während Lavinia den Blick über die Menge schweifen ließ, gelang es mir, die Nagelfeile in der hohlen Hand zu verbergen. Jetzt mußte ich mich nur noch etwas schief hinsetzen, dann konnte ich mir ganz unauffällig an dem Knoten in meinem Rücken zu schaffen machen.

Der stellte sich als noch stabiler heraus, als ich gedacht hatte. Erstens war er nicht aus einfacher Schnur, sondern aus einer Art verstärktem Zwirn. Zweitens konnte ich ihn nicht einfach *durchschneiden*. Ich mußte den ganzen Knoten lösen. Denn wie ich Lavinia kannte, würde sie eine genaue Untersuchung durchführen. Ich konnte es mir nicht leisten, Spuren zu hinterlassen. Also feilte und feilte ich und scheuerte mir die Fingerkuppen wund. Die alte rothaarige Frau sah mir mit ausdruckslosem Gesicht dabei zu.

»Heh!« schrie da Lavinia, und mir blieb beinahe das Herz stehen. Doch der Ruf galt nicht mir. Unser erster Gast war im Anmarsch. Es war Georgie McOsker, der sich in einem Seersucker-Anzug durch die Menge schlängelte. Seine Hosenbeine waren so kurz, daß man den Anblick von mindestens zehn Zentimetern schwarzer Nylonsocken genießen durfte. In einer Hand trug er eine Plastiktüte mit Weintrauben, in der anderen eine Flasche Riunité.

Gestatten Sie mir ein paar Worte zu Georgie McOsker, da er in diesem Buch eine zwar kurze, jedoch bedeutsame Rolle spielen wird. Er zählt zu den Homosexuellen, die ich am wenigsten leiden kann, zu der Sorte, der es sowohl an Geschmack als auch an Esprit mangelt. Er war wie ein Schwarzer ohne Rhythmus im Blut. Wenn an ihm überhaupt etwas bemerkenswert war, dann seine verblüffende Ähnlichkeit mit der jungen Mitzi Gaynor. Er stammte aus einer Kleinstadt in Nebraska oder einer ähnlichen Gegend und war nach New York gekommen, weil er sich ein anderes Leben wünschte: Glamour, Kultur und einen Job beim Ballett. Im Augenblick war er stellvertretender Leiter im Kuratorium des Regionalballetts und Lavinias »Schatten«: ihr Begleiter für alle Anlässe, zu denen sie eine Einladung ergattern konnte. Er hatte diesen Job von Tom übernommen, der sich nicht mehr mitschleppen ließ.

Georgie gaukelte vor, Lavinia anzubeten. Ständig näselte er mit seinem eindeutig von seiner Herkunft geprägten Akzent: »Ach, Lavinia, Sie sind wundervoll!« Doch es gab einen heimlichen Grund dafür. Es lag nicht an Lavinias Titel. Erstaunlich, wie schnell ihr Adel an Eindruckskraft verlor, wenn man erst einmal einen Blick auf ihre Koalabären geworfen hatte. Nein, der Grund war Lavinias enge Beziehung zu Tom und Floyd. Die beiden waren Georgies Idole, sie waren genau so, wie er selbst gerne gewesen wäre. Er versuchte sich zu kleiden wie sie; er ging in die gleichen Lokale wie sie; er setzte alles daran, sich soviel wie möglich in ihrer Gesellschaft aufzuhalten. Meist ignorierten ihn die beiden, aber das entmutigte Georgie nicht im geringsten. Dieses Jahr zum Beispiel machte er, genau wie sie, Urlaub auf Fire Island – und das mit einem Jahreseinkommen von sechzehntausend Dollar! Viertausend mußte er dafür hinblättern. Um sich so was finanziell leisten zu können, teilte er sein vier mal fünf Meter großes Ein-Zimmer-Apartment an der Westside jetzt mit einem philippinischen Krankenpfleger, Jimmy, der sein ganzes Geld für Klamotten ausgab und eine Knoblauchknolle über die Tür gehängt hatte, um böse Geister fernzuhalten.

»Gerade Sie würden Fire Island einfach göttlich finden«, meinte Georgie zu mir. »Es hat soviel Stil.« Während Lavinia immer wieder aufsprang, um nach den übrigen Gästen Ausschau zu halten, machten wir höflich Konversation, und ich muß sagen, daß Fire Island nach Georgies Beschreibung ausgesprochen mondän sein mußte. Beispielsweise war es dort üblich, abends von acht bis elf ein Nickerchen zu halten, erzählte er, gegen Mitternacht mit seinen Freunden zusammen ein exquisites Mahl zu verzehren und anschließend bis zum Morgengrauen in der Disco zu tanzen. Vor Tagesanbruch ging man eigentlich nie nach Hause. Manchmal kam man auch überhaupt nicht heim.

»Und ich wohne in einem sagenhaften Haus. Einfach sagenhaft! Natürlich kann es sich nicht mit dem von Tom und Floyd messen. Sie haben Wolfgangs Haus, in dem auch schon Elizabeth Taylor zu Gast war. Aber wir haben ein Gästezimmer. Und Sie ahnen ja gar nicht, wie selten Gästezimmer auf Fire Island sind! Wahrscheinlich haben wir das einzige. Und wissen Sie was?«

»Nein?«

»Sie können am Wochenende gern mal rauskommen. Sie sind jederzeit willkommen.«

Das kann man leicht zu jemandem sagen, der am nächsten Samstag nach Indien zieht. Trotzdem dankte ich ihm überschwenglich. »Seien Sie vorsichtig«, sagte ich. »Sonst nehme ich Sie noch beim Wort.«

»Ich meine es ernst.«

»Gottverdammte Scheiße!« brüllte da Lavinia und grapschte nach dem Mr.-T.-Ballon. Bedauerlicherweise war mein Fuß im Weg, so daß sie ihn nicht mehr rechtzeitig zu fassen kriegte. Einen schrecklichen Augenblick lang sah es aus, als würde er sich in den Baumwipfeln verfangen, aber da fegte die erste Windböe des Tages durch den Park, und wir konnten nur noch mit ansehen, wie der Ballon höher und höher stieg und schließlich über dem westlichen Central Park im Abendhimmel verschwand.

Ich wußte, was Lavinia durchmachte. Es gibt nichts Schlimmeres als das Gefühl, wenn sich eine Party, die man mit viel Liebe vorbereitet hat, als Flop herausstellt. Ich erinnere mich noch an die Party, die ich in meiner Highschool-Zeit gegeben habe. Ich sage immer »*die* Party« dazu, weil sie genau das war – meine einzige Party. Es war in der neunten Klasse, und meine Unbeliebtheit hatte noch nicht die eklatanten Ausmaße wie im Jahr darauf am

College. Als größter Gag sollte es eine Poolparty im Haus meiner Großmutter werden. Sie hatte einen überdachten Swimmingpool – in der damaligen Zeit ein begehrtes Statussymbol. Unglücklicherweise wurde das Ereignis von ein paar Mitgliedern der Footballmannschaft zum »Platzen« gebracht. Erst bewarfen sie einander mit den Cocktailwürstchen, dann pißten sie ins Schwimmbecken – vom Sprungbrett aus.

Es war das erstemal, daß ich sah, wie Lavinia ihre Maske fallen ließ und sich in ihrer ganzen emotionalen Bedürftigkeit präsentierte – und ich muß sagen, das war kein schöner Anblick. Sie ließ sich auf die Decke plumpsen und verschränkte die Arme vor dem Bauch, als ob sie Magenkrämpfe hätte.

»Jetzt werden sie uns nie finden«, jammerte sie in dem leisen, weinerlichen Ton, der oft einem hysterischen Anfall vorausgeht.

»Sie werden uns schon finden«, sagten Georgie und ich wie aus einem Munde.

»Aber wie denn?« wollte sie wissen.

»Wir werden eine Durchsage machen lassen«, schlug Georgie vor.

»So was machen die doch nicht«, fauchte Lavinia. »Das machen die nicht mal, wenn man seine Medikamente verloren hat!«

»Haben Sie nicht etwas von einem Luftballon gesagt?«

Wir sahen auf. Es war Floyd.

Lavinia sprang hoch und strich sich übers Haar. »Floyd! Sup-ah! Ach, wie toll! Wo ist Tom?«

»Wenn Sie's mir sagen, wissen wir es beide«, antwortete er mürrisch und setzte sich mit dem *Wall Street Journal* in der Hand auf die Decke. Trotzdem hatte seine Ankunft in Lavinia neue Hoffnung geweckt. Sie teilte die Umgebung in drei Sektoren auf (Floyd weigerte sich zu helfen), und jeder mußte in seinem Bereich die Augen offenhalten.

Glauben Sie mir, noch nie in der Geschichte der Menschheit ist die Umgebung je gründlicher abgesucht worden. Wenn wir auf der *Titanic* im Krähennest gesessen hätten, sie hätte den Eisberg nicht gerammt! Für mich stand genausoviel auf dem Spiel wie für Lavinia. Ich schickte ein Stoßgebet nach dem anderen gen Himmel. »Bitte, lieber Gott, mach, daß wir *ihn* finden und nicht *sie*. *Ihn* und nicht *sie*. *Ihn,* und nicht *sie* …

Glücklicherweise wußten weder Georgie noch ich, wie *sie* überhaupt aussah.

Ungefähr dreißig Meter entfernt direkt hinter dem Polizeikordon stand ein Mann. Er zog meinen Blick magisch auf sich, vielleicht, weil er als einziger kein Hemd trug. Er hatte etwas an sich – er sah einfach nicht danach aus, als ob er sich etwas aus Wein und Käse machte. Und er hatte einen ungewöhnlichen Brustkorb. Normalerweise registriere ich so etwas nicht (weder den Brustkorb noch sonst irgendwelche angeblichen körperlichen Vorzüge – für mich ist Robert Redford einfach ein Mann mit kleinen Beulen im Gesicht). Aber der hier sah aus wie Michelangelos David, nur besser. Selbst aus der Entfernung konnte ich sehen, wie makellos sein Oberkörper war – wie der von Barbies Freund Ken. Seidenweiches schwarzes Haar kräuselte sich auf seiner Brust, so zart und durchscheinend, als wäre es mit einer Airbrush-Spritzpistole aufgetragen worden. Und seine Sonnenbräune! Daneben sah die von Floyd aus wie Hundefutter. Das einzige, was mir nicht gefiel, waren seine Brustwarzen. Sie waren etwas zu groß und etwas zu dunkel und hatten Spitzen wie die kleinen Radiergummis oben in den Drehbleistiften. Irgendwie wirkten sie zu intim.

Mit Hilfe eines Opernglases, das wir reihum gehen ließen, studierte ich sein Gesicht. Er war ein mediterraner Typ und hätte sich mal wieder rasieren können. Überhaupt hatte er etwas Ungeschliffenes an sich, einen Hauch von dem, was meine Mutter immer als »kriminelles Element« bezeichnete. Dann entfernte er sich aus meiner Sichtweite, und als ich ihn wiederentdeckte, war etwas höchst Seltsames passiert. Er hatte sich in einen engelsgleichen Chorknaben verwandelt. Ja, er verbreitete eine Aura reiner Schönheit. Jetzt bewegte er sich wieder. Und schaute in meine Richtung. Ich sah seine Augen.

Aha, dachte ich. Das also ist mit »sexy« gemeint. Nie zuvor hatte ich die wahre Bedeutung dieses Wortes verstanden, aber jetzt hatte sich das schlagartig geändert.

Lavinias durchdringender Schrei, direkt neben meinem Ohr, holte mich auf den Boden der Realität zurück. »Tom! Tom!« kreischte sie und fuchtelte mit den Armen wie ein Fluglotse.

»Wo?« fragten Georgie und ich gleichzeitig.

»Da«, antwortete sie und deutete auf den jungen Mann mit dem nackten Oberkörper, was ich reichlich befremdlich fand, bis ich feststellte, daß Tom direkt neben ihm stand. »Er war in Ihrem Abschnitt«, fügte sie vorwurfsvoll hinzu.

Tom hörte – ebenso wie ein beträchtlicher Prozentsatz der Menge – unsere Schreie und begann, sich im Zickzackkurs zwischen den Decken einen Weg zu uns zu bahnen. Unsere kleine Gruppe verstummte jäh, als wir alle gleichzeitig etwas Unerklärliches bemerkten.

Der junge Mann mit dem nackten Oberkörper folgte Tom!

»Hallo allerseits«, sagte Tom, als er die Decke erreichte. Er schien etwas nervös, aber zugleich wild entschlossen, gute Laune zu verbreiten – wie diese Frau, die im Fernsehen die Kreuzfahrten anpreist.

Laute Bravorufe erschollen. Ich war völlig verwirrt und dachte erst, der Beifall gelte Tom und dem jungen Mann mit dem nackten Oberkörper, aber es stellte sich heraus, daß gerade der Maestro die Bühne betreten hatte. Dann kehrte Ruhe ein, und Tom machte uns miteinander bekannt. Wegen zahlreicher Rufe im Stil von: »Hinsetzen da vorne!« waren wir gezwungen, in die Hocke zu gehen. Ich erinnere mich, daß ich mich gerade hinkniete, als Tom sagte: »Joe, das ist Mimi.« Der junge Mann mit dem nackten Oberkörper sah mir geradewegs in die Augen, und in der Abenddämmerung erklangen die ersten Takte von Tschaikowskys Ouvertüre zu *Romeo und Julia.*

Ich erinnere mich nicht mehr allzu deutlich an das Konzert. Lassen Sie es mich präziser sagen: Wenn jemand das gesamte Philharmonieorchester mit einem Maschinengewehr niedergemäht hätte, wäre es mir nicht aufgefallen. Ich saß nur da und starrte Joe an.

Die anderen übrigens auch. Oh, sehr dezent natürlich. Wir saßen nämlich folgendermaßen:

Theoretisch hatten wir alle die Bühne im Auge. Wir applaudierten nach jeder Nummer, und niemand hätte daran gezweifelt, daß wir den Vorgängen auf der Bühne die gebührende Aufmerksamkeit zollten. Doch ich starrte die ganze Zeit auf Georgies Rücken und dachte: »Jetzt rück schon ein Stück, du Trottel, ich will was sehen!«

In der Pause erfüllten wir unsere gesellschaftlichen Pflichten – jedenfalls im weitesten Sinn. Tom flitzte herum und holte irgendwelche Sachen für Joe, der offenbar ungeheuer anspruchsvoll war. Wie ich befriedigt feststellte, rümpfte er die Nase über die Hühnerbrüstchen und aß nur Obst. Seine Finger wurden klebrig. Tom glotzte sie unentwegt an, und ich sah plötzlich vor meinem geistigen Auge, wie er sie ihm sauberschleckte. Lavinia war schweigsam und auf der Hut. Sie hatte Debbie vollkommen vergessen. Floyd dagegen kochte vor Wut und sagte keinen Ton. Georgie wiederum benahm sich beinahe so unterwürfig wie Tom.

Da kam einer der Schwulen von der Decke hinter uns herüber und bat Joe um ein Autogramm.

»Hab' ich da was verpaßt?« erkundigte ich mich im Flüsterton bei Georgie.

»Das ist Joe.«

»Was für ein Joe?«

»Joe. Einfach nur Joe. Er hat keinen Nachnamen. Er ist wie ... Hildegard.«

»Sie meinen, er ist Sänger?«

»Er ist ein Porno-Star.«

»Wie bitte?«

»Lesen Sie mir von den Lippen ab: *Er macht schweinische Filme.*«

In der zweiten Hälfte des Konzerts rückte ich in eine günstigere Position:

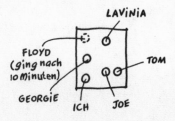

Den Abschluß des Abends bildete ein Feuerwerk. Es war Franz Liszt zu Ehren vom Hause Grucci gestiftet worden, und kaum waren die letzten Takte des *Mephisto-Walzers* verklungen, ging das Firmament in Flammen auf. Alle Augen wandten sich himmelwärts.

Mit sechs Ausnahmen. Das erste Augenpaar gehörte Tom Potts, der absolut nichts sehen konnte, weil sein Gesicht – wie soll ich es dezent umschreiben – in Joes Schoß vergraben war. Irgendwann hatte er sich im Schutze der Dunkelheit dorthin begeben; fragen Sie mich nicht wie. Das zweite Augenpaar war meines. Ich beobachtete diese Szene, starr vor Schreck. Obwohl es nur eine Sekunde dauerte, bis Tom ruckartig den Kopf hob, dauerte es lange genug, daß das dritte Augenpaar meinen Blick kreuzen konnte.

Diese Augen gehörten Joe. Er sah mich an und grinste. Ich wollte wegsehen, aber ich konnte nicht. Ein grüner Blitz, greller als das grellste Tageslicht, erleuchtete die Nacht, und ich sah voll Entsetzen, wie Joe mir die Zunge entgegenstreckte, zuckend wie die einer Schlange.

# Zweiter Teil

# Joel

# Kapitel Neun

Ich fürchtete schon, ich wäre die einzige Frau auf der Fähre nach Fire Island, aber das war Gott sei Dank nicht der Fall. Allein auf dem oberen Deck gab es mindestens zehn Geschlechtsgenossinnen, und vorne am Bug stand eine Gruppe Mannequins mit unglaublichen, beinahe schon abartigen Wangenknochen; die langen, glänzenden Haare hatten sie zu Pferdeschwänzen zusammengebunden. An den Füßen trugen sie diese süßen Leinenespadrillos, die man bei Woolworth kaufen kann. Eine der Gruppe hatte eine kastanienbraune Ledertasche voller Kosmetikproben dabei. Immer wieder öffnete sie das eine oder andere Schächtelchen, nahm die Gebrauchsanweisung heraus und studierte sie – wie ein Anwalt, der sich mit den jüngsten Entscheidungen des Obersten Gerichtshofs vertraut macht. Mir gegenüber saß außerdem ein dickes Mädchen, das ich einmal im Five Oaks »Cry Me a River« hatte singen hören. Und vor ihr waren zwei Lesben. Das erkannte ich sofort an dem wuchtigen Goldschmuck, den sie trugen, und daran, daß das Boot noch nicht mal abgelegt hatte und sie schon anfingen zu schmusen.

Trotzdem war ich die einzige Frau meiner Sorte – die einzige, die Bermudas im Madraskaro und einen Pulli vom Sports Shoppe trug. Ja, je mehr ich darauf achtete, was man um mich herum am Leibe hatte, desto unbehaglicher wurde mir zumute. Die Leute waren dermaßen aufgedonnert! Beispielsweise der Mann neben mir. Falls Sie sich jemals gefragt haben, wer eigentlich diese Ensembles aus der Herrenabteilung von Bonwit kauft, diese Klamotten, die für den Alltag einfach eine Spur zu schick sind und bei denen man immer denkt: »Wer um alles in der Welt soll denn so was kaufen?« – ich kann es Ihnen sagen. Die Schwulen kaufen das und tragen es auf Fire Island. Wieder ein Rätsel dieser Welt gelöst.

Ich überschlug im Kopf, was ihn diese Ausstattung gekostet hatte:

- Pinkfarbene Shorts mit Bügelfalte aus gewebtem Nadelstreifen (grau): 120 Dollar.
- Hemd: blaßgrauer unifarbener Sea-Island-Baumwollstoff (Armani) mit Perlmuttknöpfen: 110 Dollar.
- Weiße Sportslipper mit Besatz und Bügelschnallen, in der Mitte eine Schaumünze mit Anker auf weißem Hintergrund: 375 Dollar.
- Um die Schultern gelegt eine Jacquardstrickjacke von Missoni aus einer Seiden-Leinen-Mischung in Grau, Rosa, Cremefarben und Khakibraun: 700 Dollar.
- Eine Taucheruhr (Gold) von Baume & Mercier mit Schlangenlederarmband: 3 000 Dollar.
- Gesamtpreis: 4 305 Dollar.

Sogar die Einkaufstaschen strahlten Glamour aus. Von meinem Sitzplatz konnte ich drei Cartiers, zwei Balduccis, eine Bendel's, eine Kron Chocolatier und eine hellrote Hermès erkennen sowie eine, die ich nicht kannte; bei näherer Betrachtung stellte ich fest, daß sie von Fauchon stammte und mit dem Motiv einer Pariser Straßenszene bedruckt war. Meine eigene kleine Einkaufstasche, eine braune Papiertüte von Bohack's, schob ich unauffällig etwas weiter unter den Sitz.

Ja, ich war ein wenig nervös. Schließlich war das ein entscheidender Schritt für mich – mein erster richtiger Ausflug seit meiner Krankheit, die vor sechs Wochen begonnen hatte. Nur ungern erinnere ich mich daran, wie mir im Taxi zum Flughafen plötzlich schlecht wurde. Der Arzt in der Notaufnahme tippte zuerst auf Rückenmarkmeningitis, was die Laboruntersuchungen jedoch nicht bestätigten. Eigentlich fand man nie genau heraus, was mir fehlte. Nur in einem waren sich alle einig: Ich sei »ein armes Ding« und »sehr krank«. Auch Dr. Fineman wurde hinzugezogen, und wir führten ein längeres Gespräch. Anfangs hielt er meine Schilderung für übertrieben, aber nachdem er einen explosionsartigen Schwall meines Mageninhalts abbekommen hatte, war auch er überzeugt.

Ach, war das ein Chaos! Boyce mußte von Indien zurückfliegen. Erst glaubten wir, das beste wäre ein kurzer Aufenthalt in einem Pflegeheim in Connecticut, dessen Gästeliste sich wie ein *Who Is Who* der künstlerischen Prominenz las. Schon Judy Garland war hier behandelt worden, ganz zu schweigen von allen möglichen berühmten Schriftstellern wie Truman Capote oder Mary Mapes Dodge. Je mehr ich darüber erfuhr, desto mehr sagte es mir zu. Der therapeutische Schwerpunkt lag auf Streßbewältigung. Dem Prospekt nach gab es kein anstrengendes Pflichtprogramm: vormittags nur kreative Tätigkeiten, nachmittags Therapiesitzungen, anschließend geselliges Beisammensein. Am Freitagabend wurden Kinofilme gezeigt, und samstags gab es Tanz. Angeblich hatte sich dabei sogar einmal ein Paar kennengelernt, das inzwischen glücklich verheiratet war und in Old Lyme lebte. Und ausnahmslos *alle* schwärmten von dem wunderbaren Essen.

Doch dann teilte uns die Krankenversicherung mit, daß sie für diese Behandlung nicht aufkommen könne; also mußten wir das Ganze vergessen.

Die nächste Überlegung war, mich zu meiner Mutter nach Lubbock zu schicken. Diese Aussicht fand ich so grauenvoll, daß ich sofort einen Rückfall erlitt, der andauerte, bis mein Wink endlich verstanden wurde. Schließlich einigten wir uns auf ein Vorgehen, das allen sinnvoll erschien: Boyce würde nach Indien zurückfliegen und in einem Ein-Zimmer-Apartment wohnen, das direkt auf dem Fabrikgelände lag. Und ich würde fürs erste in Bronxville bleiben. Ich würde ordentlich essen und Sport treiben und meine Energie einzig und allein auf das richten, was im Moment Vorrang hatte – wieder gesund zu werden.

Die Fähre verlangsamte ihre Fahrt, der Nebel verflüchtigte sich, und vor meinen Augen erschien das berühmte Fire Island. Auf den ersten Blick war es ein wenig enttäuschend: nichts weiter als eine langgezogene, flache Sandbank mit stellenweise recht apartem Baumbestand. Was landschaftliche Reize anging, hatte es wahrhaftig nichts Weltbewegendes zu bieten. Da bemerkte ich die Häuser. Wir fuhren an den außergewöhnlichsten Strandhäusern vorbei, die ich je zu Gesicht bekommen hatte. Außergewöhnlich nicht, weil sie besonders luxuriös aussahen (das war bei vielen allerdings auch der Fall), sondern weil sie so *geschmackvoll* wirkten.
Für mich gleichen sich luxuriöse Häuser wie ein Ei dem anderen. Aber geschmackvoll wird ein Haus erst durch seine individuelle Note. Manche der Strandhäuser wirkten dezent und betont schlicht; verborgen hinter Bäumen und Gebüsch, nur eine Andeutung von Glas und Giebel. Andere glänzten als Manifestationen architektonischen Wagemuts und schienen in die Welt hinaustrompeten zu wollen, wie sensationell und avantgardistisch sie waren. Wieder andere stellten erlesene Kleinodien dar – wie die netten Häuschen, in denen gefeierte Innenarchitekten ihren Lebensabend verbringen. (Ich habe nie verstanden, warum

sie sich nicht etwas Größeres leisten können. Sie haben fünfzig Jahre lang Spitzenhonorare kassiert. Wo ist denn das ganze Geld geblieben?) Bemerkenswert war jedenfalls, welche Aufmerksamkeit selbst auf das kleinste Detail verwendet worden war. Hier stimmte einfach alles. Die Blumen paßten perfekt. Die Gartenmöbel waren exquisit. Und die Farben der Fensterläden waren mit penibler Sorgfalt ausgewählt.

Meine Begeisterung wurde noch größer, als wir den winzigen Hafen erreichten. »Das ist Capri!« jubelte ich im stillen. »Oder Portofino!« Das ganze Städtchen strahlte den Charme eines europäischen Jachthafens aus, aber kein bißchen übertrieben. Cafés und Boutiquen säumten die Promenade. Die Menschen, die sich zur Ankunft der Fähre versammelt hatten, trugen schmeichelnde Pastellfarben und Baseballkappen. Es war wie in der Szene von *Harvey Girls*, in der die Massen zusammenströmen, um die *Atchison*, die *Topeca* und die *Santa Fe* zu begrüßen.

Ich werde der perfekte Gast sein, nahm ich mir vor, während ich auf der Suche nach meinem Gastgeber den Blick über die Menge schweifen ließ. Ich werde mich über alles freuen, alles dankbar über mich ergehen lassen. Ich werde den Tisch abräumen, das Geschirr spülen und sogar Scrabble spielen ...

Das Boot legte an, und alle gingen an Land. Nach einer Weile wurde mir klar, daß mein Gastgeber nicht gekommen war. Eine dunkle Ahnung befiel mich. War etwas schiefgegangen? Mir fiel ein, wie ... *erstaunt* Georgie sich am Telefon angehört hatte, als ich seine »stehende« Einladung zu einem Wochenendbesuch annahm. Ich empfand den Anruf als demütigend, aber Lavinia hatte mich praktisch dazu gezwungen. Wenn ich an unser Telefonat letzte Woche dachte, knirschte ich immer noch mit den Zähnen.

137

»Arts Resources«, hatte sie sich gemeldet und klang dabei noch forscher als sonst.

»Hallo, ich bin's«, sagte ich zaghaft.

Totenstille am anderen Ende.

»Mimi«, half ich ihr auf die Sprünge.

»Mimi! Schon wieder zurück?«

»Ich war gar nicht weg. Aber das ist eine lange Geschichte.«

»Debbie! Raten Sie mal, wer dran ist ... Nein ... nein ... nein, es ist Mimi ... Nein, die andere Mimi. Die hier gearbeitet hat ... Ihre Vorgängerin ...«

»Sagen Sie, Lavinia, ist Tom zu sprechen?«

»Nein«, erwiderte sie mit betrübter Stimme, nachdem sie einen winzigen Augenblick gezögert hatte. »Er findet es bestimmt jammerschade, daß er Ihren Anruf verpaßt hat.«

»Wo ist er denn?«

»Im Urlaub.«

»Wo?«

»Im Urlaub.«

»Ich meine, *wo* im Urlaub?«

Eine vielsagende Pause, dann: »Am Meer.«

»Haben Sie seine Telefonnummer?«

Wieder dieser weinerliche Ton. »Ich mußte ihm hoch und heilig versprechen, daß ich sie keinem verrate. Nicht mal seiner Mutter.«

»Lavinia, ich bitte Sie.«

»Ich hab's versprochen.«

»Ich sage ihm auch nicht, woher ich sie habe.«

»Wissen Sie was? Ich sage ihm, daß Sie angerufen haben. Er erkundigt sich jeden Tag, ob auch alles in Ordnung ist. Bestimmt fühlt er sich einsam in diesem riesigen Haus. Obwohl es wirklich hinreißend ist. Direkt am Strand und

138

mit einem tollen Blick. Von unserem Zimmer konnte man aufs Naturschutzgebiet schauen.«

Das Blut gefror mir in den Adern. »Von eurem Zimmer?«

»Ja, wir waren schon zweimal dort.«

»Wir?«

»Debbie und ich. Tom ist hellauf begeistert von ihr.«

Allmählich zerstreute sich die Menge, und bald stand ich mir am Kai allein die Beine in den Bauch. Gerade als ich in Panik zu verfallen drohte, erblickte ich jemanden auf dem Plankenweg, der raschen Schrittes auf mich zukam. Ich hoffte inständig, es möge Georgie sein, und tatsächlich, er war es. Vor lauter Freude fiel mir gar nicht auf, daß er reichlich verschwitzt und zerzaust aussah. Ich machte mir auch wenig Gedanken über seine völlig unpassende Kleidung: eine abgeschnittene Jeans und ein bedrucktes Unterhemd, das seine »Arbeiterbräune« zur Geltung brachte – Nacken und Unterarme knallrot, der restliche Körper käseweiß.

»Wir haben ein kleines Problem«, sagte er anstelle einer Begrüßung, und man konnte buchstäblich sehen, wie ihm der Streß aus allen Poren brach. Etwas Furchtbares ist passiert, ein Schicksalsschlag größeren Ausmaßes, war mein erster Gedanke. Vielleicht ist sein Vater gestorben. Er war so aufgewühlt, daß er mir nicht einmal anbot, meinen Koffer zu tragen. Also schleppte ich ihn selbst, zu einer abgelegenen Stelle des Hafens, in der Nähe der Müllschute. Dort setzten wir uns auf eine Holzbank, wie zu einem vertraulichen Gespräch unter vier Augen.

»Erst mal: Es ist nicht meine Schuld«, fing er an. »Ich habe die Hausordnung gelesen, sie hängt neben dem Telefon. Und da steht nichts davon drin.«

Ich nickte verständnisvoll. Anscheinend ging es doch nicht um seinen Vater.

»Eugene hat gemeint, das sei so selbstverständlich, daß man es nicht extra erwähnen muß. Er sagt, so was ist hier noch nie vorgekommen. Aber woher soll ich es denn wissen, wenn es nicht mal in der Hausordnung steht?«

»Was denn? *Was* steht nicht in der Hausordnung?«

Er seufzte und begutachtete seine Fingernägel. »Frauen sind nicht gestattet.«

»Wie bitte?«

»Eine blödsinnige Vorschrift, wenn Sie mich fragen. Und wenn sie wirklich so wichtig ist, warum steht es dann nicht in der Hausordnung?«

»Frauen sind nicht gestattet? Was soll das heißen?«

»Es ist eine Vorschrift des Hauses. Frauen dürfen nicht über Nacht bleiben. Und Freitag und Samstag dürfen sie auch nicht zum Abendessen kommen. Eugene hat schließlich gemeint, er würde eine Ausnahme machen. Weil Sie ja schon unterwegs waren, als ich versucht habe, Sie anzurufen. Das heißt, wenn Sie jetzt überhaupt noch bleiben wollen.«

Mein Gesicht brannte. Natürlich würde ich nicht bleiben! Keine Frage! Frauen nicht gestattet, das war doch die Höhe! In der Ferne sah ich die Fähre. Die Passagiere für die Rückfahrt gingen bereits an Bord. In zwei Minuten konnte ich ebenfalls dort sein.

Andererseits war ich jetzt schon mal da. Und *persönlich* hatten Georgies Mitbewohner nichts gegen mich. Ich konnte mir plötzlich vorstellen, wie man sich als Schwarzer fühlt. Ach was, ich würde sie schon rumkriegen!

Mein Blick wanderte zu einem Haus an der Hafeneinfahrt. Von allen, die ich bislang gesehen hatte, gefiel mir dieses am besten – ein weitläufiges, modernes Gebäude aus wettergegerbtem Holz, perfekt proportioniert, umgeben von den wunderbarsten Terrassen, die treppenförmig angelegt waren und sanft zum Wasser hin abfielen, wo ein schwarzes Schnellboot festgezurrt war, das im Halbschatten verlockend glänzte ...

»Na ja«, sagte ich und schenkte Georgie mein süßestes Lächeln, »wo ich nun mal hier bin ...«

Auf Fire Island gibt es eine Menge phantastischer Häuser. Einige davon, die direkt am Meer oder in der Bucht liegen, habe ich sogar schon auf der Titelseite von *Architectural Digest* bewundert. Andere zeichnen sich durch ihre sensationelle Bauart aus, wie das »Fernsehhaus«, das »durchsichtige Haus« oder der »Kerker«. Wieder andere sind wegen ihrer prominenten Besitzer berühmt: Calvin Klein, Tommy Tune, Jerry Herman, Melvin Dwork.

Auch Georgie McOskers Haus war relativ bekannt. Fast jeder hatte schon von ihm gehört, und es hatte sogar einen Spitznamen: Haus der Klone. »Klon« ist, falls Sie es nicht wissen, die Bezeichnung für einen bestimmten Homosexuellen-Typ. Man findet ihn überall: jung, zwischen zwanzig und fünfunddreißig, trägt die Haare kurzgeschoren, dazu einen Schnauzbart und Levis zum Knöpfen, bei denen der unterste Knopf immer offen bleibt (warum, will ich gar nicht wissen). Außerdem Lacoste-Hemden – immer nur Lacoste-Hemden. Nicht selten hat dieser Typ etwas mit Textverarbeitung zu tun, denn den echten Klon zeichnet eine gewisse Sekretärinnenmentalität aus. Er lebt gewöhnlich allein in einer winzigen Studiowohnung in Chelsea mit grauen Nullachtfünfzehn-Tapeten und indirekter Deckenbeleuchtung, die er selbst eingebaut hat. Klone pflegen ihre sozialen Kontakte innerhalb geschlossener Gruppen und sind frauenfeindlich. Tom und seine Freunde hatten nur Verachtung für sie übrig.

Jedes Haus auf Fire Island hatte seinen Klon – oder auch

zwei, denn (nennen wir die Dinge beim Namen) sie machen die breite Masse der Schwulen aus. Das Haus der Klone jedoch war etwas Besonderes; hier hatten seit jeher *ausschließlich* Klone gewohnt. Hier wurden die Werte und Normen der Klone gepflegt, entwickelt und nachkommenden Generationen weitergegeben. Und das Haus war jedes Jahr gerammelt voll.

Als Georgie und ich ankamen, saßen ein paar Klone im Wohnzimmer; sie unterhielten sich und cremten sich dabei die Hände ein. Schon auf dem Plankenweg vor dem Haus hörte man ihr schrilles Gelächter. Doch bei meinem Anblick brach das Lachen jäh ab – als hätte jemand einen Stecker herausgezogen. Ich würde mir gerne einen Augenblick Zeit nehmen, um die Anwesenden zu beschreiben, aber ich muß ehrlich gestehen, daß sie schwerer auseinanderzuhalten waren als chinesische Kellner.

»Hallo, alle zusammen«, zwitscherte ich und winkte mit dem Taschentuch, das zuvor die Schweißbäche auf meiner Stirn getrocknet hatte.

Georgie war so verängstigt, daß er mich sofort zur Küche weiterschob, wo er mir die Regeln des Hauses erklärte. Davon gab es eine ganze Menge, und sie waren ziemlich kompliziert. Der Kühlschrank beispielsweise war aufgeteilt wie Osteuropa nach dem Krieg. Ich durfte lediglich Georgies schmales Fach mitbenutzen, in dem sich ein halbes Sandwich und eine Flasche Kakao befanden.

»Hätten Sie gern einen Schluck?«

»Nein, danke. Aber was ich mir gerade überlege – ich glaube, ich sollte bei Tom vorbeischauen. Er weiß nicht mal, daß ich hier bin.«

»Ich bitte Sie«, flehte Georgie, »lassen Sie Tom bloß aus dem Spiel.«

Dann brachte er mich zur Hintertür und auf die Terrasse,

wo ein Mann gerade mit einem Schlauch die Petunien goß. Er war anders als die Klone: älter, um die fünfundvierzig, und ziemlich klein. Sein Körper war vollständig behaart, sogar am Rücken, und er kaute an einer Zigarre.

»Hey, Eugene«, sagte Georgie, »das ist sie.«

»Hallo«, begrüßte ich ihn. »Ach, haben Sie hübsche Blumen!«

Er brummte etwas Unverständliches und stapfte, den Schlauch hinter sich her ziehend, davon.

Mittlerweile konnte ich es kaum noch erwarten, endlich auf mein Zimmer zu kommen. Dorthin gelangte man über eine Treppe, die von der hinteren Terrasse unter das Haus führte. (Das Haus war auf Pfählen gebaut.) Hier unten war es dunkel und muffig, und überall lag Schutt. Ich bemerkte eine ausrangierte Kloschüssel und eine Couch mit Blümchenmuster aus den Sechzigern, auf der Pilze sprießten. Mitten durch den Unrat folgten wir einem schmalen Pfad zu einer Art Verschlag zwischen den Pfählen, wo die ganzen Wasser- und Heizungsrohre zusammenliefen. Georgie drückte die Tür auf und tastete nach dem Lichtschalter. Es gab keine Fenster, aber durch die Risse in den Wänden drang ein wenig Tageslicht.

»So«, meinte er, »da wären wir.«

Wir befanden uns in einem Raum, der ungefähr eins achtzig mal zweieinhalb Meter maß. Der Sperrholzboden war mit Sand, Mäusedreck und dicken Staubfusseln bedeckt. Es roch unangenehm nach feuchten Handtüchern und verschüttetem Bleichmittel. An einer Wand standen eine Waschmaschine und ein Trockner, die schon bessere Tage gesehen hatten. Den restlichen Platz nahm ein Feldbett ein.

»Oh«, sagte ich.

Es gab Anzeichen, daß hier in letzter Zeit jemand gehaust

hatte. In einem Farbeimer neben dem Bett stand ein Aschenbecher, der von Kippen überquoll, ein Wecker und eine Dose Vaseline. Daneben lag ein Pornoheft. Wie Georgie mir erklärte, hatten sie das Zimmer an einen Kellner aus dem Cultured Elephant vermietet, der aber am Wochenende nicht hier war.

Georgie ging, und ich setzte mich auf das Feldbett. Mir blieb auch gar nichts anderes übrig, wenn ich nicht in der Tür stehenbleiben wollte. Meine Güte, dachte ich, diese Pritsche ist ja sagenhaft unbequem. Als ich mich probeweise darauf ausstreckte, drückte etwas gegen meine Rippen. Ich griff unter das Laken und zog ein zusammengeknülltes, altersstarres Suspensorium hervor. Mehrere lockige schwarze Haare klebten daran. Aber was mich wirklich beunruhigte, waren die Spinnen. Überall sah ich ihre Netze. Die Spinnen selbst konnte ich nicht entdecken. Jedenfalls *noch* nicht ...

Da ich wußte, wieviel Wert Tom und die Jungs auf Sonnenbräune legten, erschien es mir nur logisch, mit meiner Suche am Strand zu beginnen. Glücklicherweise hatte sich der Frühnebel verzogen, es war ein herrlicher Sommernachmittag, sonnig und heiß. Ich packte alles, was ich brauchen würde, in meine große Strohtasche, sprühte etwas L'Air du Temps hinter die Ohren und auf die Handgelenke und verließ die Waschküche.

Wie sich Gott sei Dank herausstellte, war unsere Nachbarschaft – billige Vorstadthäuser und ein ständig brummendes Elektrizitätswerk – eine Ausnahme auf Fire Island. Der Rest der Insel war wirklich bezaubernd. Es gab keine Straßen, sondern nur schmale Plankenwege, die sich durch die Dünen schlängelten. Sie hatten niedliche Namen wie Pickety Ruff und Beachcomber und Tarpon.

Die Leute zogen ihre Lebensmittel in hübschen roten Wägelchen nach Hause, die auf den Planken ordentlich rumpelten. Ich war glänzender Laune: Bald würde ich wieder ins gesellschaftliche Leben eintauchen. Hie und da blieb ich stehen, um mich am Anblick eines besonders gelungenen Stillebens zu erfreuen: eine Reihe von Topfgeranien oder ein in der Sonne dösender Pekinese. Und ich mußte mir mehrere Splitter aus den Füßen ziehen.

Dann sah ich es. Das Meer. Unten am Ende des Plankenwegs, eine endlose, tiefblaue Weite. Mein Herz schlug schneller. Ich weiß nicht, woran es liegt, aber ich fühle immer einen tiefen Frieden in mir aufsteigen, wenn ich aufs Meer hinausblicke. Oder auf einen großen See.

Der Strand vor mir war dicht bevölkert mit Sonnenanbetern. Was sollte ich jetzt machen? Am Wasser entlanggehen? Oder im Zickzack: Wasser, Dünen, Wasser, Dünen ...? Um mir einen besseren Eindruck von der Lage zu verschaffen, nahm ich die Sonnenbrille ab und setzte meine richtige Brille auf. Zuerst blendete mich das grelle Licht, aber als sich meine Augen daran gewöhnt hatten, fiel mein Blick auf einen Mann. Ich erkannte sofort, daß es ein Mann war, denn er hatte nichts an.

Aha. *So* ein Strand war das also. Ich habe nichts gegen FKK-Strände. Boyce und ich waren in Griechenland zufällig auch mal auf einen geraten, und das hatte mich nicht im geringsten gestört. Meinetwegen hätten wir nicht wegzugehen brauchen. Und hier war außerdem kaum jemand ganz nackt – eine Menge Goldschmuck glänzte in der Sonne, außerdem trug man Sonnenblenden, Hüte, »aufsehenerregende« Badeanzüge mit ausgeschnittenem Hinterteil etc. Aber eins wurde mir schmerzlich bewußt – ich durfte Tom nicht über den Weg laufen, wenn er nichts anhatte. Das wäre wirklich nicht *comme il faut* gewesen.

Also drehte ich mich um, und da fuhr mir auch schon der nächste Schreck in die Glieder. Eugene steuerte direkt auf mich zu.

Wenn es in dieser Geschichte einen Bösewicht gibt, dann heißt er Dr. Eugene Rappaport. Ja, er schreibt sich R-A-P-P-A-P-O-R-T; Sie haben richtig gelesen, er hat einen Doktortitel. Er ist Anästhesist im Cabrini Medical Center. Falls Sie sich jemals dort operieren lassen, erkundigen Sie sich, wie Ihr Anästhesist heißt. Falls es Dr. Rappaport ist, rate ich Ihnen, das Weite zu suchen, notfalls im OP-Hemd. Wie der Kerl selbst zugibt, hat er schon manchen Patienten ins Land der Träume geschickt, nachdem er bereits mehrere Black Russians und eine Flasche Wein intus hatte. Außerdem klaut er Barbiturate und Downer aus dem Medikamentenschrank im Krankenhaus, bringt das Zeug nach Fire Island und verhökert es an die Klone. Und er hat vor nichts und niemandem Respekt; ich habe selbst gehört, wie er einmal sagte: »Es gibt ein Lebewesen, das sich mit allem und jedem einläßt. Man nennt es ›Krankenschwester‹.« Georgie erzählte mir, daß Dr. Rappaport auch für Versicherungsgesellschaften arbeitete, um seine Kasse aufzubessern, und in diesem Zusammenhang hatte er neulich den Fernsehstar Tom Sellek untersucht. Den Gummihandschuh von der Prostatauntersuchung hob er sorgsam auf. »Am Abend darauf hat er ihn beim Essen rumgereicht«, berichtete Georgie. »Zwar in einer Plastiktüte, aber trotzdem ...«

Der Mietvertrag für das Haus der Klone lief auf Rappaports Namen, und er führte dort ein so strenges Regiment wie Mussolini in Italien. Die Klone haßten ihn von Herzen. Sein einziger Freund auf der ganzen Welt war der Kinderbuchillustrator von nebenan, ein dürrer, unscheinbarer Typ mit rötlichem Haar namens Steven Schlanger. Und dieser Steven ging jetzt neben ihm her. Zum Glück waren sie in eine angeregte Unterhaltung vertieft und hatten mich nicht bemerkt – noch nicht.

Ich drehte mich um und hüpfte die Holztreppe hinunter, dann bahnte ich mir zielstrebig einen Weg durch all die Nackten zum Wasser. Dort zog ich die Sandalen aus und tat so, als planschte ich ein bißchen herum, warf dabei jedoch immer wieder einen prüfenden Blick über die Schulter. Sie gingen nach links und waren schon ein Stück entfernt, als sie endlich einen passenden Platz fanden. Meine Füße waren bereits blaugefroren, als sie sich endlich niedergelassen hatten, als die Stühle aufgeklappt waren, der Kassettenrecorder dudelte, die Lektüre bereitlag, die Zigaretten brannten und das Sonnenöl in Reichweite stand. Außerdem hatten sie in Alufolie eingewickelte Melonenscheiben mitgebracht und eine Flasche mit Wasser, um sich von Zeit zu Zeit damit zu bespritzen.

Es sah mir ganz danach aus, als hätten Eugene und Steven eine jener Beziehungen, die für viele Homosexuelle typisch sind und auf starken gemeinsamen Interessen basieren. Tom und seine Opernfreunde waren ein gutes Beispiel dafür. Sie konnten sich stundenlang nur über Arien unterhalten. Bei Eugene und Steven jedoch wurde ich das Gefühl nicht los, daß etwas Ungutes sie verband, etwas Geheimes und Lasterhaftes. So etwas wie Unzucht mit Kindern. Vielleicht tauschten sie gerade Tips darüber aus, welche Spielplätze die besten waren. Natürlich will ich damit nicht ernsthaft behaupten, daß Eugene und Steven Kinderschänder waren – sagen wir einfach, sie waren Spanner, und belassen wir's dabei.

Meine Güte, war das ein langer Nachmittag! Ein *sehr* langer Nachmittag. Nach einem größeren und nicht ganz freiwilligen Umweg gelangte ich schließlich ins Städtchen zurück. Ich hatte Kopfschmerzen vor Hunger, also ging ich in den nächstbesten Laden und kaufte mir an der Backwarentheke ein Sandwich: Schinken und Frischkäse mit sonnengedörrten Tomaten auf Pumpernickel. Der Laden war recht nett, und am besten gefiel mir, daß er voll klimatisiert war. Ich wanderte zwischen den Regalen herum, bis ich befürchtete aufzufallen, dann reihte ich mich in die Schlange an der Kasse ein. Die beiden Männer vor mir trugen schwarze Lederklamotten – nicht gerade das richtige für den Strand – und erstanden ein äußerst seltsames Sammelsurium: eine Packung Backfett, drei Rollen Küchenpapier und einen Gartenstuhl.

Nachdem ich mein Sandwich draußen am Kai verzehrt hatte, wo die Wasserflugzeuge landeten, spazierte ich eine Weile durch die Gegend, bis ich eine Telefonzelle fand. Ich ging der Dame von der Auskunft ziemlich auf die Nerven, weil ich sie unter allen möglichen Namen und Adressen nach Toms Telefonnummer suchen ließ. Aber ich hatte kein Glück. Dann vertrieb ich mir die Zeit mit einem Schaufensterbummel; leider gab es nicht allzu viele Geschäfte, und schon bald standen sämtliche Verkäufer in den Ladentüren und musterten mich argwöhnisch. Schließlich setzte ich mich auf eine Bank in der Nähe des Fährenanlegeplatzes, wo ich zumindest so tun konnte, als ob ich auf jemanden wartete.

Neben der Bank stand eine Anschlagtafel, auf die ich hin und wieder einen Blick warf. Eine Erhöhung der Müllabfuhrgebühren stand bevor. Was einen regen Schriftwechsel hervorgerufen hatte. Viele junge Männer hatten Zettel aufgehängt, mit denen sie für freie Kost und Logis ihre Dienste als Haushaltshilfe anboten. Donald erstellte das »ganz persönliche Horoskop«; Jerry produzierte professionelle Videoclips; Hector war gelernter Masseur. Am

148

Rand hing ein inzwischen vergilbter Zeitungsausschnitt, in dem von der neuen Schwulenkrankheit die Rede war. Ein Mediziner warnte die Homosexuellen vor Panikreaktionen.

Der tägliche Tanztee war eine feste Einrichtung auf Fire Island. Selbst *Time* hat schon einmal darüber berichtet. (Ich habe den Artikel aufgehoben.) Jeden Nachmittag um sechs Uhr strömte die gesamte Bevölkerung in die Bar im Boatel zur gemeinsamen »Happy Hour«. »Da kommt jeder«, hatte Floyd mir gesagt. »Tom ist immer dabei. Er ist bekannt dafür, daß er den Tee niemals ausfallen läßt.« Da sah man, wer mit dem Schiff neu angekommen war, man plauderte mit Freunden oder flirtete mit Unbekannten. Viele Männer kamen auf dem Rückweg vom Einkaufen direkt hierher. »Sie stellen ihre Einkaufstüten unter der Treppe ab«, erklärte Floyd.
Wenn Sie denken, ich hätte mir allzusehr den Kopf zerbrochen, was ich zu diesem Schwulen-Treffen anziehen sollte, bei dem es vor allem ums Sehen und Gesehenwerden ging, dann hätten Sie erst mal die Männer erleben sollen! Von meinem Feldbett in der Waschküche starrte ich mißtrauisch zur Decke: Über mir hörte ich das hektische Getrappel der hin- und herlaufenden Klone, die gegenseitig ihre Klamotten anprobierten und dabei spitze Schreie ausstießen. Die Dusche lief pausenlos. Gegen fünf Uhr dreißig wurde das Licht dunkler und ging dann ganz aus; drei Föns waren gleichzeitig eingeschaltet worden. Ich tastete im Dunkeln herum, bis jemand die Sicherungen ausgewechselt hatte. Danach verließen die Klone im Pulk das Haus, und von einer Minute auf die andere herrschte Totenstille.
Ich schlich nach oben. Das Badezimmer sah aus wie ein

Schlachtfeld. Überall lagen Kosmetikfläschchen, -döschen und -tuben herum, mehrere davon waren unverschlossen und liefen fröhlich aus. Den Boden bedeckte eine dicke Schicht Sand und Schaum. Ich mußte meinen ganzen Mut zusammennehmen, um überhaupt in die Dusche zu steigen. Vom Duschkopf hing ein Schlauch mit einer patronenförmigen Düse; ich hatte mir damit bereits das Haar gewaschen, ehe ich erkannte, wofür sie eigentlich gedacht war.

Schließlich entschied ich mich für das weiße Kleid, das ich als Gastgeberin getragen hatte. Mit seinen langen, spitzengesäumten Ärmeln und dem Schalkragen aus Ekrüseide wirkte es gleichzeitig elegant und leger. Dazu passend wählte ich die schwarzen Pumps, was sich jedoch als Fehler erwies, weil ich ständig in den Ritzen des Plankenwegs steckenblieb. Also mußte ich sehr vorsichtig gehen und immer auf den Boden schauen, weshalb ich den Tanztee schon lange hörte, ehe ich ihn sah. Ich hatte plötzlich das ungute Gefühl, daß mir ein Ohnmachtsanfall bevorstand. Zwar konzentrierte ich mich auf den Weg und machte dabei die Gesichtsentspannungsübungen, die mir Dr. Fineman beigebracht hatte, aber auf einmal klopfte mir das Herz bis zum Hals.

Einen Augenblick später kam mein Ziel in Sichtweite. Schon aus der Entfernung konnte ich erkennen, daß die Männer um das Gebäude wuselten wie Ameisen um eine Banane. Manche standen auf der Treppe herum, und das laute Stimmengewirr drang über das Wasser bis zu mir. Ich weiß selbst nicht, was ich eigentlich erwartet hatte – vielleicht Leute, die sich in Korbstühlen räkelten, während eine Band Cole Porter spielte? Jedenfalls nicht so etwas! Zum Glück wirkte es weniger einschüchternd, als ich näher kam. Am Eingang herrschte viel zuviel Trubel, und mich armes Würstchen bemerkte gar keiner. Zwei Männer in identischen goldenen Lamé-Shorts waren wegen eines gewissen Barry Tannenbaum in heftigen Streit geraten, ein anderer mit einer Flasche Bier in der Hand rülpste so laut, daß die Umstehenden applaudierten. Ich trieb mich eine Weile vor dem Aufgang herum, mischte mich unter die Leute und spielte recht überzeugend die Frau, die auf ihren Begleiter wartet. Von Zeit zu Zeit sah ich auf die Uhr, spähte in alle Himmelsrichtungen und machte »ts-ts-ts«. Als mir schließlich der geeignete Augenblick gekommen schien und niemand hersah, raffte ich mein Kleid und ging rasch die Treppe hinauf.

Eigentlich gab es gar keinen Grund, so nervös zu sein. Als ich den Raum betrat, würdigte mich ohnehin niemand eines Blickes. Die Männer schienen alle über eine Art eingebautes Radar zu verfügen, das sie warnte, wenn eine Frau auftauchte. Ihre Blicke wanderten bis auf etwa einen Meter an mich heran, prallten dann wie von einem unsichtbaren Plastikschild ab und jagten in die entgegengesetzte Richtung.

Außerdem war das Lokal gerammelt voll – wie ein japanischer Zug im Berufsverkehr. Ursprünglich hatte ich mich ganz locker umsehen wollen, bis ich Tom zufällig über den Weg lief, aber jetzt mußte ich feststellen, daß das absolut ausgeschlossen war. Sich fortzubewegen, war nur möglich, wenn man sich in einen der Menschenströme einreihte, die sich wie Gletscher von einem Raum zum nächsten wälzten. Also ließ ich mich zuerst in den Strom ziehen, der sich von der vorderen Terrasse zu der kleinen Bar schob, wo eine dichtgedrängte Männermenge anstand und um die Aufmerksamkeit des Barkeepers buhlte. Dann ließ ich mich weiter zur eigentlichen Tanzfläche treiben. Hier wirbelten an die dreihundert Männer zu einem Song mit dem Titel »I Need a Man« herum. Ein magerer Typ mit einem gestrickten Käppchen thronte auf einer Lautsprecherbox und führte mit zwei silbernen Fächern eine Solonummer auf. Ich hatte das Gefühl, daß er das zu Hause einstudiert hatte. Mehrmals sah ich, wie die Tanzenden braune Fläschchen mit Herzstimulans weiterreichten; sie inhalierten tief, um dann in wahre Tanzekstasen zu geraten. Diese Ekstasen waren nicht ungefährlich: Einem Mann mit stark blutender Oberlippe mußte aufgeholfen werden, nachdem ihn ein Faustschlag zu Boden gestreckt hatte.

Ich ließ mich mal hier-, mal dorthin treiben, und als ich das drittemal die Runde gemacht hatte, wurde mir schmerzlich bewußt: Tom war nicht da. Ebensowenig Floyd, Ronald Russo oder überhaupt jemand, den ich kannte. *Gar nix*, wie Dr. Fineman gesagt hätte. Ich wollte es nicht glauben. Was bedeutete das? Und was noch wichtiger war: Was sollte ich jetzt tun?

Ich entdeckte eine Tür, auf der »Damen« stand, und huschte hinein. Wie nicht anders zu erwarten, war ich allein. Ein Blick in den Spiegel sagte mir, daß ich eine entsetzlich rote Nase hatte. Einen schrecklichen Moment lang dachte ich, gleich würde ich anfangen zu weinen. Dieser Tag, der so vielversprechend begonnen hatte, verwandelte sich in einen Alptraum. Sollte ich ins Haus der Klone zurückkehren? Oder gleich nach Hause fahren? Mein eigenes Bett und mein Hündchen waren mir plötzlich lieb und teuer …

Das Rauschen einer Klospülung holte mich in die Wirklichkeit zurück. Ich war also *doch* nicht allein. Die Kabinentür ging auf, eine große Blondine trat heraus und zupfte ihren Rock zurecht. Sie trug eine Seidenbluse, Slingolater-Pumps und ein riesiges Barett, alles in Schwarz. Zusammen sahen wir aus wie aus einem Bergman-Film. Sie trat neben mich an den Spiegel und kramte einen Lippenstift aus der Tasche. Da erst erkannte ich, wer sie war – die Frau auf dem Foto in Toms Schublade.

»Entschuldigen Sie«, sagte ich, und ein Adrenalinstoß jagte durch meine Adern.

»Mach' ich«, erwiderte sie. Beim Klang ihrer tiefen Stimme durchzuckte mich ein neuerlicher Schreck. Lassen Sie es mich so ausdrücken: Ihre breiten Schultern waren kein bißchen gepolstert.

»Kennen Sie nicht zufällig Tom Potts?« fragte ich mit belegter Stimme.

»Ach, *die*«, erwiderte die Blonde und beugte sich vor, um ihr Make-up zu überprüfen. »Ms. Potts. Ich kenne sie, und ich kenne sie auch wieder nicht. Es gibt Tage, da *will* ich sie nicht kennen.«

»Wissen Sie, wo sie – er – wohnt?«

»Am Tuna.«

»Bitte?«

»Tuna.« Sie deutete mit dem Kopf in eine westliche Richtung. »Waren Sie nicht gerade dort?«

»Wo?«

Sie stemmte die Hände in ihre beunruhigend schmalen Hüften. »Bei Toms großer Soirée, Süße. Wo denn sonst?«


Die Wege des Herrn sind wunderbar, dachte ich im stillen, als ich den Plankenweg entlangrannte, um es noch vor Einbruch der Dunkelheit zu schaffen. Und das mit der Party kam wie gerufen – da konnte ich bleiben und beim Aufräumen helfen. Tom würde sich freuen, wenn ich ihm ein wenig zur Hand ging, und nach allem, was Dulcie mir erzählt hatte, gab es eine Menge zu tun. Neulich war es so schlimm, daß man den Whirlpool mit Scheuerpulver bearbeiten mußte.

Und ich wäre um ein Haar abgereist! Ich weiß, ich wiederhole mich, aber ich muß es noch einmal sagen: Das Leben steckt voller Überraschungen.

Ich war ganz in Gedanken über die Launen des Schicksals versunken, als ich ernüchtert feststellen mußte, daß ich wohl die Abzweigung verpaßt hatte. Ich war auf der Suche nach einem Weg namens Tuna gewesen, und ich hätte schwören können, daß ich noch nicht an ihm vorbeigekommen war. Doch da, wo ich jetzt stand, ging es nicht mehr weiter; der Plankenweg verlor sich in dichtem Gestrüpp. Zur Rechten befand sich ein größerer Tümpel, und der Pfad nach links, der ziemlich dreckig und schlammig in den Wald hineinführte, sah alles andere als verlockend aus.

Ich versuchte mir Dulcies Wegbeschreibung in Erinnerung zu rufen. Aber Wegbeschreibungen gehören anscheinend nicht zu den Stärken eines Transvestiten – sie klangen etwa so: »Dann gehen Sie weiter, bis sie zu diesem todschicken gelben Häuschen kommen – Sie wissen doch, welches ich meine, ja? Und da müssen Sie rechts. Nein, links.«

Da hörte ich Schritte hinter mir. Aber ich befand mich noch im ersten Stadium des Verlaufens, in dem man noch nicht zugibt, daß man sich verlaufen hat. Also stand ich einfach nur da und bewunderte den Schaum auf dem Tümpel. Der Mann ging vorbei – ich lächelte ihm kurz zu –, dann sprang er vom Plankenweg und marschierte den Pfad entlang in den Wald hinein.

Gleich darauf kam noch ein Mann und tat genau dasselbe.

Komisch, dachte ich.

Ich musterte den Pfad. Es gab unübersehbare Anzeichen, daß er häufig benutzt wurde: Gleich neben dem Wegrand lagen Bierdosen, Marlboro-Schachteln, feuchte Taschentücher und die kleinen Folienverpackungen von Erfrischungstüchern.

Jetzt kam zur Abwechslung jemand *aus* dem Wald – ein sehr kleiner Mann mit einem Tirolerhut und riesigen Wanderstiefeln, die ihm ein etwas koboldhaftes Aussehen verliehen. Direkt hinter ihm erschien Steven Schlanger, und erst in diesem Augenblick wurde mir klar, daß es sich bei dem Kobold um Eugene Rappaport handelte, meinen persönlichen Erzfeind.

Mein erster Impuls war, mich zu verstecken. Doch unsere Blicke hatten sich bereits gekreuzt, und jetzt war es zu spät. »Huhu!« rief ich und winkte; meine Panik ließ mir nur die Flucht nach vorn.

Die beiden blieben stehen und sahen mich argwöhnisch an.

»Ich hab' mich verlaufen«, piepste ich mit Kleinmädchenstimme. Vielleicht hatte ich mit der Mitleidsmasche Erfolg. »Total verlaufen. Ich suche den Tuna Walk. Haben Sie vielleicht eine Ahnung, wo der ist?«

Damit war es mir allem Anschein nach gelungen, das Eis zu brechen, denn die beiden kamen näher, Steven zwar weiterhin etwas mißtrauisch, aber Eugene die Freundlichkeit in Person. Vermutlich hatte Dr. Fineman doch recht. »Stellen Sie eine Beziehung zu Ihren Mitmenschen her«, sagte er immer. »Zeigen Sie, daß Sie ihnen freundlich gesonnen sind, dann werden die anderen ebenso auf Sie reagieren.«

»Zum Tuna wollen Sie also? Na, mal sehen«, meinte Eugene, und er klang wirklich sehr hilfsbereit.

»Er ist da hinten …«, fing Steven an.

»Unterbrich mich nicht«, fauchte Eugene. »Ich sag' ihr schon, wo's langgeht! Lassen Sie mich mal überlegen. Tuna. Zum Tuna Walk ist es ziemlich weit.«

»Oje.«

»Aber ich kenne eine Abkürzung.«

»Ach, wirklich?«

»Ja. Sie müssen einfach diesen Pfad entlanggehen.«

»Diesen Pfad?«

»Ja. Es ist eine Abkürzung durch den Wald. Die nimmt jeder.«

»Aha, ich verstehe.«

Ich bedankte mich überschwenglich, und mit einem erleichterten Lächeln auf den Lippen trat ich in den Wald. Siehst du, dachte ich, Dr. Fineman hat recht. Sei einfach nur nett zu den Leuten, und …

Kaum hatte ich die ersten Schritte in den Wald getan, kam es mir vor, als fiele eine Tür hinter mir ins Schloß. Es war düster und still wie in einer Kirche. Das einzige Geräusch war das Summen der Stechmücken um mich herum. Der Weg führte zwischen Gestrüpp und hohen, dichtbelaubten Bäumen hindurch, die ihre knorrigen Äste wie Klauen nach mir ausstreckten. Wälder dieser Art hatte ich schon gesehen: In einem solchen Wald hatten sich Hänsel und Gretel verirrt, wenn man dem Bild im *Großen Buch der Märchen* Glauben schenken durfte, das mir als Kind soviel Angst eingejagt hat.

Ich blickte zu Boden. Unmittelbar vor mir kroch eine Schlange über den Weg. Ich stieß einen erstickten Schrei aus und sprang vor Schreck mindestens einen Meter hoch in die Luft. Gott sei Dank entpuppte sich die Schlange als eine Luftwurzel.

Schnellen Schritts marschierte ich weiter und hoffte inständig, daß dieser Wald nicht noch weitere Überraschungen für mich bereithielt. Da hörte ich ein Geräusch ganz in der Nähe. Zuerst dachte ich, es sei ein Ast, der im Wind ächzte. Ich stand mucksmäschenstill und hielt den

Atem an. Da war es wieder – nein, das war kein Ast. Ein Schrei … vielleicht auch ein Stöhnen. Es kam aus einem undurchdringlichen Dickicht gleich zu meiner Linken. Ich war mir nicht einmal sicher, ob dieses Geräusch von einem Menschen stammte.

Was ich hörte, klang wie eine Ohrfeige. Eine schallende Ohrfeige … das klatschende Geräusch einer kräftig zuschlagenden flachen Hand.

»Ja, danke, danke«, murmelte eine zittrige Stimme. »Jetzt spuck mich an.«

»Was war das, Fickarsch?«

»Spuck mich an, *bitte!*«

Das reichte mir. Ich wußte zwar nicht, was da vor sich ging, aber ich wollte es auch gar nicht wissen. Ich machte auf dem Absatz kehrt und ging zurück. Da nahm ich doch lieber den längeren Weg zum Tuna Walk. Manche Dinge sind einfach nicht der Mühe wert …

Der Rückweg erwies sich allerdings als schwieriger. Ich kam zu einer Weggabelung, was ich ziemlich beunruhigend fand, dann sie war mir auf dem Hinweg nicht aufgefallen. Der Pfad nach links schien häufiger benutzt zu werden, also entschied ich mich für diesen.

Ein ferner Donner grollte. Dann ein zweiter, diesmal deutlich näher. Der Pfad wurde immer schmaler und düsterer, und allmählich kamen mir Bedenken. Wo waren denn die ganzen Leute geblieben, die vom Plankenweg aus diese Richtung eingeschlagen hatten? Nirgends war eine Menschenseele zu sehen.

Nach einer Wegbiegung fand ich mich am Rand einer kleinen Lichtung wieder, auf der acht oder zehn Männer in einem engen Kreis beisammenstanden. Alle starrten wie gebannt auf etwas in der Mitte des Kreises. Keiner sagte ein Wort. Nur ein schmatzendes Geräusch war zu hören.

Einer der Männer, der kleiner war als die anderen und auf Zehenspitzen stand, blickte kurz in meine Richtung, erschrak und vergewisserte sich noch einmal. Blankes Entsetzen breitete sich über sein Gesicht. Er gab keinen Laut von sich, doch die anderen Männer spürten, daß etwas nicht stimmte, und einer nach dem anderen sah zu mir herüber. Mein Anblick war offenbar ein ungeheurer Schock für sie, denn in Null Komma nichts waren alle spurlos im Wald verschwunden.

Lediglich das Objekt ihrer Faszination blieb zurück: Es handelte sich um zwei Männer, von denen sich der eine sexuell am anderen betätigte. So vertieft waren sie, daß sie mich in näherer Zukunft wahrscheinlich nicht bemerken würden. Der aufrecht Stehende – ein Adonis, der eine wesentlich größere Brust hatte als ich und dem eine dunkelrote Bikinihose um die Knie hing – hatte vor Verzückung den Kopf weit in den Nacken geworfen, und es sah aus, als würde er gleich umkippen. Doch der andere – ein älterer Mann, der aussah wie Enrique, der kubanische Friseur, zu dem Boyce immer ging – übertraf ihn noch. Er kniete auf einer Ausgabe der *New York Post* und war so eifrig bei der Sache, daß ich unwillkürlich an »Supermarket Sweep« denken mußte, die Fernsehshow, in der die Kandidaten alles mitnehmen dürfen, was sie innerhalb von drei Minuten zusammenraffen können. Wäre in diesem Moment ein Kamerateam angerückt – er hätte nichts davon bemerkt.

Einen Augenblick lang stand ich wie angewurzelt da. Dann drehte ich mich um und ging leise den Pfad zurück. Nach einer Weile sah ich einen Mann auf mich zukommen. »Hallo«, rief ich. Er machte augenblicklich kehrt und rannte davon. Beim nächsten ging es mir ebenso. Mittlerweile wurde es dunkel. Ich kam an einem Herrenslip vorbei, den jemand zerrissen und um einen Baum gewickelt hatte. Zwei Minuten später entdeckte ich ihn schon wieder. O Gott, dachte ich, ich laufe im Kreis. Ich habe die Orientierung verloren und laufe im Kreis ...

# Kapitel Zehn

Ein offenes Wort über Sex: Ich mache mir nicht viel daraus. Nennen Sie mich ruhig altmodisch, aber Sex ist einfach nicht mein Ding. Körperlich empfinde ich ihn als Schock für den Organismus. Und gefühlsmäßig, nun ja, ich halte nicht viel von dem, was die Psychologen zu diesem Thema sagen: daß Sex eine geistige Verbindung zwischen zwei Menschen schafft und daß man dabei das Staunen lernen kann. Das einzige Staunen, das Sex bei mir je hervorgerufen hat, war das Staunen darüber, wie langsam die Minuten auf meiner Digitaluhr verstreichen.

Und dann diese Positionen – sie sind so würdelos, alle beide. Außerdem bekomme ich sehr leicht blaue Flecken an den Oberschenkeln. Es sieht manchmal aus, als würde Boyce mich mit dem Gummischlauch traktieren, aber für solche Methoden haben wir nichts übrig, das können Sie mir glauben. (Allerdings hat Boyce es mal geschafft, mir versehentlich mit dem Zehennagel das rechte Knie so aufzukratzen, daß eine Narbe zurückgeblieben ist.) Kurz und gut, ich kann gut ohne Sex leben. Es ist eigentlich nichts als eine schlechte Angewohnheit – wie das Rauchen.

Natürlich habe ich Dr. Fineman kein Sterbenswörtchen davon erzählt. Er hielt mich auch so für verkorkst genug. Glücklicherweise kam das Thema nur selten zur Sprache. Ich glaube, es fiel ihm schwer, über Sex zu reden. Bei Eßstörungen machte er einen wesentlich entspannteren Eindruck.

Auf seine zaghafte Frage hin gab ich ihm lediglich zur Antwort, daß Boyce und ich sexuell keine Probleme miteinander hätten, und das schien ihm zu genügen. Und es entsprach der Wahrheit – wir haßten es *beide*. Das letztemal, daß wir Liebe gemacht hatten – um es mal so zu nennen –, war am verlängerten Wochenende des Memorial Day. Nein, stimmt nicht, Memorial Day vor einem *Jahr*.

Ich habe gehört, daß andere Frauen als »sexuell unersättlich« oder »frigide« bezeichnet wurden; ich hingegen falle, glaube ich, in die Kategorie »sexuell höflich«. Es gibt keinen Grund, daß man seine guten Manieren vergißt, nur weil man sich gerade sexuell betätigt. Ein besorgtes »Ist es gut so?« oder »Hast du das gemeint?« oder auch eine Bemerkung wie »Paß auf, du rutschst zu nahe an die Bettkante« ist meiner Ansicht nach nie fehl am Platz.

Das war bei mir schon immer so. Ich kann mich noch genau an mein erstes sexuelles Erlebnis erinnern, da war ich gerade fünfzehn. Es passierte auf dem Weg von der Schule nach Hause, um meine liebste Tageszeit. Denn zwischen drei und fünf Uhr nachmittags war ich frei: Keine Schule, keine Mutter – nur ich. Normalerweise machte ich dann einen Einkaufsbummel.

Drüben in der Monge Avenue war ein Woolworth, wohin ich mich allerdings nur selten verirrte. Denn erstens lag er fast zwei Kilometer entfernt und zweitens in einem ziemlich anrüchigen Viertel. Doch an diesem speziellen Frühlingsnachmittag entschloß ich mich, dem Kaufhaus einen Besuch abzustatten und mich umzusehen, was es Neues gab. Es war ein wunderschöner Tag, und ich war bester Laune, weil ich gerade entdeckt hatte, daß die Verbindungen meiner Großmutter es mir wahrscheinlich ermöglichen würden, in den örtlichen Jugendclub einzutreten.

Ich nahm eine Abkürzung durch eine Straße, deren Namen ich nicht kannte – eine ganz normale Wohnstraße, rechts und links standen Bungalows. Da bemerkte ich plötzlich einen Mann, der in einem parkenden Wagen saß und mich anstarrte. Er war ziemlich jung, hatte dunkle Haare und einen Dreitagebart. Irgendwie ähnelte er Kathi Kentners Bruder, dem, der in Austin aufs College ging. Ja, er war ihm praktisch aus dem Gesicht geschnitten! Also starrte ich zurück. Vielleicht habe ich ihm sogar zugelächelt.

Der Mann sah sich nach allen Seiten um, dann bedeutete er mir mit einer Kopfbewegung, näher zu kommen. Inzwischen hatte ich bemerkt, daß es sich nicht um Kathis Bruder handelte, aber der Mann schien sich in irgendeiner Notlage zu befinden. Es war sonnenklar für mich – er hielt einen kranken Hund auf dem Schoß und brauchte Hilfe! Und er hatte auch wirklich *etwas* auf dem Schoß.

Also hüpfte ich zu dem Wagen, so freundlich und selbstsicher, wie ich es auch im Parkview Hospital war, wo ich als freiwillige Helferin arbeitete. »Hallo!« sagte ich und sah hinunter. Es war kein Hund. Ich brauchte ein oder zwei Sekunden, um zu kapieren, *was* es war. Ich wußte damals noch nicht, daß sie so rot werden können.

»Hey, Kleine«, sagte der Mann und wackelte mit dem Ding herum. »Wie würde es dir gefallen, hier drauf zu schaukeln?«

»Nein, danke«, antwortete ich wohlerzogen und ging weiter. Erst als ich um die Ecke gebogen war, klappte ich zusammen.

Doch niemals in meinem Leben, in dem ich Sex immer als abstoßend empfunden habe, fand ich ihn widerwärtiger als auf der Fähre zurück von Fire Island. Ich war bestimmt ein bemerkenswerter Anblick: übersät mit Kratzern, jede Menge kleiner Zweige in den Haaren ...

Mein Knöchel schmerzte; wahrscheinlich hatte ich mir den Fuß verstaucht. Überall waren Mückenstiche, sogar auf meinen Fingerknöcheln. Mir tat buchstäblich alles weh.

Dabei überrollten mich Wogen der widersprüchlichsten Gefühle, doch die bei weitem stärkste Empfindung war Erleichterung. Ich hatte es lebend überstanden, nicht mehr und nicht weniger. Wie oft hatte ich mich verzweifelt gefragt, ob ich es schaffen würde. Sie können sich nicht vorstellen, wie es ist, mehr als eine Stunde im Gestrüpp zu hocken, zu verängstigt, um auch nur den Kopf zu heben, umringt von Männern, die Dinge wispern wie: »Paß auf deine Zähne auf, Schwanzlutscher.« Dem Himmel sei Dank hatte es angefangen zu regnen, da gingen die meisten nach Hause, bis auf eine Handvoll Hartgesottener, die sich unter einer großen Schwarzkiefer versammelten. Diese Gelegenheit ergriff ich, um mich in der Dunkelheit davonzustehlen; ich orientierte mich am entfernten Tosen der Brandung, bis ich zurück zum Plankenweg fand.

Doch dieser Alptraum lag jetzt glücklich hinter mir. Und das war das Entscheidende. In zehn Minuten würden wir in Sayville anlegen, ich würde in meinen Wagen steigen und nach Hause fahren – und nie wieder würde ich zulassen, daß ein Homosexueller, egal welcher Couleur, in meine Nähe kam. Ich verstand sie einfach nicht. Einerseits waren sie die charmantesten, kultiviertesten Menschen der Welt, echte Kunstliebhaber, die sehr viel Sorgfalt auf ihre Erscheinung legten und liberal und progressiv waren – samt und sonders Eigenschaften, die ich bewunderte; und dann verdarben sie alles, indem sie *solche* Dinge taten, und das auch noch *in einem Naturschutzgebiet.*

Aus dem Bullauge der Fähre starrte ich hinaus in die nächtliche Dunkelheit. Eine Schiffsfahrt hat etwas Befreiendes. Das stetige Brummen der Motoren beruhigte meine Nerven, und das sanfte Vibrieren des Sitzes löste die Spannung in meinen Schenkeln – sie waren völlig verkrampft vom stundenlangen Kauern. Zum Glück war das Schiff beinahe leer. Wer nahm schon am Samstag abend um elf die Fähre *zurück* von Fire Island? Schließlich fing das sogenannte »Vergnügen« gerade erst an. Daher waren wir ganze fünf Passagiere: ich; zwei Männer, die eine kranke Katze in die Tierklinik nach Bethpage brachten; ein weiterer Mann, der völlig versunken einen langen und leidenschaftlichen Brief schrieb; und ein schwuler Kellner auf dem Weg zur Arbeit (er servierte in der Tavern on the Green am Central Park den Sonntagsbrunch).

Plötzlich erschien mir Indien gar nicht mehr so gräßlich. Während ich im Gebüsch kauerte, hatte ich einen Handel mit Gott abgeschlossen: Wenn er mir hier wieder heraushalf, würde ich nach Indien gehen, ohne auch nur noch ein Wort der Klage zu verlieren. Und mehr noch, sobald ich dort war, wollte ich mein Leben radikal ändern. Ich würde dem Glamour, den Partys und den schicken Kleidern abschwören und mich mit Haut und Haaren der karitativen Arbeit widmen. Ich würde eine zweite Mutter Teresa werden. Den Sterbenden wollte ich Obdach geben – das heißt, wenn ich es mir recht überlegte, wollte ich sie vielleicht doch nicht sofort bei mir aufnehmen, ich würde es lieber langsam angehen lassen. Als Anfang ein paar Spendensammlungen zum Beispiel. Dann könnte ich ein paar großartige Wohltätigkeitsveranstaltungen organisieren, mit internationalen Stars wie Julio Iglesias oder den Wiener Sängerknaben.

Ich war so in die Pläne für mein neues Leben vertieft, daß ich ganz überrascht war, als wir in Sayville anlegten. Unsere kleine Mitternachtsgesellschaft erhob sich, und wir begaben uns zur Schiffsmitte, um von Bord zu gehen. Von dort aus führte auch eine Treppe zum Oberdeck. Ich konnte mir nicht vorstellen, was jemanden dazu bewegen mochte, bei diesem Wetter draußen zu stehen, aber während wir warteten, hörten wir, wie oben die Tür geöffnet wurde und wieder zufiel. Alle Blicke richteten sich auf die schwarzen Schuhe, die jetzt die Treppe herunterkamen.

Sie hielten einen Moment lang inne; dann kam eine Jeans in Sicht – zuerst die Waden, dann die leicht abgewetzten Knie, schließlich die Oberschenkel. Dann stoppte auch die Jeans. Die Person auf der Treppe war nun von der Taille abwärts zu sehen. Aber irgend etwas an diesen Schenkeln machte mich stutzig. Die Jeans saß hauteng, und trotzdem wirkten die Schenkel nicht massig. Sie erinnerten eher an die geschmeidigen Bewegungen einer Python. Ich hätte schwören können, daß ich diese Schenkel schon einmal irgendwo gesehen hatte …

Eine Hand griff in die Gesäßtasche und zog einen Kamm heraus; dann verschwanden die beide Hände nach oben, während sich das – vermutlich männliche – Wesen kämmte. Dabei rutschte das regennasse graue T-Shirt aus der Hose, und wir bekamen alle einen Streifen Bauch zu sehen – braungebrannt und flach wie ein Bügelbrett. Das Kämmen dauerte ein ganze Weile, und während wir knirschend am Pier anlegten, hielt sich der Mann mit einer leichten Anspannung seiner Oberschenkelmuskulatur im Gleichgewicht. Dann steckte er den Kamm wieder ein und schritt die Treppe weiter hinunter. Der Brustkorb kam in Sicht, dann die breiten Schultern – und schließlich das Gesicht.

Es war Joe, der Mann aus dem Park.

Da stand er am Fuß der Treppe, kratzte sich gedankenverloren die Wange und gähnte voller Inbrunst. Dabei wurden die Innenseiten seines Bizeps sichtbar, und ein seidenweiches Haarbüschel kräuselte sich wie eine Ranke aus seiner Achselhöhle.

»Wem zum Teufel gehört das?« rief der Schiffsjunge. Ein ganzer Berg Gepäck blockierte den Aufgang zur Landungsbrücke, Alle waren baff, als Joe sich meldete und auch sofort hinrannte. Einen Augenblick lang wirkte er ungeheuer nervös – was wahrscheinlich jeder mit derartig viel Gepäck gewesen wäre –, und ich stellte fest, daß er in gewisser Hinsicht doch ein normaler Sterblicher sein mußte.

Kein Wunder, daß er hektisch war. Wie konnte ein einzelner Mensch bloß mit soviel Zeug unterwegs sein? Es sah aus, als wollte er umziehen. Selbst als ich für Indien gepackt hatte, stand am Schluß weniger rum als hier: zwei Koffer aus weichem Leder, ein Matchbeutel, ein Fernsehapparat, eine Reiseschreibmaschine, ein Rucksack, einer dieser Metallkoffer, in denen man Kameras transportiert, eine Aktenmappe, ein Anrufbeantworter, ein Entsafter und eine große runde Schachtel mit Adressenkartei.

Alle versuchten beflissen, ihm zu helfen. Der Kellner nahm den Matchbeutel und die Schreibmaschine. Die Katzenbesitzer überließen ihre arme blutende Mieze ihrem Schicksal und schnappten sich den Fernseher. Ich stand einfach nur im Hintergrund und betete: »Bitte, lieber Gott, mach, daß er mich nicht sieht.«

An dieser Stelle möchte ich gern ein für allemal etwas klarstellen. Ich habe ihm *nicht* angeboten, ihn in die Stadt mitzunehmen. Ich habe ihm angeboten, ihn zum *Bahnhof* zu fahren. Denn als sein Blick auf mich fiel und klar war, daß wir uns von irgendwoher kannten, *mußte* ich ja etwas tun. Und ich wollte auf keinen Fall unhöflich sein. Sobald wir im Wagen saßen, folgte ich also seinen Anweisungen und merkte erst bei der Auffahrt zum Freeway, daß wohl ein Mißverständnis vorlag.

Obwohl ich nach außen hin ganz ruhig wirkte, muß ich zugeben, daß ich innerlich ziemlich aufgewühlt war. Ein Porno-Star, und das in meinem Wagen! Er wiederum bot ganz das Bild eines Mannes, der sich rundum wohl fühlt.

»Stört es Sie?« fragte er und deutete auf das Radio.

»Nein, machen Sie ruhig an.«

Er fummelte eine Weile an den Knöpfen herum und änderte die Einstellung der Bässe und Höhen, so daß der Klang tatsächlich sehr viel besser wurde.

»Haben Sie es gern etwas lauter?«

Ich nickte heftig mit dem Kopf, und die nächste halbe Stunde konnten wir kein Wort mehr miteinander wechseln, weil ohrenbetäubende Rockmusik aus den Lautsprechern dröhnte. Schließlich kam ein halbwegs passables Lied, das einem nicht fast das Trommelfell platzen ließ. »Phh«, meinte Joe abfällig und machte das Radio aus.

Die nächsten Kilometer brachten wir schweigend hinter uns. Für mich war das eine völlig neue Situation, und so fühlte ich mich reichlich hilflos. Sämtliche Gesprächsthemen schienen auf gefährliches Terrain zu führen, vor allem die gute alte Floskel: »Und womit verdienen Sie Ihren Lebensunterhalt?« Dann hörte ich etwas, was wie Schnarchen klang, und blinzelte hinüber. Er war eingeschlafen!

Ich fuhr weiter durch das neblige, nächtliche Long Island. Hier saß er, keinen halben Meter von mir entfernt. Wir hätten genausogut zusammen im Bett liegen können. Jedesmal, wenn der Verkehr es zuließ, weidete ich mich an seinem Anblick. Das grüne Kontrollicht des Armaturenbretts schmeichelte ihm. Sein Brustkorb hob und senkte sich rhythmisch bei jedem Atemzug, und irgendwo tief aus seinem Körper kam gelegentlich ein Ächzen – nein, eigentlich mehr ein leises Grunzen.

Ich versuchte, seine Herkunft zu bestimmen. Die klaren Gesichtszüge und das dichte, dunkle Haar wiesen auf einen mediterranen Einschlag hin, auf »sonnigere Gefilde«. Seine Stirn war eindeutig griechisch und mindestens so nobel wie die von Ryan O'Neal. Wenn man seine Nase aus einem bestimmten Blickwinkel betrachtete, erinnerte sie an eine arabische Hakennase. Doch bei ihm wirkte das ausgesprochen attraktiv. Er war von allen Männern, die ich kenne, der einzige, der mit einem Burnus phantastisch ausgesehen hätte.

Je länger ich ihn begutachtete, desto mehr kam ich zu der Überzeugung, daß es an den Proportionen liegen mußte. Er war einfach das bestproportionierte menschliche Wesen, das ich je gesehen hatte. Deshalb war es so angenehm, ihn anzuschauen. Obwohl er muskulös war, wirkte er nicht grotesk und aufgedunsen wie Arnold Schwarzenegger; sein Körperbau wirkte absolut natürlich. Und dann seine Hautfarbe! Er schien keine Poren zu haben, alles war ganz glatt. Und diese Lippen …

Ich hörte ein Hupen, blickte erschrocken auf und sah, daß ich bedrohlich auf einen entgegenkommenden Buick zusteuerte. Gott sei Dank konnte ich gerade noch rechtzeitig auf die Bremse treten, aber dabei schreckte Joe jäh aus dem Schlaf. Glücklicherweise war er weniger erschüttert darüber, daß ich ihn um ein Haar ins Jenseits befördert hätte, als über die Tatsache, daß sein Gepäck vom Rücksitz auf den Boden gefallen war.

»Um Himmels willen«, sagte er und beugte sich nach hinten, um es wieder einigermaßen zurechtzurücken. »Wo sind wir überhaupt?«

»Die letzte Ausfahrt war Great Neck.«

»Eine Tante von mir wohnt in Great Neck.« Diese Bemerkung verwunderte mich, weil Great Neck als ausgesprochen bürgerliche Wohngegend gilt – ähnlich wie Bronxville. Boyce und ich hatten uns auch dort umgesehen, aber jeder sagte uns, es sei einfach zu jüdisch.

»Was ist das, ein Honda?« fragte er, nachdem er sich wieder gerade hingesetzt hatte.

»Nein, ein Toyota«, antwortete ich.

Er grinste abfällig. »Das sind keine Autos, das sind Fortbewegungsmittel.« Er fahre ausschließlich Cadillac, teilte er mir mit. Im Moment einen Biarritz; seinen Eldorado hatte er vor kurzem einem Nachbarn verkauft. Allerdings stand der Biarritz zur Zeit aufgebockt in seiner Garage in Kalifornien. Er war schwarz, hatte ein offenes Verdeck, übergroße Scheinwerfer und »all diese Glöckchen und Pfeifen«. Wir unterhielten uns eine ganze Weile darüber.

Ja, wir sprachen noch über sein Auto, als wir schließlich den Midtown Tunnel erreichten. Er erzählte mir von dem Besuch seines Vaters in Kalifornien, wie er (der Vater) beim Herausfahren aus der Garage mit dem Außenspiegel hängengeblieben war und ihn abgebrochen hatte. Es hatte fürchterlichen Krach gegeben, bis sich der Vater schließlich bereit erklärte, für den Schaden aufzukommen; dann war wieder alles in Butter. »Ein Cadillac ist einfach nicht kaputtzukriegen«, sagte Joe.

»Du meine Güte«, meinte ich, als wir in den Tunnel brausten. »Wir sind ja schon fast da.«

»Gott sei Dank«, meinte er.

»Wo darf ich Sie absetzen?«

Er nannte eine Adresse in der York Avenue, doch dann überlegte er es sich anders. »Ich müßte zuerst noch kurz woanders hin.«

»Und wohin?«

»Zu Pott.«

Mein Herz machte einen Sprung. »Aber … er ist nicht zu Hause. Er ist am Meer … oder? Wie wollen Sie reinkommen?«

Er hielt einen Schlüssel hoch. »Ich bin vielleicht ein Porno-Star«, sagte er, »aber ich bin bestimmt kein Dummkopf.« Es war, wie ich bald feststellen sollte, eine seiner liebsten Redewendungen.

»Vollgestopft mit Antiquitäten«, so hatte Tom seine Wohnung immer charakterisiert. Zwar sagte er das stets in ironischem Ton, aber es stand außer Frage, daß er stolz auf die Sachen war, die er gesammelt hatte. Mehr als einmal hatte er mir von seinem bayerischen Fayence-Ofen aus weißem Porzellan erzählt oder von seiner Louis-seize-Lünetten-Konsole oder von seinem Kristallaschenbecher – wahrscheinlich ein echter Lalique –, der aus der Normandie stammte und den er für einen Dollar in einem Kramladen erstanden hatte. (Sehen Sie, so etwas *gibt* es.) Es klang alles wundervoll, und ich konnte mir überhaupt nicht erklären, warum er mich nie zu sich einlud. War ich etwa ein so gräßlicher Mensch, daß ich nicht einmal einen Blick auf seine Möbel werfen durfte?

Deshalb bebte ich förmlich vor Erwartungsfreude, als Joe die Tür aufschloß und das Licht anknipste. Ich muß sagen, von der Diele war ich ziemlich enttäuscht. Sie war sehr klein und wirkte noch kleiner, weil sich vom Boden bis zur Decke jede Menge Kartons stapelten. Vielleicht will er umziehen, überlegte ich; aber nein, die Kartons standen dort schon seit geraumer Zeit, es lag zentimeterdick Staub darauf. Ich schielte zwischen ihnen hindurch auf die Wände, die Williamsburg-grün gestrichen waren, nicht gerade meine Lieblingsfarbe. Und dann sah ich den Boden: Linoleum! Ja, war es denn die Möglichkeit? Und dann auch noch die Ausführung mit den Goldsprenkeln ... Doch als ich das Wohnzimmer betrat, war mir endgültig alles klar. Die Wohnung war wirklich voller Antiquitäten, das schon. Unmengen! Aber das Zeug war aufeinanderge-stapelt und übereinandergeschichtet wie in einem Trö-delladen. Wohin man auch sah, überall lagen und standen kreuz und quer durcheinander und zu Haufen getürmt Stühle, Tische, Kerzenhalter, Polsterbänke, Puffs, Gemäl-de und so weiter.

Und nicht nur Antiquitäten. Auch Stapel alter Zeitungen und Zeitschriften. Ein Haufen dreckiger Wäsche. Und sogar ein Einkaufswagen aus dem Supermarkt, vollge-pfropft mit Büchern, Einmachgläsern, Kandelabern und einer Serie von Cocktailgläsern aus einem Country-Club in New Jersey. Außerdem gab es alte Truhen, Koffer und prall gefüllte Mülltüten (zugebunden mit alten Krawat-ten), eine Rechenmaschine, geschmacklose Lampen-schirme aus den fünfziger Jahren und ein Karussellpferd. Lassen Sie es mich noch einmal in aller Deutlichkeit sagen: Das hier war kein Warenhaus, keine Lagerhalle. Hier *wohnte* jemand. Genau in der Mitte des Wohnzim-mers standen eine Couch und ein Fernsehapparat. Der Weg dorthin glich einem mittelschweren Hindernislauf.

Ich sah zum Fenster und schnappte nach Luft.

Es war die Wohnung mit den Laken!

»Scheiße«, fluchte Joe. »Wo ist mein Band?«

Er hatte bereits einen Armvoll Sachen aufgesammelt – eine Lederjacke, eine Skulptur aus Treibholz und einen Karton Briefe. »Wenn dieser Wichser mein Band verschmissen hat ... Er hat mir versprochen, die Adressenliste abzutip-pen, und wissen Sie, wie weit er gekommen ist?«

»Wie weit?«

»Nicht mal halb durch A.«

Was immer sich auch zwischen Tom und Joe abgespielt haben mochte, eins war klar: Es war vorbei. Und es hatte nicht harmonisch geendet.

»Sie kennen nicht zufällig jemanden, der tippen kann?« fragte er und beugte sich über den nächsten Kramhaufen. Ich antwortete, kann schon sein.

»Ich hab's!« jubelte er in diesem Moment und hielt seinen Fund in die Höhe – ein Videoband. Es hatte unter einem Buch über die Mailänder Scala gelegen. Voll Stolz liebkoste er es mit seinem Blick. Du lieber Himmel, dachte ich. Das mußte einer seiner Pornofilme sein. »Möchten Sie es sehen?«

»Oh, nein!«

»Kommen Sie, zieren Sie sich doch nicht.« Das nächste, was ich mitbekam, war, daß er die Kassette in den Videorecorder schob. (Sie müssen bedenken, daß Videorecorder damals noch eine ziemliche Seltenheit waren.) »Setzen Sie sich hierher«, meinte er und klopfte aufs Sofa.

Oh, mein armes kleines Herz drohte zu zerspringen!

Der Film kam nur langsam zur Sache: Die ersten paar Minuten war alles schwarz. Trotzdem starrten wir beide gebannt auf den Bildschirm.

»Da!« schrie er, als ein grobkörniges Schwarzweißbild auftauchte. Ich konnte nicht erkennen, was es war. Du lieber Himmel, ging mir durch den Kopf. Diese Pornofilme sind technisch noch miserabler, als ich dachte.

Doch nach mehreren verwackelten Anläufen wurde das Bild scharf. Wir schienen uns ganz hinten am Ende eines sehr großen und völlig überfüllten Konzertsaales zu befinden. Weit im Hintergrund – wirklich sehr, *sehr* weit im Hintergrund – tanzte eine Gruppe Teenager eine Art Hora

173

– so kam es mir jedenfalls vor. Dieser erste Eindruck wurde noch dadurch verstärkt, daß man – wenn man die Ohren spitzte – schleppend und dilettantisch gespielt die Melodie von »Wenn ich einmal reich wär'« hören konnte.

»Das bin ich«, verkündete Joe stolz und deutete auf eine schwarzgekleidete Gestalt mit angeklebtem Bart. »Ich hab' den Tevje gespielt«, fuhr er fort und fing an, mir einen kurzen Überblick über die Handlung zu geben. »Sehen Sie!« unterbrach er sich plötzlich. »Jetzt stolpere ich gleich.« Und tatsächlich geriet die Figur ins Schwanken, fing sich jedoch schnell wieder und tanzte ungerührt weiter.

Wir sahen uns die Nummer mehrere Male an, und Joe schien sich von Mal zu Mal besser zu amüsieren. Er beugte sich vor, die Ellbogen auf den Knien, und starrte gebannt sein Fernsehbild an. Bei dem Stolperer lachte er jedesmal laut auf. Und sobald die Kamera wackelte oder zoomte oder sich nach rechts neigte, schimpfte er auf seinen Vater, der den Film gedreht hatte.

Als er den Videorecorder schließlich ausschaltete, applaudierte ich. Das kam ganz spontan, aber ich hatte wohl voll ins Schwarze getroffen. Joe war entzückt – so entzückt, daß er tatsächlich rot wurde. Das inspirierte mich noch mehr, und ich rief: »Bravo« und klatschte immer lauter. Ja, ich klatschte so hingebungsvoll, daß etwas Merkwürdiges passierte: Mein Ehering glitt mir vom Finger und fiel über meine Schulter auf den Boden. Dann rollte er zielstrebig durch das Chaos, geradewegs in Toms Schlafzimmer.

Wir konnten uns nicht einkriegen vor Lachen.

Schließlich stand ich auf, um meinen Ring zu holen. Doch da es im Schlafzimmer dunkel war und ich den Lichtschalter nicht finden konnte, blieb ich einen Augenblick im

Türrahmen stehen, damit sich meine Augen daran gewöhnen konnten. Ganz allmählich nahmen die Dinge vor mir Gestalt an. Ein riesiges Bett – wirklich *riesig*. Es mußten zwei zusammengeschobene französische Betten sein. Darauf zerwühlte Laken und mindestens acht Kissen. An der gegenüberliegenden Wand ein langes Regal, wie aus einer Lagerhalle, mit Tausenden und Abertausenden von Opernschallplatten. Doch am Fußende des Bettes stand etwas, was mir besonders merkwürdig vorkam. Ich konnte nicht erkennen, was es war, also schlich ich mich auf Zehenspitzen näher, um es in Augenschein zu nehmen. Es war ein Prügelbock, wie ihn die Puritaner zur Buße benutzten. Und dort, gleich rechts daneben, lag mein Ehering.

# Kapitel Elf

Wenn ich gewußt hätte, um was für Briefe es sich handelte, hätte ich sie natürlich nicht angefaßt. Selbst für moderne Begriffe waren sie äußerst anstößig. Hier ein typisches Beispiel, das ich kopiert und aufgehoben habe:

*Lieber Joe, SIR,*

*ich schreibe IHNEN auf IHRE Anzeige im Advocate. Ich weiß nicht, ob SIE sich an mich erinnern, aber ich habe SIE vor etwa drei Wochen wegen Telefonsex angerufen, und SIE haben es gratis für mich gemacht, weil ich so laut gestöhnt habe. Sie haben mich angeschrien und mir Befehle erteilt, mich »Arschficker« genannt und gesagt, ich sei ein guter Schwanzlutscher. SIR, so etwas Geiles habe ich noch nie erlebt. Ich kann mich nicht erinnern, daß ich jemals so angetörnt worden bin. Seitdem denke ich immer nur daran, wie toll es wäre, wenn SIE es mit mir tun. Als ich IHREN Film im Adonis Theater gesehen habe, konnte ich es gar nicht fassen. SIR, SIE sind mein Gott.*
*SIR, ich habe es nicht verdient, daß SIE auch nur einen Gedanken an mich verschwenden. Ich bin nur ein Sklave, der die Züchtigung und Abrichtung durch einen gottgleichen Meister wie SIE braucht, ich bin zu nichts anderem nütze, als IHREM geilen Hengstschwanz zu dienen. Mein Leben hat nur den einen Sinn, IHRE phantastische Siegessäule und IHRE prallen Hoden zu verwöhnen. Ohne SIE bin ich nichts. Ich träume immer davon, daß ein geiler Meister mich fesselt und benutzt. Und jetzt weiß ich, daß nur SIE dieser Herr und Meister sein können.*

Gerne würde ich Näheres mit IHNEN vereinbaren, um als IHR demütiger Sklave von IHNEN dressiert zu werden. Bitte teilen SIE mir mit, wie ich IHNEN dienen darf und wann IHNEN meine unwürdige Anwesenheit genehm wäre. Bitte schreiben SIE mir auch, in welchem Rahmen SIE mir IHRE Erziehung angedeihen lassen wollen, wie ich mich kleiden und was ich mitbringen soll, womit ich rechnen darf etc., sowie IHRE Preisvorstellungen. Ein untertäniger kleiner Scheißer wie ich ist sich bewußt, daß er für das Privileg bezahlen muß, einem Gott, Herrn, Meister, Lehrer und Führer wie IHNEN dienen und Genuß bereiten zu dürfen!

Inzwischen erlaube ich mir, mit beiliegender Postanweisung über $ 47,70 folgende Artikel zu bestellen:

- Einen IHRER Slips, ungewaschen, möglichst geil und vergammelt: $ 15.
- Fotoserien A und B: $ 20.
- Eine Audiocassette mit IHRER Stimme, um sie immer bei mir zu haben. Ich werde sie immer und immer wieder anhören, bis ich sie mir eingeprägt und voll und ganz verinnerlicht habe: $ 10.

| | |
|---|---|
| Gesamtbetrag: | 45,00 |
| Umsatzsteuer: | 2,70 |
| | 47,70 |

SIR, neben IHNEN bin ich nichts als ein mieses Stück Scheiße. Ich bin weniger wert als der Schweiß in IHREN Achselhöhlen. Doch ich hoffe, daß SIE mir erlauben werden, IHNEN als Sklave zu dienen. Ich unterwerfe mich IHNEN mit Leib und Seele, und ich biete mich IHNEN und allen, die SIE dazu auserwählen, zum alleinigen Gebrauch an. Ich gehöre IHNEN, machen SIE mit mir, was SIE wollen. Ficken SIE mich, schlagen SIE mich, lassen SIE mich IHREN Schwanz lutschen, pissen und wichsen SIE auf mich, bedecken SIE mich mit IHRER Spucke, schnüren SIE mir

*Schwanz und Hoden ab, durchbohren SIE meine Zitzen,*
*quetschen SIE sie zusammen, wenn es IHNEN zur Freude*
*und Befriedigung gereicht.*
*Zum Zeichen meiner Ergebenheit werde ich meinen*
*Schwanz nicht anrühren und auch sonst keinen an ihn her-*
*anlassen, bis ich von IHNEN höre. Ich werde nicht kommen,*
*bis SIE mir die Erlaubnis dazu erteilt haben, damit ich mich*
*als IHR Diener würdig erweise.*
*Untertänigst erbitte ich IHRE Antwort – daß SIE mir gnädigst*
*Beachtung schenken wollen, obwohl ich Unwürdiger sie*
*nicht verdiene.*
*Vielen Dank, daß SIE mir IHRE wertvolle Zeit geopfert*
*haben.*
*Ergebenst und hoffnungsvoll verbleibe ich immer IHR*
*Sklave,*

*Donald Sweeny*

*P S Ich bin über einundzwanzig*
*P P S Den Namen Donald gebrauche ich nur für die Postan-*
*schrift und um mich vorzustellen; ansonsten lasse ich mich*
*lieber »Miststück« nennen.*


553 solcher Briefe gab es, und sie waren alle in dem Alma-
dén-Weinkarton, den Joe aus Toms Wohnung geholt
hatte. Jeder einzelne war fein säuberlich geöffnet worden,
und auf der Vorderseite befand sich ein Vermerk, wieviel
Geld der Brief enthalten hatte, wann die Bestellung ausge-
liefert worden war und gegebenenfalls wichtige Details.
Meine Aufgabe war es, eine vollständige Liste mit den
Adressen aller Kunden auf Matrizen zu tippen, die dann
auf Klebeetiketten übertragen werden konnten.
Jemand hatte den Versuch gemacht, die Briefumschläge
alphabetisch zu ordnen, war aber nicht besonders weit

gekommen. Also sortierte ich sie erst einmal nach dem Anfangsbuchstaben des Nachnamens. Das dauerte ewig, denn normalerweise mußte man den Brief aus dem Umschlag nehmen, um den Namen zu erfahren, und da Neugierde nun mal in der menschlichen Natur liegt, las ich sie alle.

Die Briefe kamen aus fast jedem Bundesstaat und auch aus dem Ausland, zum Beispiel aus Deutschland, den Niederlanden, Kanada und aus Australien. Jede Gesellschaftsschicht war vertreten. Manche waren auf Briefbögen von Cartier geschrieben, andere auf linierten Ringbucheinlagen. Die überwiegende Mehrheit der Autoren setzte alles daran, ihre Identität soweit wie möglich geheimzuhalten. Sie verwendeten »intime« Kuverts mit blauen Schnörkeln oder dicke Versandtaschen, die zusätzlich mit Tesaband verklebt waren. Einer wickelte seine Bestellung in drei Lagen Papier und schrieb dann auch noch so winzig, daß man es ohne Lupe kaum entziffern konnte. Manche hatten einen sehr förmlichen Ton, wie im oben erwähnten Brief, andere benutzten einen lockeren Plauderton und erzählten seitenlang ihre Lebensgeschichte: »Ich fahre kein Auto (kann ich mir nicht leisten), habe aber einen Führerschein. Ich bin achtundvierzig Jahre jung und wohne allein. Aufgewachsen bin ich in Penna (im Osten), und mein jüngerer Bruder und meine Schwester wohnen noch dort. Ich habe die Handelsschule abgeschlossen und bin 1972 wieder in diese Gegend gezogen. Seitdem arbeite ich als Regierungsangestellter; meinen Arbeitsplatz kann ich bequem zu Fuß erreichen.« Ein Mann aus Astoria, Queens, war auf der Suche nach einer ganz besonderen Arbeit: »Vielleicht können Sie mir einen Job besorgen oder irgendwas, egal, was Sie wollen, ficken, blasen, Eier lecken, Wohnung putzen, staubsaugen.« Ein anderer beschrieb sich als »einen aktiven 78jährigen Amputierten«, wieder ein anderer hatte es nicht nötig, sich lange vorzustellen – er war ein berühmter Modeschöpfer.

Viele stellten Fragen und baten um Antwort. Norm aus Brooklyn erkundigte sich nach dem Preis eines gebrauchten Turnschuhs (75 Dollar), und Porter Newell aus irgendeinem Kaff in Connecticut befürchtete, in seinem soeben bestellten Suspensorium könnten sich Bakterien befinden. Fremdsprachige Briefe waren manchmal ein Problem. Ein gewissenhafter Mann aus Spanien hatte einen drei Seiten langen Brief in gestochen scharfer Schönschrift gemalt; auf dem Umschlag stand in Joes Handschrift: »No comprendo español und no deniro drin.« Besonders gut gefiel mir die Anmerkung eines Raymond Alan Girsch, Gesprächstherapeut und Mitglied des Psychologenverbands, zu seiner Bestellung über 102 Dollar: »Es wird Sie vielleicht interessieren, daß ich mit diesen Artikeln arbeite, um die sexuellen Phantasien und das körperbetonte Ich-Verständnis junger Homosexueller zu erforschen, die Probleme bei ihrer ·Identitätsfindung haben. Ich bin im Therapiebereich tätig und setze diese Gegenstände im psychodynamischen Prozeß ein, um meinen Mitmenschen zu helfen.«

Während man einige Briefe am besten bei einer Tasse schwarzem Kaffee las, zeichneten sich andere durch eine seltsam versponnene Schönheit aus. Besonders angetan hatte es mir der Brief von José Antonio Lopez Mendez. Er hatte ein Foto von sich beigelegt – ein unscheinbarer kleiner Mann um die vierzig und ein wenig dicklich. Er trug ein pinkfarbenes Flamencohemd, was mich auf die Idee brachte, daß er vielleicht in einem spanischen Spezialitätenlokal arbeitete.

*Lieber Sir und Meister Joe,*

*ich bitte auf Knien um Verzeihung, daß ich erst jetzt antworte wegen der männlich-herben Fotos von Ihnen, die ich nur zu gerne mein eigen nennen würde.*

*Ich wollte Ihnen die $12 schon letzte Woche per Post schicken, aber dann habe ich eine Mahnung wegen einer überfälligen Telefonrechnung bekommen und mußte erst diese bezahlen. Ich lebe allein und möchte nicht auf mein Telefon verzichten.*

*Hoffentlich verstehen Sie das und verzeihen mir.*

*Vielen Dank, daß Sie mit mir gesprochen haben, als ich angerufen habe. Ihr Schreiben habe ich heute erhalten, und ich respektiere Ihre Wünsche. Wenn Sie wollen, können Sie mich abends jederzeit per R-Gespräch anrufen. Wenn Sie sehr spät anrufen, vergewissern Sie sich bitte, daß ich auch wirklich ganz wach bin. Ich stehe nämlich schon um fünf Uhr morgens auf, und manchmal bin ich spätabends dann so verschlafen, daß ich mich am nächsten Tag an nichts mehr erinnern kann.*

*Ich führe ein sehr zurückgezogenes Leben und bin für Sie sicher nichts weiter als ein Sklave. Dennoch könnte ich mit einem Mann wie Ihnen vieles genießen, wovon ich bisher immer nur zu träumen wagte.*

*Ich liebe es, wenn ein Mann ein Suspensorium trägt und enganliegende Boxershorts. Und enge Hosen, so daß sich sein männliches Gehänge zwischen den Beinen abzeichnet und bei jedem Schritt stolz von seiner Maskulinität kündet.*

*Ich möchte gern einen Mann verwöhnen, wenn er abends von der Arbeit nach Hause kommt; ich würde ihn kräftig mit Alkohol abreiben, von Kopf bis Fuß massieren, an seinen Zehen nuckeln und mein Gesicht von seinen männlichen Füßen treten lassen.*

182

*Ach, wenn ich seinen männlich-schweißigen Körper nach einem harten Arbeitstag riechen dürfte! Den Geruch seiner schweißigen Achselhöhlen, seines schweißigen Schrittes, seiner schweißigen Hoden einzusaugen, sein Rektum zu riechen und zu belecken ...*
*Dies mit einem Macho-Meister zu tun, davon träume ich.*
*Schöne Ferien, Sir Joe.*
*Lassen Sie mich an Ihrer schmutzigen Unterwäsche schnuppern!!! bitte .... Sir ...*
*Bitte rufen Sie an oder schreiben Sir mir. Danke ...*

*José Antonio*

*P S Meine Post bekommt kein anderer zu Gesicht. Niemand außer mir holt sie aus dem Briefkasten. Alles unserer Intimsphäre zuliebe. Danke.*

Ich war schon immer überzeugt, daß Zuverlässigkeit zu meinen größten Vorzügen zählt. Wenn ich etwas verspreche, halte ich es auch. Obwohl mich die Briefe moralisch gesehen anekelten und sie – wie mir irgendwann einfiel – womöglich sogar gegen die amerikanischen Postvorschriften verstießen, war ich dennoch fest entschlossen, die Adressenliste zu tippen. Ausgehend von der Größe des Kartons hatte ich den Arbeitsaufwand geschätzt und Joe daraufhin zugesichert, die Liste würde bis Mittwoch fertig sein. Daß das ein Fehler war, erkannte ich am Montag, nachdem ich den ganzen Tag getippt hatte und erst bis C gekommen war. Also arbeitete ich Montag nacht durch und gönnte mir nur kurze Unterbrechungen, um schnell ein paar Cornflakes hinunterzuschlingen und ab und zu Entspannungsübungen zu machen. Am Dienstag verließ ich das Haus nur wegen meines Termins bei Dr. Fineman. Gegen sieben Uhr abends, kurz nachdem alle

Geschäfte geschlossen hatten, riß das Farbband. Ich war einem hysterischen Anfall nahe. Schließlich fand ich in Yonkers einen Laden, der durchgehend geöffnet hatte, aber bis ich wieder am Schreibtisch saß, war es bereits zwanzig nach zehn.

Am Mittwoch morgen war ich beim T gelandet, und es sah aus, als könnte ich es tatsächlich schaffen. Ich hämmerte wie besessen auf die Tasten: Willard Taylor; wohnt in Abilene, Texas; Inhaber eines Geschäfts namens Dan's Design (»hauptsächlich Vorhänge und Lampenschirme«), ehrenamtlicher Leiter des Kirchenchors. Er wolle sich »nicht wie eine keifende Alte anhören«, aber wo blieb die Bestellung, die er vor sieben Wochen aufgegeben hatte? Joe bekam eine Menge Briefe dieser Art, und ich dachte, meine Güte, was Joe braucht, ist ein ordentlicher Kundendienst. Da hörte ich plötzlich ein äußerst merkwürdiges Geräusch, eine Art Kratzen, und als ich aufsah, lag Baby auf dem Küchenboden und hatte einen epileptischen Anfall.

Ich sprang auf und tat, was ich konnte, aber das war nicht viel. Armer Baby! Die Haut an der Innenseite seiner Ohren nahm eine seltsam bläuliche Färbung an, eine Art Marineblau, mit viel Grau durchsetzt, und Speichel triefte aus seinem zuckenden Maul. Das Ganze dauerte kaum eine Minute, aber mir kam es vor wie eine halbe Ewigkeit. Ich hielt seinen zitternden Körper und hoffte, daß keine Hirnschäden zurückbleiben würden.

Als die Krämpfe allmählich nachließen, stand ich auf und blickte nachdenklich auf das Tier, das jetzt erschöpft auf dem Küchenboden lag. Es fällt mir schwer, in Worte zu fassen, wie aufgewühlt ich in diesem Augenblick war. Schließlich trug ich die Schuld an diesem Anfall. Ich hatte Baby *über eine Woche lang* kein Dilantin gegeben.

Erst hatte ich wegen Fire Island keine Zeit gehabt, dann wegen diesen blöden Briefen. Die Prioritäten in meinem Leben waren so durcheinandergeraten, ja, so *verkommen* (buchstäblich!), daß ich beinahe meinen Hund hätte sterben lassen.

Ich schenkte mir zitternd eine Tasse Kaffee ein, setzte mich in die Frühstücksecke und sah mich in meiner Küche um. Sie war der reinste Saustall. In der Spüle stapelten sich schmutzige Töpfe. Die Geschirrspülmaschine war nicht ausgeräumt. Das Rollo war heruntergelassen und hing schief. Der Abfall gammelte bereits seit geraumer Zeit vor sich hin.

Und die Briefe! Überall Briefe! Sie stapelten sich auf den Arbeitsflächen, dem Servierwägelchen, dem Herd, lagen auf herausgezogenen Schubladen, klemmten hinter dem Messerblock ... Briefe, nichts als Briefe ...

Es kam mir vor, als stünde ich am Rande eines Abgrunds, in den ich um ein Haar hinabgestürzt wäre.

Doch jetzt fiel es mir wie Schuppen von den Augen. Ich wußte, was ich zu tun hatte. Mit grimmiger Entschlossenheit stapfte ich zu der elektrischen Schreibmaschine und schaltete sie aus.


Um drei Uhr desselben Nachmittags traf ich wie vereinbart bei Joe ein. Ich klingelte, und während ich wartete, rekapitulierte ich noch einmal, aus welchen Gründen ich die Adressenliste nicht hatte fertigstellen können. Ich war mir ziemlich sicher, daß ich für alle Eventualitäten gerüstet war:

- Ich mußte noch am selben Abend zu meiner Mutter fliegen, weil sie krank war.
- Ich wußte nicht, wann ich zurück sein würde, aber es konnte eine Zeit dauern.

- Aus versicherungstechnischen Gründen konnte ich ihm meinen Wagen in meiner Abwesenheit nicht leihen.
- Wenn er sich Geld borgen wollte, würde ich ihm bis zu zwanzig Dollar geben und keinen Cent mehr. Mehr hatte ich nicht dabei. Und auch kein Scheckheft.
- Ich würde die Adressenliste gern nach meiner Rückkehr fertig tippen, konnte aber für nichts garantieren, also war es besser, er sah sich sicherheitshalber anderweitig um.
- Sein *Anatevka*-Video konnte ich mir leider nicht noch einmal ansehen, weil ich in zweiter Reihe parkte.

Zu meiner Überraschung stellte sich heraus, daß Joe in einem dieser neuen Hochhäuser in der York Avenue wohnte. Ich finde sie etwas langweilig und ziemlich geschmacklos mit ihren protzigen Eingangshallen, aber ansonsten sind sie ganz in Ordnung; immerhin lassen sie durchblicken, daß ihre Bewohner wohlhabend sind. Im dreizehnten Stock angelangt, stand ich dann eine ganze Weile vor der Wohnungstür. Sooft ich auch klingelte, es rührte sich nichts. Das konnte ich mir nur damit erklären, daß ich vielleicht die Wohnung verwechselt hatte. Joe mußte da sein, der Türsteher hatte vorher bei ihm angerufen.

Gerade wollte ich aufgeben, da ging die Tür auf. Vor mir stand Joe in der Unterhose, und er sah entsetzlich aus. Seine wunderbare Bräune war einer ungesunden grünlichen Blässe gewichen. Seine Stirn glänzte schweißnaß, und dunkle Ringe umgaben seine blutunterlaufenen Augen. Die Lippen waren rissig, die Wangen schuppig, und was mich besonders schockierte: Er hatte einen kleinen Eiterpickel auf der Nase.

Mit schmerzverzerrter Miene sah er mich an, dann schloß er matt die Augen.

»Was ist los?«

»Fragen Sie lieber nicht«, erwiderte er. Dann biß er die Zähne zusammen, drehte sich um und rannte den Flur hinunter. »Gehen Sie schon mal ins Wohnzimmer«, rief er mir zu. Ich hörte, wie eine Tür zuschlug.

Also schleppte ich die Schachtel mit den Briefen ins Wohnzimmer. Es war ganz anders, als ich es mir vorgestellt hatte. Eher wie das Wohnzimmer einer alten Oma, nicht wie das eines Porno-Stars. Das alte, dick gepolsterte Sofa und die zwei dazu passenden Lehnstühle aus Mahagoni und kastanienbraunem Plüsch sahen sehr nach Jahrgang 1928 aus. Jedes Tischchen zierte eine angestaubte Lampe mit vergilbtem, gefälteltem Lampenschirm, und es gab sogar eines dieser alten Spinnräder, die als Beistelltische mit Zeitschriftenablage verwendet werden können, sowie eine echte, altmodische Kredenz mit Hummelfiguren, Porzellan im Meißner Stil und mehrere Readers-Digest-Sammelbände. Die Wohnung gehörte Joes Schwester, erfuhr ich später; er hielt sich hier nur vorübergehend auf, bis sie aus Europa zurückkam, wo sie sich dem Studium irgendeiner neuen medizinischen Technik widmete.

Auf der Kredenz befand sich außerdem eine Reihe von Familienfotos, die mich magisch anzogen. Das erste zeigte den dreijährigen Joe als Cowboy, wie er mit seinem Revolver auf den Fotoapparat zielte. Hinter ihm ein Mann, den ich anfangs für Jack Ruby hielt; bei näherer Betrachtung stellte ich jedoch fest, daß er eine andere Frisur hatte. Er – Joes Vater? – blickte stolz auf seinen Wonneproppen herab und trug ein sportliches Gabardinehemd mit einem gestickten Schwertfisch auf der Brusttasche.

Das nächste Bild steckte in einem Rahmen aus Muranoglas und angelaufenem Silber und war eine Porträtaufnahme von einer attraktiven Frau um die vierzig mit einer dieser unsäglichen toupierten Hochfrisuren, wie sie in den Sechzigern modern waren. Sie trug eine Strickjacke und Modeschmuck, der mir nicht gefiel. Die Mundpartie und die geschwungene Linie ihrer Unterlippe ließen spontan darauf schließen, daß es sich um Joes Mutter handeln mußte.

Auf dem dritten und wesentlich neueren Foto war eine Gruppe Yuppies beim Wildwasser-Rafting zu sehen. Sie trugen alle orangefarbene Schwimmwesten und orangefarbene Helme. Erkennen konnte man niemanden.

Als ich das Rauschen einer Toilettenspülung hörte, begab ich mich wieder in die Mitte des Wohnzimmers, wo ich etwa eine Minute lang in banger Erwartung verharrte. Als Joe auftauchte, sah er noch schlimmer aus als vorher. In gebeugter Haltung, die Arme verschränkt und die Hände unter die Achseln gesteckt, blieb er einen Moment stehen, dann rülpste er.

»Wissen Sie was?« erkundigte er sich düster.

»Was denn?«

»Ich habe gerade gleichzeitig Durchfall gehabt und mich übergeben.«

»Lieber Himmel!« stieß ich hervor. »Vielleicht sollten Sie einen Arzt rufen.«

»Hab' ich schon.« Er rülpste wieder. »Aber er hat gesagt, ich muß in die Praxis kommen.«

»Warum denn das?«

»Er will Laboruntersuchungen machen.« Ein Krampf schüttelte ihn. »Wie soll ich denn in die Praxis kommen? Ich schaff's ja nicht mal bis zur Küche.«

In diesem Moment fiel mein Blick auf seine Unterhose. Daß er sonst nichts anhatte, habe ich, glaube ich, schon erwähnt. Aber das Eigenartige war, daß er nicht nur *eine* trug. Ich zählte mindestens *drei* Gummibündchen. Ja, er trug tatsächlich drei Unterhosen übereinander! Ich fing an, mir ernsthaft Sorgen zu machen. O mein Gott, dachte ich, so weit ist es schon mit ihm gekommen ...

Ich machte mich an die Arbeit. Als erstes steckte ich Joe ins Bett. Im Schlafzimmer sah es aus, als hätte eine Bombe eingeschlagen. Also räumte ich erst mal hier ein wenig auf, danach im Wohnzimmer und in der Küche. Beim Herumstöbern fand ich unter der Spüle eine leere Hüttenkäsedose für die Stuhlprobe. Sobald sie fertig war – es dauerte nicht lange –, steckte ich sie in eine Papiertüte und fuhr los. Ich wollte nicht in den Berufsverkehr kommen.

Beinahe hätte ich es auch geschafft. Die Praxis war in der 21st Street, und bis zur 23rd Street war ich bereits gekommen; aber da steckte ich auf einmal mitten im Stau. Da saß ich also und wartete, bis es weiterging. Der durchdringende Geruch aus der Hüttenkäsedose verpestete allmählich die Luft, und ich kurbelte das Fenster herunter.

Ich überlegte, was ich noch alles zu erledigen hatte: das Badezimmer saubermachen, die Laken wechseln, bei dem Gristede's, den ich in der First Avenue gesehen hatte, größere Mengen Getränke und Kräcker kaufen, mehr Klopapier besorgen ...

Auf dem Gehsteig sah ich einen Mann, der sein Hündchen spazierenführte. Bestimmt ein Homosexueller – die erkenne ich inzwischen schon hundert Meter gegen den Wind. Vor allem an der Art, wie sie sich kleiden. Der kleine, niedliche Hund schaute in meine Richtung, und ich warf ihm eine Kußhand zu, wie ich es bei Hunden häufig tue. Doch der Köter starrte mich nur vorwurfsvoll an und ging dann in die Hocke, um sein Geschäft zu erledigen. Erst da fiel mir siedendheiß ein: Ich hatte Baby vergessen!

# Kapitel Zwölf

Hier sehen Sie einige Zeichnungen, die ich von Joel angefertigt habe, während er sich auskurierte. Ich weiß, daß sie nicht besonders gut sind, aber sie vermitteln einen kleinen Eindruck davon, wie er aussieht. Nur die Ohren wurden einfach nicht richtig, sosehr ich mich auch anstrengte. Etwas besser gelang mir sein Mund.

Hier die Schultern und Arme:

Joel behauptet, ich hätte seine
Deltamuskeln nicht richtig
getroffen – was immer das sein mag –,
aber sonst ist das hier nicht schlecht.
Er war sehr stolz auf seine Arme.
Sogar auf die Venen. »Alle Krankenschwestern lieben mich«, pflegte er
zu sagen.
Das hier ist mein Lieblingsbild:

Wie die meisten Leute hatte auch ich angenommen, daß alle Porno-Stars aus zerrütteten Elternhäusern in heruntergekommenen Vierteln stammen. Ebenso war ich der Meinung gewesen, daß sie alle drogenabhängig seien und auf diese Weise ihre Sucht finanzieren müßten, oder daß sie sich vielleicht sogar als Gelegenheitsdiebe über Wasser hielten. Nun, auf Joel traf das alles nicht zu. Das war übrigens sein echter Name: Joel Sabinak. Joe war nur sein Künstlername. Und er war so normal wie Sie und ich.

Außerdem war er sehr gebildet. Nach drei Jahren an der Berkeley University hatte er das Studium abgebrochen, weil es ihm keine Herausforderung mehr bot. Er hatte Psychologie im Hauptfach belegt, Rechnungswesen im Nebenfach.

Aber Joel zählte zu den Menschen, die auch ohne akademischen Abschluß erfolgreich sind. Das erfuhr ich gleich in der ersten Woche, als ich seine Buchführung übernahm. Allein der Versandservice brachte ihm über fünfzigtausend Dollar im Jahr ein. Und das war nur ein Nebenverdienst. Dazu addierten sich Mieteinkünfte aus einem Objekt in Redondo Beach, das ihm gehörte, und seine Gage fürs Modellstehen betrug 250 Dollar pro Stunde. Ich bin nicht ganz sicher, was er während dieser Stunden genau machte, aber er rannte häufig mit einer Sporttasche unterm Arm los und meinte: »Tschüß, ich muß los zum Modellstehen. Vergessen Sie nicht, den Anrufbeantworter einzuschalten, wenn Sie gehen.«

Und dann war da noch seine Schauspielkarriere. Zugegeben, sie beschränkte sich – zumindest bisher – auf Filme, die normalerweise unter dem Namen Pornographie laufen. Aber bedenken Sie, daß D. H. Lawrence und Ezra Pound – ja sogar Donatello – zu ihrer Zeit mit dem gleichen Vorwurf zu kämpfen hatten. Und außerdem haben eine Menge berühmter Leute dunkle Flecke in ihrer Vergangenheit. Marilyn Monroe und ihr Kalender ist vielleicht das berühmteste Beispiel dafür ... und war da nicht mal was mit Joan Crawford und einer Coca-Cola-Flasche?

Joels allererster Film machte ihn mit einem Schlag berühmt. Er war so erfolgreich, daß ihn die *Variety* sieben Wochen lang in der Hitliste der fünfzig erfolgreichsten Filme führte – etwas wahrhaft Einzigartiges für einen Pornofilm. Der Titel lautete schlicht *Joe*, und er spielte einen Bauarbeiter, der heimlich von sieben Männern aus dem Haus nebenan beobachtet wird, als Stimulans ihrer sexuellen Phantasien. Zwar habe ich den Film nie gesehen, aber nach dem, was ich darüber gehört habe, muß er wirklich phantastisch sein. In den Briefen, die Joe bekommt, werden immer wieder Szenen daraus erwähnt: die Sache mit dem Suspensorium, dann die Episode mit den Händen in der Diele und die Geschichte mit der Salami im Fahrstuhl.

Doch was er für sein Leben gern tun wollte, war Regie führen. Deshalb war er in New York – er suchte einen Geldgeber für einen Film mit dem Titel *Verschwommene Tiefen*. Daran knüpfte er große Hoffnungen: Der Film sollte nicht nur ein Kassenschlager werden (»das ganze Geld scheffeln immer die Produzenten«), sondern ihm in dem Metier auch den großen Durchbruch verschaffen, mit einem Film, der Pornographie *und* Kunst war, etwa wie *Der letzte Tango in Paris* oder *Caligula*.

Als Joel die Realisierung des Filmes in Angriff nahm, legte er eine ganz unglaubliche Hingabe und Selbstdisziplin an den Tag. Tag und Nacht schrieb er am Drehbuch: Jedesmal, wenn ich anrief, war er mitten in einem Satz. »Ich kann jetzt nicht reden«, meinte er dann. »Sonst verliere ich den Faden.« Ja, er gab mir sogar einen Stundenplan, wann ich ihn anrufen durfte und wann nicht. An den Wochenenden war es am schlimmsten. Da arbeitete er rund um die Uhr und lebte buchstäblich ohne Kontakt zur Außenwelt. Er war ein sehr ordentlicher Mensch, der alle Unterlagen in einer Aktenmappe aufbewahrte – in mehreren Heftern –, die er immer mit sich herumtrug. Die Hefter und seinen elektrischen Bleistiftspitzer. Und Billionen von Bleistiften, die immer frisch angespitzt sein mußten. Manchmal schrieb er nur ein Wort oder zwei, bevor er den Bleistift erneut anspitzte. Sie hätten die Papierkörbe sehen sollen! Ich mußte sie täglich ausleeren, allein wegen der Bleistiftspäne.

Die strenge Selbstdisziplin erstreckte sich auch auf sein Privatleben. Im Fitneß-Studio trainierte er mit wahrhaft religiösem Eifer (drei Stunden am Tag) und zwang sich sogar noch zu Liegestützen auf dem Wohnzimmerteppich, während er auf die Eingebung für seinen nächsten Dialog wartete. Mehrmals in der Woche besuchte er ein Bräunungsstudio in der Christopher Street, das er umsonst benutzen durfte, weil er als Gegenleistung sein Bild für Werbezwecke zur Verfügung gestellt hatte. Und ernährungsmäßig war er ein Gesundheitsapostel par excellence. Er aß die merkwürdigsten Gerichte, die nur aus Körnern und Gemüse bestanden und die exakt abgewogen und zu einer ganz bestimmten Zeit verzehrt werden mußten. Dadurch war es völlig unmöglich, ihn zu bekochen, und nach ein paar Versuchen gab ich es auf. Nach dem Fitneßtraining zog er jedesmal seinen Taschenrechner heraus und ermittelte genauestens den prozentualen Anteil von Fett in seinem Körper. Natürlich schwärmte er für Zeitschriften über Ernährung und Fitneß; ja, sie waren praktisch seine einzige Lektüre. Sein Lieblingsimbiß waren gebackene Kartoffeln, die er kalt verzehrte, als wären sie Äpfel.

Zu seiner Familie hielt Joe engen Kontakt. Es stimmt allerdings, daß er in der Vergangenheit mit seinem Vater Schwierigkeiten hatte. Als er noch auf der Highschool war, verprügelte ihn sein Vater, weil Joel ihn »Du scheinheiliges Arschloch!« genannt hatte. (Offenbar fing Joels Vater bei Geschäftsreisen immer Affären mit seinen Sekretärinnen an.) Doch inzwischen waren alle Mißverständnisse ausgeräumt, ja, Vater und Sohn waren sich richtiggehend nahegekommen. Joel erzählte mir, sein Vater habe ihn neulich angerufen, um ihm zu erzählen, daß er sein Bild auf einer Zeitschrift im Sexshop gesehen hatte. »Seit wann trägst du einen Bart?« wollte er wissen. Übrigens war Joels Vater ein enorm erfolgreicher Teppichverkäufer.

Joels Schwester war Endokrinologin und überhaupt nicht angetan vom Beruf ihres Bruders. Sie erzählte ihm unentwegt, er solle sich doch um eine Stellung beim Kabelfernsehen bemühen. Joel führte das auf geschwisterliche Rivalität zurück. Denn schließlich war er, der jüngere Bruder, soviel berühmter als sie. Dabei ging es ihr auch nicht gerade schlecht. Im letzten Sommer beispielsweise war Kurt Waldheim wegen seiner Drüsenprobleme zu ihr gekommen.

Joels Mutter war an Krebs gestorben, als er fünfzehn war. Ich glaube, das hat ihm schwer zu schaffen gemacht, und er ist bis heute nicht darüber hinweg. Wenn er von ihr sprach, klang seine Stimme immer ganz ehrfürchtig. Sie hatte als Sekretärin bei einer Schmuckfirma angefangen, und fünf Jahre später gehörte ihr der ganze Laden. Joel war überzeugt, daß er ihren Geschäftssinn geerbt hatte.

Es klingt vielleicht merkwürdig bei einem Porno-Star, aber wenn ich Joels Persönlichkeit mit einem Wort charakterisieren müßte, würde ich »grundanständig« sagen.

Er betrachtete seine Arbeit als eine Art Therapie. Denn er erwies armen, einsamen Menschen einen Dienst, gab ihnen die Chance, ihre Phantasien auszuleben und ihre unaussprechlichen Sehnsüchte kennenzulernen. Und er sorgte dafür, daß sie Qualität für ihr Geld bekamen. Es erfüllte ihn mit Stolz, daß er bei jedem Slip, den er verkaufte, dafür garantieren konnte, ihn persönlich getragen zu haben. Und wenn er Modell stand, blieb er prinzipiell mindestens zwanzig Minuten bei seinen Klienten, gleichgültig, wie fett oder häßlich sie waren. »Man muß sich Zeit für sie nehmen«, sagte er immer. »Dann ist der Kunde zufrieden und kommt wieder.«

Marktstrategisch gesehen war es natürlich kein Schaden, daß Joel von seinen Kunden wie ein Gott verehrt wurde. Ich war erstaunt, wie viele Männer ein wollüstiges Schaudern ergriff, weil sie für Joels schmutzige Unterwäsche bezahlen durften. Wenn er sie verschenkt hätte, wäre das Geschäft nicht halb so gut gelaufen. Ich persönlich hatte allerdings eine Abneigung gegen den Teil des Unternehmens, der mit Unterwäsche zu tun hatte. Ganz zu schweigen von den Socken. Und den Athletensuspensorien. Ich haßte es, diese Dinger in verschließbare Plastiktaschen zu stopfen, in gefütterte Umschläge zu stecken und dann zur Post zu schleppen. Was um alles in der Welt stellten die Empfänger bloß damit an?

Mit den Fotografien war das alles doch sehr viel einfacher. Wir hatten drei verschiedene Serien, A, B und C. Serie A zeigte Joel in Unterwäsche und Jeans und verkaufte sich ausgezeichnet; ich hing laufend am Telefon, um im Fotolabor Abzüge nachzubestellen. Serie B nannte sich »Joe in Leder« und war mindestens ebenso beliebt. Aber Serie C war diejenige, die wirklich alle haben wollten – ohne Ausnahme. Sie zeigte Joel ohne alles.

Manchmal, wenn ich Serie C in den Umschlag steckte, nachsah, ob die Fotos auch in der richtigen Reihenfolge lagen (Joel war in diesen Dingen sehr penibel) und eine persönliche Bemerkung dazu schrieb (ein ebenso wichtiges Detail; und ich durfte auf keinen Fall vergessen, in seiner Handschrift und mit seinem Markenzeichen – »Bleib scharf!« – zu schließen), hielt ich inne und betrachtete die Fotos. Sie waren in einer stillgelegten Fabrikanlage aufgenommen worden, deren Trümmerhaufen mich an die Baracke hinter dem Fischmarkt in Lubbock erinnerten. (Es war uns Kindern verboten, dort zu spielen, und das Gebäude wurde abgerissen, nachdem man einen Sechsjährigen in einer Kühltruhe erstickt aufgefunden hatte.) Vor einem Hintergrund aus rostigen Boilern und verdreckten Wänden posierte Joel, ließ die Muskeln spielen und streckte sich, scheinbar selbstvergessen, aber durchaus spielerisch vor dem neugierigen Auge der Kamera. Gott sei Dank trug er wenigstens Stiefel, denn der Boden war mit Glasscherben übersät.

Die Nacktfotoserie war die einzige, in der man bei Joel einen Anflug von Gehemmtheit erahnen konnte. Apropos: Ich bin zwar keine Expertin auf dem Gebiet, aber eins weiß ich – sein Penis war nicht sonderlich groß. Verglichen mit seinem traumhaften Körper wirkte er sogar ein wenig klein geraten – wie ein einzelner winziger Diamant in einer reichverzierten, wuchtigen Fassung. Man bekam ihn nur auf einem Foto genau zu sehen – Joel stand in der Tür, die Arme in die Seiten gestemmt, ein zynisches Grinsen im Gesicht –, und da baumelte sein Penis: klein, rot, trotzig und ein bißchen runzlig von zu häufigem Gebrauch, wie Hände nach dem Abwasch. Manchmal beschwerte sich ein Kunde deshalb. Erinnern Sie sich an Raymond Alan Girsch, den Therapeuten, der mit der Fotoserie schwulen Männern bei ihrem Coming out helfen wollte? »Sie haben einen GROSSEN SCHWANZ annonciert – wo ist er denn?« verlangte er zu wissen. Solche Briefe, obwohl sehr selten, brachen mir fast das Herz. Ich zerriß sie in kleine Fetzen, spülte sie die Toilette hinunter und verriet Joel kein Sterbenswörtchen darüber.

Es war erstaunlich, wie schnell mein Leben sich dem von Joel angepaßt hatte. Was als kleine Gefälligkeit begonnen hatte – die Besorgungen, die ich für ihn erledigte, als er krank war –, nahm rasch ganz andere Dimensionen an.
Ich kümmerte mich um seine geschäftlichen Angelegenheiten, das stand außer Frage; trotzdem neige ich zu der Auffassung, daß meine eigentliche Funktion die einer guten Freundin war. Joel hatte nicht viele Freunde. Er brauchte jemanden wie mich, dem er nichts vorspielen mußte, der unvoreingenommen war, der ihm den Rücken stärkte und ein Fels in der Brandung seines Lebens war. Denn obwohl er sich gern in Szene setzte und große Töne spuckte, war er doch in vielfacher Hinsicht wie ein kleiner Junge, ungeheuer verletzlich und sensibel …
Er war ganz anders, als die meisten Leute dachten. Nehmen wir zum Beispiel die manipulativen Fähigkeiten, die man ihm unterstellte. Schon bald konnte ich feststellen, worum es sich in Wirklichkeit handelte: Mit diplomatischem Geschick setzte er sinnvolle Veränderungen durch. Es war nichts anderes als die gezielte Anwendung von gesundem Menschenverstand. Und dann die sogenannte »Feindseligkeit«: ein gesunder Unwille über eine Welt, die es nicht anders verdiente. Möchten Sie wissen, was *ich* hochinteressant fand? Joel stritt sich nur mit dummen Menschen. Wie mit dem Wäschereibesitzer. Oder mit der Frau in 2 D. Oder mit dem Typen an der

Ampel. Oder mit *Tom* – das war überhaupt das gelungenste Beispiel. Wissen Sie, warum Tom Joel rausgeschmissen hatte? Wegen eines Telefonanrufs für zehn Dollar. Ist das zu fassen? Ich wußte ja, daß Tom kleinlich ist, aber für so kleinlich hätte ich ihn nicht gehalten. Nachdem ich das gehört hatte, verspürte ich nicht mehr die geringste Lust, ihm jemals wieder über den Weg zu laufen.

Und Joel war *nicht* eitel. Von allen Etikettierungen war das die albernste. Noch nie bin ich jemandem begegnet, der weniger Gedanken an sein Aussehen verschwendete. Für ihn war das lediglich eine geschäftliche Frage. Die endlosen Stunden im Fitneß-Studio brachten ihm finanziellen Gewinn, das war alles.

Ich dachte gern darüber nach, daß wir im Grunde beide »verlorene Seelen« waren, die zueinander gefunden hatten. Unsere Freundschaft blieb größtenteils unter uns; wem hätte ich auch davon erzählen sollen? Meinem Mann sicher nicht; außerdem war er sowieso in Indien. Bei den wenigen Malen, die Boyce mit Tom und Floyd zusammengetroffen war, hatte er sich zwar durchaus herzlich gegeben, aber eine innere Stimme warnte mich, daß ihm für einen Porno-Star jegliches Verständnis fehlen würde. Und Dr. Fineman – je weniger er von Joel wußte, desto besser. Denn vergessen Sie nicht, er haßte Homosexuelle, selbst die gar nicht tuntigen wie Joel. Ganz sicher würde er sich aufs hohe Roß schwingen und mir die Leviten lesen; also erzählte ich ihm nur, daß ich für einen Freund von Tom arbeitete, der einen Versandservice betrieb.

»Ach?« erkundigte sich Dr. Fineman mißtrauisch. »Was verkauft er denn?«

»Neuheiten«, antwortete ich wie aus der Pistole geschossen. Denn genau das stand auch auf unserer Umsatzsteuererklärung.

In gewisser Hinsicht war die Arbeit für Joel eine Offenbarung für mich. Zum ersten Mal im Leben verstand ich, wie die Marktwirtschaft funktioniert. Das Prinzip von Angebot und Nachfrage, früher stets »böhmische Dörfer« für mich, wurde mir schlagartig klar. Man hatte ein Produkt, machte Werbung, und die Leute bezahlten eine Menge Geld dafür, das man dann zur Bank brachte. Es war wirklich kinderleicht.

Unser Produkt war Joel. Es gab viele Möglichkeiten, ihn zu vermarkten, und Joel war ständig auf der Suche nach neuen Ideen, vor allem, seit er über eine Stammkundschaft verfügte, die automatisch alles bestellte – und ich meine damit wirklich *alles*. Beispielsweise war ich bei den abgeschnittenen Fingernägeln enorm skeptisch, aber sie verkauften sich nicht schlecht. Vor dem Hintergrund dieser Erfahrung machten wir uns daran, eine Broschüre zu erstellen, um die neue Serie von Beschimpfungs-Kassetten zu lancieren. Joel hatte mit mehreren freiberuflich arbeitenden Graphikern über einen Entwurf gesprochen und war entsetzt über ihre exorbitanten Honorarvorstellungen. »Jeder Idiot kann ein Porno-Flugblatt basteln!« rief er aus und schlug vor, ich solle es einfach mal versuchen; er hatte mich zeichnen sehen und war (habe ich das eigentlich schon erwähnt?) von der Skizze, die ich von seiner Kniesehne angefertigt hatte, ganz begeistert.

Also machte ich mich an die Arbeit und entwickelte voller Elan in wenigen Tagen ein Konzept: Auf der Titelseite ein Bild von Joel, nur ein Gesicht, sehr sinnlich, mit Schmollmund und so weiter. Das wollte ich selbst fotografieren. Vielleicht konnte ich es auch zeichnen, falls uns etwas auf dieser Schiene besser gefiel. Auf jeden Fall würde auf dem Deckblatt stehen: »Willkommen in Joes Welt der Sinnlichkeit«, in Kursivbuchstaben. Sie müssen zugeben, das war eine enorme Verbesserung gegenüber unserer jetzigen »Broschüre«, auf der die Fotokopie eines Bildes von Joel mit Athletensuspensorium und Joggingschuhen prangte und die in einer entsetzlichen Gossensprache gehalten war.

Ich war ziemlich nervös, als ich zu Joel fuhr, um ihm meinen Entwurf zu zeigen und seine Meinung dazu zu hören. Es war mitten am Nachmittag, und der Türsteher, der mich inzwischen kannte, ließ mich ungehindert passieren. Ich war überrascht, daß die Tür offenstand; nicht ganz offen, aber doch einen gut zehn Zentimeter breiten Spalt. Wie die meisten Leute, die nicht aus New York stammten, war Joel sonst eher übervorsichtig, und deshalb erschien mir das höchst ungewöhnlich.

Ich zögerte und wußte einige Sekunden lang nicht, was ich machen sollte. Dann stieß ich die Tür so weit auf, daß ich meinen Kopf hineinstecken konnte. »Hallo?« rief ich. Keine Antwort. Aber ich hörte eine Dusche rauschen. Da fiel mein Blick auf einen seltsamen Gegenstand. Mitten im Wohnzimmer stand einer dieser riesengroßen Fernseher mit konkaver Bildröhre von fast zwei Metern Durchmesser. Davor lag ein Apparat mit roten und blauen Lämpchen. Es sah aus, als wäre eine fliegende Untertasse gelandet.

Wie merkwürdig, dachte ich. Joel sieht nie fern. Er hält so was für Zeitverschwendung. Das einzige, was ihn interessiert, ist die Wettervorhersage. Denn er ist nicht zufrieden mit dem Braunton aus dem Bräunungsstudio und deshalb immer erpicht auf ein paar Stunden »natürliche Sonne tanken«.

Da bemerkte ich einen weiteren Gegenstand, der neu war: eine Einkaufstasche aus Kunstleder. Während ich auf Zehenspitzen hinüberschlich, stieg mir ein ungewöhnlicher

Geruch in die Nase. Hier hatte jemand geraucht, und das war ganz sicher nicht Joel gewesen. Er haßte Zigaretten und hielt sie für ein gar nicht zu überschätzendes Gesundheitsrisiko.

In der Einkaufstasche waren ein pinkfarbenes Make-up-Täschchen aus Plastik, eine Tüte Fruchtsaft und ein Exemplar von *Der Prophet*. Jetzt kapierte ich – seine Schwester! Sie mußte zurückgekommen sein.

Ich schlich zum Schlafzimmer. Die Dusche lief immer noch. So vorsichtig wie nur möglich schielte ich durch die halboffene Tür. Das entpuppte sich als Fehler, denn dort stand eine Frau. Sie hatte ihre Haare in ein Handtuch gewickelt und trug nichts weiter als Slip und BH mit Leopardenmuster. Von der Zigarette zwischen ihren Lippen stieg ihr der Rauch in die blinzelnden Augen. Auf ihren linken Busen war ein Yin-Yang-Symbol tätowiert.

Irgendwie sah sie nicht aus wie eine bekannte Endokrinologin.

»Hallo!« sagte ich.

»Was zum Teufel haben Sie denn hier zu suchen?«

»Sie müssen Joels Schwester sein.«

Sie hätten das brüllende Gelächter hören sollen, das ich mit *dieser* Bemerkung erntete.

# Kapitel Dreizehn

Am nächsten Tag zog ich los und kaufte ein Buch mit dem Titel *Schlanke
Schenkel in dreißig Tagen*. Es hieß,
man solle mit den Übungen an einem Montag beginnen,
aber ich fing sofort an. Schließlich hatte ich keine Zeit zu
verlieren. Ich machte von allem doppelt soviel, wie angegeben war: vom Knee lift, den Jumping Jacks, den Kniebeugen, den Ausfallschritten, den verschiedenen Kicks
und sogar von den Bein-Curls, die mir besonders verhaßt
waren. Es wurde empfohlen, acht Gläser Wasser am Tag
zu trinken; ich trank zwölf. Ungeliebte Fettpölsterchen
sollte man sich dann mit einer halben Stunde Schnellge-
hen »ablaufen«, wie es hieß; ich lief eine ganze Stunde
lang. In Boyce' altem Jogginganzug marschierte ich mit
Riesenschritten durch das Viertel und mußte dabei die
höhnischen Bemerkungen der Crenshaw-Jungs von nebenan über mich ergehen lassen. Das waren diese Kerle,
die ihrer Katze die Ohren mit Heftklammern am Kopf befe-
stigt hatten. »Na?« riefen sie mir nach, »trainieren Sie für
die Olympiade?«
Er war nicht homosexuell! Ich *wußte* es. Tief im Innern
hatte ich es schon immer gewußt.
Und jetzt hatte ich den Beweis dafür.
Aber das aufregendste war: Er hatte mit mir geflirtet!
Ich erinnerte mich an gewisse Momente. Wie er mich
manchmal ansah. Wie er gefragt hatte, ob er noch etwas
Preiselbeersaft haben könne, als er im Bett lag und seine
Krankheit auskurierte. Auf diese Art und Weise bat kein
Homosexueller um Preiselbeersaft. Oder als wir die Ge-
schäftsbücher durchgegangen waren und ich ihm berich-

tete, wieviel die Unterwäsche diese Woche eingebracht hatte: 260 Dollar, ein Rekordumsatz. »Joe, Sie sind einfach Klasse!« sagte ich. »Nein, meine Liebe«, erwiderte er und sah mir tief in die Augen, *Sie* sind Klasse.« Dabei hatte er mich sogar angefaßt!

Und dann die Geschenke! Kleine Aufmerksamkeiten, die er mir gelegentlich mitbrachte. Zum Beispiel die *roten Schuhe*. Er hatte sie von der alten Frau bekommen, die auf seiner Etage wohnte und immer in Unterwäsche im Heizungskeller herumlief. Schließlich steckte man sie in ein Pflegeheim, und ihre Tochter verkaufte all ihre Habseligkeiten. Joel hatte eigentlich auf den Nerzmantel spekuliert, den er gewinnbringend weiterzuverkaufen gedachte, aber der hätte ihn 500 Dollar gekostet. So erstand er statt dessen die Schuhe – spitze rote Pumps mit Pfennigabsätzen, ganz Jackie Kennedy. Wahrscheinlich waren sie das letzte Zeugnis von Modebewußtsein, ehe die arme alte Frau sich mit den bewährten Gesundheitstretern abfinden mußte. Die Schuhe erhielten einen Ehrenplatz auf meinem Nachttisch. Sie waren das letzte, was ich vor dem Einschlafen sah, und das erste, woran ich mich beim Aufwachen erfreute. Oft lag ich im Bett und betrachtete zärtlich meine Schuhe, während mich der Muskelkater in den Schenkeln peinigte. Aber der Muskelkater störte mich wenig, höchstens, wenn ich mich auf Dr. Finemans Couch hieven mußte. Das war vielleicht eine Tortur!

Sicher, es gab gewisse Hindernisse, die mir durchaus bewußt waren; schließlich war ich kein dummer Backfisch. *Er* war ein charismatischer Porno-Star, der seine schmutzige Unterwäsche für einen Haufen Geld verhökerte. *Ich* war eine gutbürgerliche Hausfrau aus Bronxville. *Er* war neunundzwanzig, *ich* einundvierzig. *Er* war Jude, *ich* Presbyterianerin.

Andererseits: Joel war nichts fremder als Schubladenden-
ken. Er sah die Menschen als Individuen. Immer wieder
mußte ich daran denken, was er einmal von seinen Fischen erzählt hatte; es war äußerst aufschlußreich gewesen. Zu Hause in Kalifornien hatte er drei Aquarien mit
tropischen Fischen, und Sie werden es nicht glauben: *Er
hatte jedem einzelnen Fisch einen Namen gegeben ...*

Vielleicht fragen Sie sich, was denn nun mit diesem Flittchen war, das ich bei Joel erwischt hatte – nun ja, sie entpuppte sich als ziemlich lästig. Anfangs hatte ich gehofft,
sie sei nur ein Abenteuer für eine Nacht, oder genauer: ein
Mädchen für eine Nacht, das zufällig einen überdimensio-
nalen Farbfernseher bei sich hatte. Bedauerlicherweise
war das nicht der Fall. Sie war offenbar mit Sack und Pack
eingezogen, ohne daß man mir einen Ton darüber gesagt
hatte. Es tat mir weh, mit ansehen zu müssen, wie man
bald überall in der Wohnung über ihre Sachen stolperte –
neckische Dessous, die Jeanskappen, die sie so liebte,
Stiefel mit abartig hohen Absätzen, Horrorschinken von
Stephen King.
Sie hieß Nanette – oder wie ich sie nannte: Njet-Nanette.
Innerhalb kürzester Zeit duellierten wir uns mit geistreichen Sticheleien, wobei ich meistens gewann, denn der
Himmel hatte mir eine ziemlich trübe Tasse als Gegnerin
geschickt. Vor kurzem hatte sie noch als Bardame in
Miami gearbeitet und dabei anscheinend nicht schlecht
verdient, aber weil sie immer nur einen Drink auf einmal
servieren konnte, hatte man sie rausgeschmissen. Sogar
Joel bemerkte, daß es mit ihrem IQ nicht allzu weit her
war, und nannte sie manchmal spöttisch »mein kleiner
Einstein«. Doch auch wenn die kleine Schlampe nicht die
Hellste war, besaß sie doch eine gewisse Bauernschläue.

Ich kann mir vorstellen, daß es Leute gab, die sie attraktiv fanden, aber ich gehörte nicht dazu. Ihr Busen war im Verhältnis zum Körper total überproportioniert, und wenn überhaupt jemand *zu* dünn sein kann, dann war sie es. Ihre streichholzdürren Beine sahen wie Stelzen aus, auf denen sie herumstakste. Derart magere Schenkel hatte ich mein Lebtag noch nicht gesehen, sie waren schlichtweg krankhaft. Wenn sie mit geschlossenen Beinen dastand, hätte man ohne weiteres mit einem Lastwagen zwischendurch fahren können.

Und ihre Frisur – einfach vulgär! Wasserstoffblond und ausgefranst. Ehrlich gesagt war jedes einzelne Merkmal ihres Erscheinungsbildes schon für sich genommen eine Beleidigung fürs Auge. Sie hatte winzige schwarze Knopfaugen, ein vorspringendes Kinn, und dazu auch noch vorstehende Zähne – nicht so schlimm wie Carly Simon, aber es ging eindeutig in diese Richtung. Ich habe, glaube ich, bereits darauf hingewiesen, daß ihr Busen viel zu groß für ihren Körper war, außerdem hatte ihr Teint eine absolut gräßliche Farbe – wie ein überreifer Kürbis! Sie behauptete, das seien Reste der Sonnenbräune von Key West, wo sie zuletzt gewohnt hatte. Wie sie ihre Tage in Key West verbracht hatte, blieb Spekulationen überlassen, aber es klang so, als hätte sie sich an den Swimmingpools der teureren Hotels herumgetrieben, um Männer aufzureißen.

Überhaupt – Männer: Sie waren Nanettes Lebenselixier. Eine dermaßen männerfixierte Frau – wie Dr. Fineman es ausdrücken würde – ist Ihnen garantiert noch nicht über den Weg gelaufen. Ihr bevorzugter Zeitvertreib bestand darin, auf der Straße möglichst langsam zu gehen, damit sich die Männer in Ruhe den Hals nach ihr verrenken konnten. Den Tag verbrachte sie hauptsächlich damit, sich die Haare zu waschen, sich zu parfümieren, zu rasieren, Härchen auszuzupfen und ihre Strapse auszuwaschen. Es war ungeheuerlich, wieviel Zeit sie allein für ihre Fingernägel vergeudete. Ständig wurden sie generalüberholt. Ihr neuester Trick waren zweifarbig lackierte Nägel, auf die sie einen winzigen goldenen Blitz oder eine Paillette klebte. Jedoch immer mit Ausnahme des Zeigefingers der rechten Hand – der bekam grundsätzlich Silberlack.

Wenn ich meine Gymnastikübungen machte oder im Haushalt herumwerkelte, schmiedete ich oft Pläne, wie ich Nanette loswerden könnte. Ich habe für Sie eine Liste zusammengestellt, mit welchen Methoden ich es ausprobiert habe. Bedenken Sie bitte, daß sie stark gekürzt ist, um die Druckkosten nicht allzusehr in die Höhe zu treiben:

- Jedesmal, wenn ich die Toilette in Joels Wohnung benutzte, zerrte ich ein wenig an dem Stromkabel ihres Föns – nicht so fest, daß ich es ganz herausriß, sondern so, daß der Kontakt gerade ein bißchen zu wackelig wurde.
- Ich reinigte den Teppich unentwegt mit Teppichschaum und wies Joel immer wieder darauf hin, wie schwierig es sei, den Zigarettengestank herauszubekommen.
- Joel hatte einmal gesagt, daß er es nicht ausstehen könne, in einem Bett zu schlafen, in dem auch nur ein einziges Sandkörnchen sei. Also bröselte ich heimlich Kekskrümel zwischen die Laken. (Vielleicht würde Joel diesem Flittchen dann sagen, sie solle sich »verkrümeln«! Ha!)
- In der Waschküche entdeckte ich eine riesige tote Wasserwanze, die ich mit einem benutzten Taschentuch aufhob und in Nanettes Kosmetiktäschchen verfrachtete.

- Wenn ich wußte, daß Joel nicht in der Wohnung war, rief ich dort an, sagte aber kein Wort. Damit konnte man Nanette völlig verrückt machen. »Wer ist da?« kreischte sie dann in den Hörer. »Bist du's, Larry?« Schließlich rief sie bei der Telefongesellschaft an und beschwerte sich, daß sie ständig belästigt würde. Gott sei Dank war ich immer klug genug gewesen, von öffentlichen Telefonzellen aus anzurufen. An einem regnerischen Abend fuhr ich stundenlang in Boyce' gelbem Regenmantel herum, die Taschen voller Kleingeld. Ich hielt praktisch an jeder Telefonzelle von Bronxville.

Doch aus den Tagen wurden Wochen, und das Klappergestell war immer noch da. Inzwischen hatte sie sich eingenistet wie die sprichwörtliche Made im Speck. Mir wollte nicht in den Kopf, warum Joel sie nicht rauswarf. Aber erst durch den *Zwischenfall mit den Riesenflaschen* wurde mir klar, auf welch unsicherem Terrain ich mich bewegte.

Ich war in der Wohnung und arbeitete. Joel und ich gingen die Probeabzüge seiner neuen Broschüre durch. Um es ganz offen zu sagen: »Joes Welt der Sinnlichkeit« war nicht besonders gut angekommen. Joel hatte nur einen flüchtigen Blick auf mein Werk geworfen und dann mit unnötig lauter Stimme verkündet: »So etwas verkaufe ich nicht!« Ich gab mir Mühe, das nicht persönlich zu nehmen, aber später, allein in meinem Badezimmer, ließ ich meinen Tränen freien Lauf.

Mit der neuen Beschimpfungs-Serie hatte sich unser Angebot an Kassetten nunmehr auf zehn vergrößert. Und sie verkauften sich allesamt glänzend. Aber für Joel noch nicht gut genug: Er überlegte ständig, mit welchen Tricks er den Umsatz weiter anheizen konnte.

»Welche verkauft sich am schlechtesten?« fragte er mich.

*»Der scharfe Brummi.«*

210

»Hmmm«, meinte er. »Dabei ist das die beste.« Er dachte einen Augenblick nach. »Und von welcher verkaufen wir am meisten?«

*»Auf die Knie, Schwanzlutscher«*, erwiderte ich in möglichst geschäftsmäßigem Ton. »Die geht doppelt so gut wie alle anderen.«

Joel stand auf und lief im Zimmer auf und ab. Man konnte förmlich sehen, wie die kleinen grauen Zellen arbeiteten. »Ich hab's!« rief er plötzlich und schlug sich mit der flachen Hand an die Stirn. »Wir ändern den Titel. Wir nennen sie *Auf die Knie, Schwanzlutscher, Teil Zwei!*«

Was ist dem noch hinzuzufügen? Der Mann war einfach ein Verkaufsgenie.

Obwohl man es an besagtem Tag selbst als Genie nicht leicht hatte. Der Fernseher plärrte, das Radio dröhnte in nervtötender Lautstärke. Joel und ich hatten die Eßecke zum Konferenzzimmer umfunktioniert, um ungeheuer wichtige Fragen zu besprechen, und während dessen überstieg der Lärmpegel locker den in der Grand Central Station. Ich schlug vor, wenigstens eins der Geräte auszuschalten, aber Joel störte der Krach offenbar nicht. Er war daran gewöhnt, außerdem arbeitete er immer an seinem Drehbuch, wenn er im Busbahnhof am Hafen saß. Er hatte nämlich gehört, daß John Sayles angeblich so zum Durchbruch gekommen war.

Und Nanette schenkte diesem Medienbombardement ohnehin nicht die geringste Beachtung. Im Augenblick stand sie vor dem Kühlschrank und streckte die Hände ins Gefrierfach – so trocknete sie nämlich ihre Fingernägel. Nach einer Weile – vermutlich waren die Nägel inzwischen trocken genug, daß man es riskieren konnte, sich ein paar Schritte vom Kühlschrank zu entfernen – erschien sie in der Tür. »Joel«, nölte sie, lässig gegen den

211

Türrahmen gelehnt, »wann reparierst du endlich das Regal im Badezimmer? Häh? Du hast's doch versprochen.«

»Einen Moment«, erwiderte Joel, denn wir steckten gerade mitten in der Warenbestandsaufnahme.

»Aber Joel ...«

Plötzlich wurde ihr Gequengel von etwas unterbrochen, was noch viel abscheulicher war: Die ersten Takte von »Don't It Make My Brown Eyes Blue« ertönte aus dem Radio. Nanette spurtete wie Althea Gibson zum Gerät und drehte es auf volle Lautstärke. Dann schloß sie die Augen und sang mit Crystal Gayle um die Wette. Es war ihr Lieblingslied, und offensichtlich entführte es sie in irgendwelche kosmischen Gefilde; jedesmal, wenn es ertönte, geriet sie in einen tranceartigen Zustand und schwelgte in Träumereien, die sie sämtlichen Leuten in ihrer Umgebung stimmgewaltig aufdrängte. Als der letzte Ton verklungen war, gab sie einen theatralischen Seufzer von sich, drehte den Lautstärkeregler einen halben Millimeter zurück und machte da weiter, wo sie zuvor aufgehört hatte: »Jooeeel ...«

Übrigens wäre besagtes Regal gar nicht erst heruntergekracht, wenn Nanette nicht zwei Literflaschen Shampoo und Conditioner darauf gestellt hätte. Der Anblick dieser riesigen Flaschen hatte mich nachdenklich gestimmt. Sie sahen nicht danach aus, als wollte sich ihre Besitzerin nur vorübergehend hier niederlassen.

Doch ich wußte ebenso, daß Joels Geduld ihre Grenzen hatte. Er konnte es nicht leiden, wenn jemand ihn herumkommandierte. Wutausbrüche waren bei ihm zwar nicht an der Tagesordnung, aber es gab sie: aus heiterem Himmel und ohne jede Vorwarnung. (Ich werde nie den Tag vergessen, als er entdeckte, daß ich versehentlich seine ganze schmutzige Unterwäsche gewaschen hatte.) Also saß ich einfach nur still da, wie die Katze, die den Kanarienvogel gefressen hat, und wartete, daß endlich die Fetzen flogen.

Aber es flogen keine Fetzen. Joel trottete in die Küche und holte einen Hammer. Dann trabte er ins Badezimmer und sang dabei »Wenn ich einmal reich wär'«. Unterdessen wartete ich mit gezücktem Bleistift darauf, daß er zurückkam. Ja, ich wartete eine ganze Weile. Es konnte doch nicht derart lang dauern, ein Regal anzubringen! »The Young and the Restless« ging zu Ende, dann fing »As the World Turns« an. Ich sah es von der ersten Minute bis zur Schlußsequenz. Danach »Guiding Light« …

Nun, ich habe nichts dagegen, daß Joel eine Freundin hat. Aber bitte eine mit etwas mehr Stil! Mit mehr Klasse! Eine, die seiner würdig ist. Vielleicht eine wie Linda Ellersbee. Oder wie Glenn Close.

Das war es, was ich an Nanette am meisten haßte: Sie wußte Joel überhaupt nicht zu würdigen. Sie hatte keine Ahnung, was für eine Sorte Mann sie sich da geangelt hatte. Sie sah in ihm lediglich ihren derzeitigen Liebhaber, den sie auf demselben Niveau ansiedelte wie den Barkeeper in Key West, den Rockmusiker in Reno oder den Kolumbianer in Miami. Ein Mann fürs Bett, nicht mehr und nicht weniger. Man sollte immer einen in petto haben, obwohl sie sich im Grunde nicht voneinander unterscheiden. Und man kann sich jederzeit einen neuen anlachen. Von Joels schöpferischen Qualitäten, seiner Einzigartigkeit, seiner Hilfsbereitschaft gegenüber einsamen Menschen – davon hatte Nanette nicht die geringste Vorstellung. Das kapierte diese dumme Pute einfach nicht, und deshalb haßte ich sie von ganzem Herzen.

Endlich kamen sie zurück. Nanette war aufgekratzt und

kokett. Sie setzte sich auf die Couch und fing an, Joel als Belohnung für seine handwerklichen Bemühungen die Füße mit Hautcreme einzureiben. Ich dagegen mußte wie eine Gerichtsstenographin dasitzen und mit ansehen, wie die Situation immer peinlicher und abstoßender wurde. Und immer eindeutiger. Bald konnte ich kaum mehr auseinanderhalten, welcher Arm und welches Bein zu wem gehörte, und unwillkürlich drängte sich mir das Bild von der Laokoon-Statue auf. Was findet er nur an ihr? fragte ich mich unentwegt. Was in Gottes Namen ist denn so toll an dieser Frau?

# Kapitel Vierzehn

Es war der Freitag vor Joels Geburtstag. Dieses Ereignis wurde ähnlich gefeiert wie das Wiegenfest der Queen. Sogar das Datum war geändert worden, um eine gebührende Huldigung durch die Öffentlichkeit zu gewährleisten (eigentlich war er nämlich zwei Tage vor Weihnachten zur Welt gekommen, aber das hätte unweigerlich zu Konflikten geführt). Seine Bekannten wurden per Telefonanruf und mit nicht sonderlich subtilen Andeutungen an den großen Tag erinnert, damit sie ja nicht vergaßen, Karten und Geschenke zu schicken – vor allem Geschenke. Und jedermann kam dieser Aufforderung nach: Kunden; ehemalige Kunden; Fans, die es sich nicht leisten konnten, Kunden zu sein; die Belegschaft des Bräunungsstudios; Freunde vom Fitneßtraining; seine Cousinen Mandy und Deborah; seine Tante Rose, die sehr liberal eingestellt war; die Frau, die ihm die Haare schnitt – buchstäblich alle. Er bekam so viele Hemden und Pullover von Bloomingdale's, daß ich zweimal fahren mußte, um sie alle gegen Gutschrift zurückzubringen. (Manchmal sicherte er einen Wunsch gleich dreimal ab, was beispielsweise hieß, daß ihm drei verschiedene Leute das Geld für das gleiche Trimmrad schenkten.) In Kalifornien war er für seine Partys berühmt gewesen. Einmal hatte er den italienischen Eissalon in Brentwood gemietet – für einen ganzen Nachmittag! Die Gäste saßen herum und verdrückten Unmengen Spaghettieis.

Wie bei der Queen gab es auch bei Joel eine Art Rahmenprogramm, das sich über mehrere Wochen erstreckte. Denn jeder Kunde war erpicht darauf, das Geburtstags-

kind zu einem Dinner – oder zumindest einem Mittagessen – auszuführen. Sein Terminkalender war derartig voll,
daß meine besondere Geburtstagsüberraschung bis zum
Montag der darauffolgenden Woche warten mußte. Das
war der erste Abend, an dem er noch nichts vorhatte.

An besagtem Freitag fuhr Joe zu Sklave Sheldons Haus
nach Connecticut; er wollte dort das Wochenende verbringen, um seinem fast fertigen Drehbuch den letzten
Schliff zu geben. Sklave Sheldon war sein bester Kunde
an der Ostküste. Er zahlte Joel pauschal zwanzigtausend
Dollar im Jahr; außerdem nahm er ihn laufend mit nach
Saint Bart's oder auf eine zweitägige »Raten-Sie-den-Mörder«-Zugreise nach Montreal und zurück. (Joel liebte solche Unternehmungen.) Sklave Sheldon konnte sich all
das leisten, weil er ein florierendes Möbelhaus besaß, im
Geld schwamm und keine Angehörigen hatte, außer
einer krebskranken Mutter in Miami Beach, die seit drei
Jahren dahinsiechte, wofür aber zu achtzig Prozent die
staatliche Krankenfürsorge aufkam.

Joel war schon oft in Sklave Sheldons Haus gewesen,
und ich muß sagen, es klang entzückend – ein Schmuckstück im authentischen Kolonialstil auf zwei Hektar
Land, ausgestattet mit Antiquitäten und allem erdenklichen Luxus. Da diese Ecke von Connecticut als »Kühltruhe« bekannt war, kaufte Sklave Sheldon Joel eine ganze
Serie Kaschmirschals, die er um den Körper gewickelt
trug wie Lawrence von Arabien. Joel fuhr für sein Leben
gern nach Connecticut. Dort hatte er Ruhe und Frieden
und konnte an seinem Drehbuch arbeiten, während Sklave Sheldon um ihn herumschwänzelte wie ein treuer
Hund.

Was durchaus wörtlich zu nehmen ist. Joel ließ den
armen Burschen beispielsweise am Fußende seines Bet-

tes auf dem Boden schlafen. Meine Lieblingsanekdote ist folgende: Als Joel einmal in der Bibliothek saß und schrieb, bat er Sklave Sheldon, ihm eine Tasse Tee zu machen. Ein paar Minuten später – er war ganz in den Plot vertieft – hörte Joel ein Geräusch. Er sah auf, und da kroch Sklave Sheldon auf allen vieren über den Orientteppich auf ihn zu und schob Tasse und Untertasse Zentimeter für Zentimeter mit der Nase vorwärts.

Natürlich kam ich fast um vor Neugier; ich wollte unbedingt wissen, wie dieser Mensch aussah. Joel weigerte sich zwar, ihn Nanette und mir vorzustellen, aber er konnte uns nicht daran hindern zuzusehen, wie der Sklave sein Gepäck (er reiste diesmal nur mit dem Allernötigsten – drei Taschen und die Schreibmaschine) im Kofferraum seines Mercedes verstaute.

Nanette war genauso neugierig wie ich. Wir zankten uns freundschaftlich um das Opernglas, mit dem wir dreizehn Stockwerke tief hinunterspähten – auf einen kleinen kahlköpfigen, fünfundfünfzigjährigen Mann, der in jeder Hinsicht unauffällig war, außer daß er den Blick keine Sekunde von Joel abwandte.

Es ist schwer zu erklären, aber wenn man mit einem anderen Menschen heimlich ein armes Würstchen beobachtet, dessen höchste Wonne es ist, zum Verzehr einer Büchse Hundefutter gezwungen zu werden, dann entsteht unwillkürlich eine gewisse Vertrautheit. Nanette und ich kicherten wie Teenager, rissen sarkastische Witze über Sklave Sheldon, und während wir am offenen Fenster fröstelten, fühlte ich, ob Sie es glauben oder nicht, eine Art Seelenverwandtschaft zwischen mir und Nanette aufkeimen. Irgendwie brach das Eis zwischen uns. Zu meiner Highschoolzeit hätten wir niemals Freundinnen sein können. Aber heute ... wer weiß?

Da fiel es mir wie Schuppen von den Augen: das war die perfekte Lösung. Ich würde ihre Freundin werden. Ich würde zu ihr »eine Beziehung aufbauen«. All diese Wochen, in denen ich ihr kalt und ablehnend begegnet war – ich hätte überströmend freundlich sein sollen! Ab heute wollte ich Nanettes Busenfreundin sein. Und sie *dann* hinterrücks erdolchen.

»Wie wär's mit einem Kaffee?« fragte ich und schloß das Fenster.

Ihre kleinen Knopfaugen musterten mich erfreut. Wir waren auf dem besten Wege zu einer Herzensbindung, das spürte ich. »Ähm, Kaffee?« meinte sie. »Gibt's hier nichts Anständiges?«

Das gab es, wie wir bald herausfanden. Zwar trank Joel keinen Alkohol, aber gestern war eine Flasche Champagner auf dem Gabentisch gelandet. Von einem Krankenpfleger namens Bruce Zykovsky. »Andre!« hatte Joel mehrmals gerufen. »Dieser Schwachkopf schickt mir *Andre!*«

Der Champagner war warm, also kippten wir Eiswürfel hinein.

In den ersten fünf oder zehn Minuten, die wir in der Küche saßen – wir Mädchen unter uns, zwischen Stephanie Sabinaks Gewürzregal aus Ahorn mit dem dazu passenden Küchenpapierhalter und ihrer Keramikzuckerdose mit dem Wiesenblumenstrauß – erwartete ich tatsächlich (vielleicht war der Champagner schuld), daß sich Nanettes wahres Ich vor mir enthüllen, daß ich eine andere Nanette kennenlernen würde. Ich würde ihre guten Seiten entdecken, das menschliche Wesen, das sein ganzes Leben lang nichts als schikaniert, ausgenutzt und von Männern mißhandelt worden war. Ich würde das unschuldige kleine Mädchen in einer vom Leben gezeichneten

Frau zu Gesicht bekommen, wie in einem Dokumentarfilm im Kulturprogramm.

Nun ja, ich irrte mich. Denn als Nanette ihren wahren Charakter entblößte, war es noch schlimmer, als ich befürchtet hatte. Sie war *tatsächlich* eine dumme, bornierte Tussi. Ihre Sicht der Welt war die einzig richtige, und dies wiederholte sie in endlosen Variationen: Die Männer wollten einen nur reinlegen, aber sie ließ sich davon nicht einschüchtern. Wenn einer ihr »blöd kam«, schlug sie ihn mit seinen eigenen Waffen – nur härter. Zum Beispiel die zwei Burschen, die in Key West neben ihr wohnten. Die hatten Nanette beschuldigt – fälschlicherweise, wie sie mir versicherte –, sie hätte rohe Eier auf die Sitze in ihrem offenen Sportwagen gekippt und den Bezug ein für allemal ruiniert. Also zahlte sie es den beiden ordentlich heim: Sie heuerte ein paar Teenager an, die ihnen mit Steinen die Fensterscheiben einschmissen. Dann war da noch dieser Mann in Arizona, der Nanette beim Trampen mitgenommen hatte und mit ihr ein Wochenende in Las Vegas verbrachte. Als er ihr die 500 Dollar nicht geben wollte, die sie mit seinem Geld gewonnen hatte, zeigte sie ihn wegen Vergewaltigung an. (»Dem hab' ich's gegeben!«) Wenn ein Vermieter sie auf die Straße zu setzen versuchte, zog sie sofort sämtliche Register und scheute keine Tricks, auch wenn sie nicht ganz legal waren. Gleichgültig, um welches Problem es ging – Nanettes Lösung lautete: »Verklagen!« Ich habe noch nie jemanden kennengelernt, der so viele Prozesse am Hals hatte. Sie mußte immer vier oder fünf gleichzeitig führen. Ja, sie hätte einen Ratgeber über erfolgversprechende Zivilklagen schreiben können, so gut kannte sie sich aus. Ständig riefen irgendwelche zwielichtigen Rechtsanwälte an und wollten sie sprechen. Sie hatte sogar ihre Eltern verklagt.

Diese bedauernswerten Menschen lebten in Plattsburgh, New York, nahe der kanadischen Grenze. Der Vater war Chiropraktiker und Grundeigentümer (nebenbei trainierte er die Hockey-Juniorenmannschaft), die Mutter Sekretärin im Pfarramt. Nanette holte ein Bild aus ihrer Brieftasche: Dad trug ein künstliches Gebiß und bewahrte seinen Kugelschreiber in einer dieser Plastikschutzhüllen in der Brusttasche auf. Mom hatte ihre Strickweste mit einer kleinen Goldkette geschlossen und trug ihre gute Brosche. Als Nanette vierzehn war, mußten ihre armen Eltern sie in eine psychiatrische Klinik einliefern.

»Du lieber Himmel!« sagte ich voller Mitleid (für die Eltern). Können Sie sich Nanette mit vierzehn vorstellen? »Wie ist das passiert?«

»Der Richter hat sie gezwungen. Sonst hätte man mich vor Gericht gestellt.«

»Weshalb?«

»Totschlag«, antwortete sie und schnippte die Asche ins Spülbecken.

Ich dachte: »Nichts wie weg hier«, aber dann stellte sich heraus, daß eigentlich Nanettes Freund den Mord begangen hatte. Und nur, weil er provoziert worden war – von dieser alten Frau, in deren Haus die beiden eingebrochen waren. Außerdem war es nicht seine Schuld gewesen, denn er war schwarz und hatte schon sein halbes Leben im Knast verbracht.

»Die haben mich mit Psychopharmaka traktiert«, fuhr sie fort und schauderte. »Zwei Jahre lang! Ich war ein regelrechter *Zombie*.« Ein Rechtsanwalt hatte Nanette eingeredet, ihre Unfähigkeit, einer geregelten Arbeit nachzugehen oder sich einen Job zu suchen – oder auch nur daran zu *denken*, sich einen Job zu suchen –, sei eine Spätfolge der Psychopharmaka. Und wenn sie ihre Eltern verklagte, hätte sie ziemlich gute Aussichten, daß die beiden alten Leute Schmerzensgeld und die Rehabilitationskosten zahlen mußten.

»Aber Nanette«, gab ich zu bedenken. »Um den Prozeß zu gewinnen, mußt du nachweisen, daß du nicht alle Tassen im Schrank hast.«

Sie starrte mich an. Offensichtlich hatte sie daran noch gar nicht gedacht. »Na, wenn schon«, meinte sie dann und warf den Kopf zurück. »Das kann ich simulieren.«

Gegen sieben machten wir in höchst ausgelassener Stimmung eine Spritztour zum nächsten Spirituosengeschäft, um Champagner nachzukaufen. Sie hatten diese Piccolos, die man auch im Flugzeug bekommt, und sie sahen so niedlich aus, daß wir gleich einen ganzen Karton davon mitnahmen. Zu Hause bestellten wir dann Pizza, und Nanette brachte mir bei, wie man das I Ging warf. Sie machte das jeden Tag. Ich hatte mich schon über die seltsamen Geräusche aus ihrem Schlafzimmer gewundert. »Heute bin ich im großen Kessel«, erklärte sie mir. Als wir geworfen hatten, mußten wir ausführlich in ihrer Anleitung blättern, und dann gab Nanette bekannt, daß ich demnächst eine schreckliche Erfahrung machen würde. Na klar, dachte ich, ein Abendessen mit Nanette! Doch das verlief eigentlich recht angenehm. Nach dem Essen wuschen wir uns die Hände, und Nanette spielte ein bißchen mit meinen Haaren herum. Die einzige Ausbildung, die ihr je Spaß gemacht hatte, war ein gerichtlich angeordneter Friseurlehrgang in der Berufsschule gewesen. Dann kamen wir uns noch ein Stück näher: Wir lackierten uns die Nägel und steckten gemeinsam die Hände ins Gefrierfach.

Unterdessen war ich kurz davor durchzudrehen. Ich hatte jetzt sechs nervtötende Stunden lang Nanettes Gequassel über mich ergehen lassen. Wir hatten über Astrologie, Tätowierungen, Paul McCartneys Drogenskandal und das schockierende Verhalten der Obdachlosen gesprochen. Über alles, nur nicht über das, was mir auf der Seele lag. Schließlich entschloß ich mich, den Stier bei den Hörnern zu packen.

»Übrigens«, meinte ich und inspizierte eine Dose Orangensaftkonzentrat, die direkt vor meiner Nase stand. »Wo hast du ihn eigentlich kennengelernt?«

»Wen?«

»Joel.«

Zuerst antwortete Nanette nicht, aber als sie sich dann zu mir umdrehte, sah ich ein gefährliches Glitzern in ihren Augen. Sie streckte eine ihrer scharlachroten Krallen aus und pustete darauf. »Weißt du was?« Wieder blies sie auf die Nägel. »Ich zeige es dir.«

Als wir im Taxi losbrausten, fragte ich mich wie üblich, ob ich wohl richtig angezogen war. Paßte ein Tweedkostüm wirklich in die Nachtclubszene der City? Nanette hatte mehr als eine Stunde damit verbracht, sich in Schale zu werfen. Und ich muß zugeben, daß mich ihre Gewissenhaftigkeit beim Ankleiden an einen dieser Tiefseetaucher von Jacques Cousteau erinnerte, bei denen Leben und Tod davon abhing, daß alles stimmte. Jeder Handgriff wurde langsam, systematisch und mit größter Sorgfalt ausgeführt, während eine Pat-Benatar-Schallplatte in voller Lautstärke dröhnte. Allein für die Lippen brauchte sie zwanzig Minuten. Jetzt prunkte sie in einem selbst entworfenen schwarzledernen Minirock, dazu trug sie Netzstrümpfe und so hohe Pfennigabsätze, daß sich ihr ganzer Körper nach vorne neigte. Ihr Bustier wurde vorn durch Metallösen geschnürt. »Mach dir keine Sorgen«, beruhigte sie mich, weil ich mir über meine Aufmachung noch immer den Kopf zerbrach. »Die lassen jeden rein.«

Was für eine Sorte von Nachtclub mochte das wohl sein? Ich versuchte, ihn mir vorzustellen. Irgendwie hoffte ich, daß er Ähnlichkeit mit Le Zinc haben würde, dem bis spät in die Nacht geöffneten Bistro, in dem gestrandete Europäer Perrier süffelten. Oder vielleicht ein Rockschuppen wie der, in dem John F. Kennedy junior verkehrte? Meine größte Befürchtung war, daß es sich um einen Punkladen handelte; ich hatte einmal im *»PM Magazine«* ein Bild von einem solchen Lokal gesehen; dort spuckten sich die Gäste gegenseitig das Bier ins Gesicht.

Von außen sah das Etablissement jedenfalls nicht gerade vielversprechend aus – ein besonders schmuddeliges Backsteingebäude unten am Fluß, in einem Viertel, von dem ich nicht einmal gewußt hatte, daß es existierte. Nanette sagte, es sei das Schlachthofviertel mit Fleischbeschau, und schüttelte sich vor Lachen. Wir gingen hinein, und ich stolperte hinter ihr eine Treppe hinunter, die in ein kleines, grell beleuchtetes Foyer führte. Die Wände waren gallengrün gestrichen.

»Hey, Roger«, rief Nanette einem fetten Mann zu, der in einer Kabine saß. »Das ist meine Freundin Mimi.«

»Alles klar, Mimi«, begrüßte mich Roger. »Willkommen im Hellfire.«

Hinter Rogers Kopf stand auf einem Schild »Privatclub«. Darunter die Eintrittspreise für Nichtmitglieder: »Frauen $5. Paare $10. Männer einzeln $15.« Doch Roger ließ uns gratis herein. Durch die Pendeltür kamen wir in einen weiteren Vorraum mit einer Garderobe. Hier war die Musik schon deutlich lauter. Ich versuchte, durch den Eingang ins Clubinnere zu schielen, aber eine Gruppe von Gästen verstellte mir die Sicht. Ehrlich gesagt war ich ziemlich enttäuscht. Sie machten keinen sonderlich eleganten Eindruck.

Die Garderobiere, eine mausgraue Erscheinung um die vierzig mit Brille und Rollkragenpullover, entpuppte sich ebenfalls als Freundin von Nanette, und während die beiden miteinander plauderten, spähte ich über ihre Schulter und versuchte, anhand der Mäntel und Jacken Anhaltspunkte über die Besucher zu gewinnen. Das einzig auffallende Stück war eine lachsfarbene Hose, die an einem Haken hing. Ich versuchte mir vorzustellen, durch welche Verkettung von Ereignissen sich jemand wohl dazu gezwungen sah, seine Hose an der Garderobe abzugeben. Es war und blieb mir ein Rätsel.

Das Gespräch der Frauen war inzwischen zur politischen Situation im Club vorgedrungen, und es sah aus, als würden sie so bald nicht zum Ende kommen. Ich sah mich um. Hinter mir an der Wand war ein Schaukasten – wie im Lido in Paris, ging mir durch den Kopf, während ich hinschlenderte, um seinen Inhalt in Augenschein zu nehmen (Boyce und ich hatten diesen berühmten Nachtclub einmal im Rahmen der Stadtrundfahrt »Paris bei Nacht« besucht.) Doch statt Blumen und Parfüm wurden hier Hundehalsbänder und Hundeleinen feilgeboten, was ich ziemlich befremdlich fand.

Als ich mich wieder umdrehte, sah ich, wie Nanette durch den Eingang entschwand. Wenn mich etwas wirklich in Angst und Schrecken versetzt, dann der Gedanke, allein in einem fremden Nachtclub zu sein, also sprintete ich ihr nach.

Drinnen brauchte ich ein paar Minuten, bis sich meine Augen an das Licht gewöhnten, oder richtiger: an die Finsternis. Dieses Lokal war absolut *duster*. Erst nach einer ganzen Weile stellte ich fest, daß wir uns in einem langgestreckten, niedrigen Raum befanden; genau in der Mitte stand eine Bar. Es war, im wahrsten Sinne des Wortes, ein Keller: die Stützpfeiler an den Wänden waren nackter Stein, der Zementboden feucht und kalt. Hie und da hatte sich eine kleine Pfütze gebildet. Die Decke war so niedrig, daß man sie mit ausgestrecktem Arm berühren konnte, und durchzogen von einem Labyrinth aus Rohren und Leitungen. Von einer Stelle tropfte etwas ziemlich Kaltes auf meine Wange.

Während Nanette mit dem Barkeeper um ein paar Wodka-Tonics auf Kosten des Hauses feilschte, betrachtete ich das Publikum. Die Leute in meiner unmittelbaren Nähe wirkten ausgesprochen normal, was einerseits beruhigend, andererseits enttäuschend war. Ich fragte mich schon, was das ganze Getue eigentlich sollte. Man zahlte doch nicht solche Preise, um in einem düsteren, feuchten Keller neben einem Ehepaar aus New Jersey herumzustehen? Vielleicht, wenn man den Raum entsprechend herrichtete ... als Grotte war er vielleicht gar nicht so übel: Fischernetze, Chianti-Flaschen ...

Ein Mann stand jetzt direkt neben mir, ein paar Zentimeter zu nah, als daß es sich um einen Zufall handeln konnte. Unauffällig musterte ich ihn aus den Augenwinkeln. Er dagegen starrte mich unverhohlen an. Ich drehte mich weg, zählte langsam bis zehn und sah dann wieder hin. Der Mann starrte immer noch.

Er war um die dreißig und nicht unattraktiv. Er erinnerte mich an diesen Burschen aus »The Young and the Restless« – an den mit den Komplexen, der den Schulbus entführt. Lockige Haare, dunkle, sehnsüchtige Augen. Die er keinen Moment von mir abwandte. Spöttisch und zugleich flehend, voll Verlangen und dennoch fordernd, leicht vorstehend – wie bei Harpo Marx.

Doch das Merkwürdigste war das leichte Beben seines Körpers, als sei er krank und hätte Fieber. Sein rechter Arm zitterte am meisten. Mein Blick wanderte am Ärmel seines zerknitterten Baumwollpikeehemdes entlang, glitt über seinen Stoffgürtel und hinunter auf den Hosenschlitz seiner Khakihose – aus dem ein großer, erigierter Penis ragte, den er mit Inbrunst massierte.

»Nanette!« zischte ich.

»Howie!« kreischte sie und fiel dem Mann um den Hals.

Mein erster und einziger Wunsch war, auf der Stelle zu verschwinden – natürlich höflich und ohne viel Aufhebens, aber *schnell!*

An meinem Drink nippend, schlängelte ich mich von Nanette und Howie weg. Ich hatte furchtbare Angst, Nanette könnte auf die Idee kommen, uns miteinander bekannt zu machen, und das wollte ich unter allen Umständen vermeiden. Ganz abgesehen davon, daß mir das zutiefst peinlich gewesen wäre – der Mann onanierte noch immer, und allein beim Gedanken, seine Hand schütteln zu müssen, überfiel mich ein unwiderstehlicher Brechreiz. Natürlich onanierte er jetzt nicht mehr volle-Kraft-voraus wie eben; eher etwas angelegentlich, als fummelte er ganz in Gedanken an sich herum, während er seine Bekanntschaft mit Nanette auffrischte.

»Ist Joe auch hier?« fragte er.

»Nee«, antwortete Nanette. »Er ist mit 'nem Sklaven in Danbury.«

Ich verzog mich noch weiter und vermied sorgsam jeden Blickkontakt. Schließlich war ich an der Ecke der Bar angelangt. Neben mir hatten sich ein paar Leute versammelt, die etwas beobachteten. Zuvorkommend machten sie Platz und gaben auch mir den Blick frei auf eine grobknochige, rothaarige Frau mit einem schwarzen Korsett und einer Motorradkappe. Sie peitschte einen Mann mit einer Reitgerte aus. Er war mit den Armen über dem Kopf an einen Pfosten gefesselt und trug dünne weiße Socken und billige schwarze Schuhe, die Sorte, die es für zwölf Dollar bei Davega gibt. Dieses Detail hat sich mir eingeprägt, denn sonst hatte er nichts an.

»Scheißkerl«, sagte die Frau. »Das gefällt dir, stimmt's?« Der Mann mit den Socken murmelte etwas Unverständliches.

»Sag schon, daß es dir gefällt!« befahl sie und hieb auf seine Genitalien ein. Die Schaulustigen verfolgten fasziniert, wie sie in die Tasche griff und ein paar Wäscheklammern herauszog. Dann machte sie sich daran, diese an die Hoden des Mannes zu klemmen, während er leise wimmernde Geräusche von sich gab.

»Hey!« rief sie. »Kann mir nicht mal jemand helfen?«

Ich drehte mich um, verlor mich so unauffällig wie möglich in der Menge und machte mich auf die Suche nach Nanette und Howie. Hoffentlich hatten sie ihr Gespräch inzwischen beendet! Andernfalls würde ich mich eben entschuldigen und schleunigst von hier verschwinden ...

Aber Nanette war nicht mehr an der Bar.

Ich stellte mich auf Zehenspitzen und versuchte, einen Überblick zu bekommen. Mein Aussichtspunkt war exzellent, meine Augen inzwischen an die Dunkelheit gewöhnt, da durfte es mir eigentlich nicht schwerfallen, Nanette ausfindig zu machen.

Aber sie war nirgends zu entdecken.

Ich holte tief Luft und versuchte, die aufsteigende Panik hinunterzuschlucken. Ich konnte doch einfach gehen! Wer hätte mich daran hindern sollen? Schließlich war ich nicht an einen Pfosten gefesselt wie der Mann in den Zwölf-Dollar-Schuhen. Ich konnte einfach aus der Tür laufen, in ein fremdes, unbeleuchtetes, menschenleeres Viertel hinausspazieren und versuchen, ein Taxi zu bekommen ... hmmm. Vielleicht war es hier doch nicht ganz so schlimm. Wenn ich mich weiterhin unauffällig verhielt ...

An der Bar stand ein leerer Hocker, und ich setzte mich. Die Leute neben mir hätten an jeder x-beliebigen Bar der Welt stehen können. Ein großer Mann mit Hakennase und wilder Mähne in einem wunderschönen, marineblauen Blazer kam mir irgendwie bekannt vor. Du meine Güte – es war Jerzy Kosinski, der berühmte Pole! Bestimmt sammelte er hier Anregungen für seinen neuen Roman. Sein Anblick gab mir Mut. Vielleicht hatte diese Spelunke ja doch ein gewisses Etwas.

Das Paar rechts neben mir machte diesen Gedanken allerdings eher zweifelhaft. Die beiden waren so bieder, wie man es in New York selten sieht. Vor allem die Frau. Obwohl sie nicht schlecht aussah, verbreitete sie die Aura einer Bankangestellten aus einer Kleinstadt in Ohio: blond, fünfunddreißig, mit einer karierten Bluse aus Baumwolle-Kunstfasermischung und einem Jeans-Wickelrock. Ihr Mann (ich bin sicher, daß sie verheiratet waren, denn sie wechselten kein Wort miteinander) war etwa zehn Jahre älter und hatte einen gepflegten grauen Bart. Er erinnerte vage an den Countrysänger Kenny Rogers und sah aus, als ob er ein ausgesprochen tüchtiger Lastwagenfahrer wäre.

Doch als ich der Frau ins Gesicht sah, erkannte ich mit einem Schlag, was los war. Der verkniffene Mund, das beklommene Zittern des Kinns, das sie zu unterdrücken versuchte: Sie war gegen ihren Willen hier! Ihr Mann zwang sie dazu, und sie hatte so wenig Selbstachtung, daß sie sich seinem Willen beugte. Sie tat mir bitter leid.

Da ich die Menge weiter nach Nanette absuchen wollte,

228

hatte ich mich mit dem Rücken zur Bar gesetzt. Leider wurde mir bald klar, daß ich damit gewisse Schwierigkeiten heraufbeschwor: Ich thronte nämlich wie auf einem Präsentierteller, und dauernd bauten sich irgendwelche Männer vor mir auf, um zu onanieren. Sie entwickelten sich zu einer Landplage, diese herumstreunenden Wichser. Obwohl es eigentlich nicht mehr als acht gewesen sein können, schienen sie allgegenwärtig; ständig waren sie auf Achse, damit ihnen bloß nichts entging. Einer von ihnen, ein junger Asiate mit einem Fu-Manchu-Bart, trug sehr, sehr kurze Shorts aus schwarzem Leder und ein Hundehalsband. Immer wieder versuchte er, mir die Leine in die Hand zu drücken. Doch am schlimmsten war ein Mann mittleren Alters, der aussah wie Ernest J. Morrisette – der Mann, der uns die Steuererklärung machte. Er war sogar gekleidet wie ein Buchhalter, mit grauer Hose und bügelfreiem Hemd. Sein Penis war so kurz, daß er nur Daumen und Zeigefinger zu benutzen brauchte. Ich blickte stur geradeaus und ignorierte ihn, aber das erregte ihn nur noch mehr. Seine Hand hüpfte auf und ab wie die Nadel einer Nähmaschine. Da ich Angst hatte vor dem, was mir hier noch bevorstehen mochte, rutschte ich von meinem Hocker und machte mich auf die Suche nach der Damentoilette.

Ich war noch nicht fündig geworden, als eine Stimme aus dem Lautsprecher dröhnte; wahrscheinlich war es Roger, der Mann vom Eingang. »Nur zur Erinnerung: In der Damentoilette sind Szenen aller Art verboten. Keine Szenen in der Damentoilette. Außerdem ist nur Frauen der Zutritt zur Damentoilette gestattet. Nur Frauen dürfen in die Damentoilette.«

Vielleicht war es bei mir doch nicht ganz so dringend.

Ich *mußte* Nanette einfach finden. Eigentlich gab es auch

nur zwei Orte, wohin sie verschwunden sein konnte. Der erste war eine höhlenartige Öffnung in der dunkelsten Ecke des Raumes. Ich versuchte hineinzuspähen, aber alles war pechschwarz. Leute gingen hinein, kamen aber nicht wieder heraus. Um nichts in der Welt würde ich mich da reinwagen.

Die andere Möglichkeit kam mir etwas vielversprechender vor: der Eingang am entgegengesetzten Ende des Raumes in einer der helleren Ecken. Fröhliche Menschen gingen in diese Richtung, und es waren viele Frauen darunter. Ich holte tief Luft und folgte drei jungen Männern aus Brooklyn; einer von ihnen trug eine knallrote Unterhose auf dem Kopf.

Direkt hinter dem Eingang wurde es plötzlich wieder finster und totenstill. Wir stolperten mehr oder weniger im Gänsemarsch den Gang entlang, wie bei einer Ausstellung, wo man an einer Reihe von Vitrinen mit interessanten Kunstobjekten vorbeidefiliert. Hier war allerdings nichts ausgestellt; es war mehr eine Schau kleiner Happenings. Jede Performance fand in einer Sperrholzkabine statt, und im Vorbeigehen konnte man hineinsehen und beobachten, was da vor sich ging. War man interessiert, konnte man hineingehen und sich beteiligen, man konnte aber auch einfach zusehen. Das Verhältnis von Zuschauern zu Akteuren war ungefähr 10:1, Gott sei Dank. Niemand drängte einen mitzumachen, und das Beste von allem: Man war diese verdammten Wichser los. Denn die tummelten sich lieber im weitläufigeren vorderen Raum.

In der ersten Kabine machte ein schwarzer Transvestit in einem Paillettenkleid Fellatio bei einem Pakistani. In der zweiten war irgendwas gerade zu Ende gegangen; dort saß nur ein nackter Mann, der seine Socken auswrang. Was in der dritten vor sich ging, kann ich beim besten Willen nicht sagen; die Leute standen so dichtgedrängt, daß man nichts erkennen konnte, nur eine Reihe von Rücken. Der Voyeurismus forcierte ein ziemlich rücksichtsloses Geschubse. Kaum entstand eine Lücke, gab es schon ein Geplänkel um den freien Platz. In der vierten Kabine war eine Frau in schenkelhohen Stiefeln dabei, einen nett aussehenden jungen Mann mit Hornbrille nach allen Regeln der Kunst zu demütigen. Sie wollte ihn dazu bringen, mit einem anderen Mann, einem Hippie, den sie an Händen und Füßen gefesselt hatte, sexuell intim zu werden. Mir tat der Anblick in der Seele weh. »Ich bin nicht andersrum«, beteuerte der junge Mann und starrte den Penis des Hippies an, als wäre der eine angriffslustige Kobra. Die Frau lachte gellend. »Hier sind alle andersrum«, kreischte sie. »Jetzt lutsch endlich!«

Offen gesagt, zu diesem Zeitpunkt war ich durchaus bereit zu gehen, auch *ohne* Nanette gefunden zu haben. Die nächsten zwei Kabinen ließ ich aus und bog gerade in Richtung Ausgang um eine Ecke – als ich sie entdeckte. Sie stand mit mehreren Leuten auf einer kleinen Bühne um eine Art Operationstisch herum. Die ganze makabre Szenerie erinnerte mich an eine Horde Trunkenbolde, die bei einer Operation kiebitzten; sie rissen Witze und johlten vor Lachen.

Ich schlich näher heran. Auf dem Tisch lag die blonde Frau, die hier war, um ihre Ehe zu retten. Sie lag flach auf dem Rücken, die Hände mit einem Ledergürtel über dem Kopf festgebunden. Ihr Wickelrock war jetzt offen und bis zur Taille hochgerutscht. Zwischen ihren Beinen sah ich einen schmierigen Kopf, der sich auf und ab bewegte. Die Frau versuchte wohl etwas zu sagen, aber ich konnte nichts verstehen, weil ein großer schwarzer Penis in ihren Mund gestopft war.

»Leck die Möse, Mann«, rief derjenige aus, dem der Penis gehörte. Er war ziemlich groß und trug eine Sonnenbrille. »Fester, Mann, fester. Gib's dem Mädchen!«

»Also bitte, Tyrone«, meinte da Nanette mit einem fiesen Kichern. »Du mußt einem Spanier doch nicht erklären, wie man eine Möse leckt.«

Das schien zu stimmen. Der schmierige Kopf war wie besessen zugange, zuerst auf und ab, dann von einer Seite zur anderen, und schließlich gelang ihm eine raffinierte Rundumbewegung, die von der Menge mit staunenden »Oohs« bedacht wurde. Ich mußte mich abwenden, um meine Fassung wiederzugewinnen. Die arme Frau. Sie brauchte dringend einen Anwalt. Wußte sie denn nicht, daß es für Frauen wie sie Beratungsstellen und Frauenhäuser gab? Sie konnte einen Beruf erlernen und diesem widerlichen Kerl den Laufpaß geben – der übrigens daneben stand und zusah. Ja, ihr Mann stand tatsächlich daneben und sah zu. Ich konnte nicht fassen, wie so etwas möglich war.

Dann nahm ich meinen ganzen Mut zusammen und sah ihr noch einmal ins Gesicht. Zugegeben, mit einem großen, schwarzen Penis im Mund ist niemand eine Schönheit, aber neben dem Schmerz und der Erniedrigung konnte ich noch etwas anderes in ihrem Gesicht lesen. Eine gewisse tragische Würde – das trifft es vielleicht am besten. Möglicherweise war die Situation doch nicht so verfahren, wie ich dachte. Die Menschen tun die seltsamsten Dinge aus Liebe. Irgendwie identifizierte ich mich mit dieser Frau. Sie liebte diesen Typen. Sie war bereit, alles für ihn zu tun. Sogar ... das hier.

Da bemerkte ich ... ihre Hand. Sie war zwar über ihrem Kopf festgebunden, aber sie bewegte sich dennoch, in ihrem eigenen Rhythmus ... stahl sie sich zwischen

Nanettes Beine und glitt höher, wo sie ... aktiv wurde. Dazu hatte sie ihr Mann nicht gezwungen. Das tat sie aus freien Stücken.

Das gab endgültig den Ausschlag. Hier hielt mich nichts mehr. Ich drehte mich um und ging geradewegs zum Ausgang, ohne die anderen Performances eines Blickes zu würdigen. Den alten nackten Mann, der mit gespreizten Beinen in einer Schlinge hing, sah ich kaum an. Ich war nur noch von einem einzigen Gedanken beseelt: Zurück nach Bronxville, je eher, desto besser.

Die Tür zur Garderobe kam in Sicht. Noch fünfzig Zentimeter. Ich fühlte mich wie ein Taucher, der zur Wasseroberfläche hochstrampelt. Zwanzig Zentimeter ... fünfzehn Zentimeter. Als ich endlich die Garderobe erreichte, überkam mich eine Woge der Erleichterung, als wäre ich mit letzter Kraft aus einem brennenden Gebäude entronnen. Ich stolperte über die Schwelle, und da stieß ich frontal mit einem Mann zusammen, der sich gerade ein Pfefferminzdragee in den Mund schob.

»Hoppla«, sagte ich, und unsere Blicke trafen sich.

Es war Tom Potts.

# Kapitel Fünfzehn

Zumindest dachte ich, es sei Tom Potts. Er sah so furchtbar aus, daß ich mir nicht ganz sicher war. Zwar hatte ich ihn ein paar Monate nicht gesehen, aber konnte sich jemand in so kurzer Zeit so stark verändern? Dieser Tom Potts war enorm gealtert: Er war älter, dünner und kahler. Ja, vor allem kahler. Ich war entsetzt. Er hatte nur noch ein paar dünne Haarsträhnen auf dem Kopf – wie ein Patient nach der Chemotherapie.

Und dann seine Klamotten! Ich hätte nie gedacht, daß mir das je über die Lippen kommen würde, aber: Tom Potts war angezogen wie ein Klon. Tom, mein geliebter Tom, der immer ausgesehen hatte, als sei er dem Schaufenster von Paul Stuart entsprungen; der kultivierte Tom, der bunte Karostoffe zu kombinieren wußte wie kein anderer … jetzt stand er vor mir in Jeans, einem weißen T-Shirt und einer schwarzen Lederjacke. Sicher, für eine schwarze Lederjacke war sie sehr elegant: Schalkragen, geknöpfte Manschetten und aufwendige Steppereien an den Schultern; aber es war und blieb eine schwarze Lederjacke. Und die Klamotten paßten ihm nicht einmal! Die Hose war zu weit und warf unter dem Gürtel jede Menge Falten. Tom hatte bestimmt an die zwölf Kilo abgenommen.

»Wasser … Wasser«, ächzte er.

Ich weiß nicht, was wir getan hätten, wenn er nicht sein Pfefferminzdragee verschluckt hätte. Das gab uns beiden einen Augenblick Zeit, die Situation in den Griff zu bekommen. Ich versuchte mir eine harmlose Erklärung einfallen zu lassen, warum ich mich nachts um eins im »Hellfire«

herumtrieb, allerdings ohne Erfolg. Tom war nicht weniger verlegen als ich. Einen peinlichen Moment lang zögerten wir, ob wir uns umarmen sollten. Schließlich löste Tom dieses Problem, indem er à la Winnetou mit ausgestreckten Armen die Hände auf meine Schultern legte. »Ich habe versucht, Sie zu erreichen«, sagte er und wollte unbedingt, daß ich ihn an die Bar begleitete.

Mittlerweile war es drinnen gerammelt voll; wir entdeckten aber zwei freie Barhocker und rannten los, damit sie uns keiner wegschnappte. Doch kaum hatten wir uns niedergelassen, wurde uns schlagartig klar, warum hier niemand saß: wir befanden uns direkt vor den Lautsprechern. Ich hätte die Hocker gern ein Stück weiter weg gerückt, doch Tom war nach unserem kurzen Sprint so erschöpft, daß er eine ganze Zeitlang nur dasaß und nach Luft schnappte. Die Musik war so laut, daß wir uns gegenseitig ins Ohr brüllen mußten, wenn wir etwas sagen wollten. Ich erzählte Tom, daß ich wegen meiner Allergien nicht hatte nach Indien reisen können, und er gab eine Anekdote von Lavinias letztem Urlaub in Australien zum besten, wo sie von einem aufgebrachten Koala fast zerfleischt worden wäre, als sie versuchte, ihn auf den Arm zu nehmen.

Mir fielen ein paar Flecken an Toms Hals auf. Er hatte sie mit Make-up und Puder notdürftig kaschiert.

Inzwischen platzte ich fast vor Neugier. Was wollte er von mir? Jedenfalls ließ er sich reichlich Zeit, endlich zur Sache zu kommen. Er redete permanent von Lavinia – wie chaotisch sie sei, wie phantasielos, wie schlecht sie mit Leuten umgehen könne. Das war Musik in meinen Ohren, keine Frage, aber das war doch sicher nicht alles, was er mir bei diesem unverhofften Wiedersehen in einem Sado-Maso-Nachtclub sagen wollte. Nur wenige

Meter von uns entfernt ließ ein Mann, den man »Tony das Pony« nannte, Frauen auf seinem Rücken reiten und trug dabei sogar einen echten Sattel. Der Barkeeper war lediglich mit einer Cowboy-Lederhose bekleidet. Und wir unterhielten uns ... über Lavinia.

»Wir haben drei Kunden verloren«, jammerte Tom weiter. »Nur ihretwegen. Die Gesellschaft für Kunsthandwerk vom Balkan. Hat sich verdünnisiert. Die Tanzenden Rollstuhlfahrer. Lavinia hat ihren Jahresabschlußbericht verschlampt und mir dafür die Schuld in die Schuhe geschoben. An den dritten kann ich mich nicht einmal mehr erinnern. Ich hab' das alles verdrängt. Na ja, ich war krank ...«

»Sie waren krank?«

»Ja, ich war krank« erwiderte er ein wenig unwirsch. »Nicht der Rede wert. Gürtelrose. Was soll's, jetzt bin ich wieder auf dem Damm.« Er lehnte sich zurück und rang nach Atem. »Ach, Mimi«, seufzte er, »mir ging es miserabel. Ich habe die schlimmste Gürtelrose gehabt, die sie je im St. Vincent gesehen haben. Ganze Busladungen von Medizinstudenten wurden angekarrt, nur um einen Blick auf mich zu werfen. Auf der linken Seite war's ganz besonders schlimm. Und als ich dann endlich aus dem Krankenhaus entlassen wurde, ging ich einmal um den Block und wurde prompt wieder krank.« Er nippte an seinem Drink. »Eigentlich dürfte ich keinen Alkohol trinken, aber das ist mir egal. Einfach piepegal.«

»Aber was ist denn mit diesem neuen Mädchen? Diese Debbie? Ist sie Ihnen keine Hilfe?«

Bei diesem Thema geriet er endgültig in Fahrt. Mit funkelnden Augen zählte er ihre Vergehen auf: Sie deponierte überall im Büro ihre angebissenen Sandwichs, die mitunter erst Tage später entdeckt wurden; sie ließ wichtige Unterlagen im Taxi liegen; sie hatte Toms Schreibtisch mit toten Insekten übersät, als sie versuchte, eine Glühbirne auszuwechseln. Außerdem hatte sie einen unangenehmen Körpergeruch.

»Kommen Sie zurück, Mimi. Bitte.«

Verwundert starrte ich ihn an. Tom Potts bat mich, zu ihm zurückzukommen. Man stelle sich das vor!

Ich drehte mich auf dem Hocker und streckte die Hand nach der Schüssel mit Salzbrezeln aus. Dabei bemerkte ich, daß Howie, der Wichser, aus derselben Schüssel aß, und griff statt dessen nach meinem Glas.

Natürlich konnte ich nicht zu Tom zurück. Die Situation war offenbar völlig verfahren: eine vom wilden Koala gebissene Engländerin und ein Chef mit chronischer Gürtelrose – nein danke. Andererseits: die Verzweiflung in seiner Stimme ... und dieser Blick. Erst dachte ich, es sei Toms übliche Schwarzmalerei. Doch dann erkannte ich, daß es sich diesmal um etwas anderes handeln mußte. Etwas wie Angst. Vielleicht sollte ich ihm doch ein wenig behilflich sein. Mal für ein oder zwei Stunden vorbeischauen – selbstverständlich nur, solange Not am Mann war.

In einer Lautstärke, die uns beide zusammenzucken ließ, plärrte plötzlich Rogers Stimme aus dem Lautsprecher.

»Wir möchten Sie daran erinnern, daß es an den Feiertagen auch bei uns im Hellfire eine Menge zu feiern gibt. Am vierundzwanzigsten steigt wieder unsere jährliche Weihnachtsfeier mit unserer absolut einzigartigen Bescherung. Und am Donnerstag, dem neunundzwanzigsten, laden wir Sie ab vier Uhr nachmittags bei einem Freigetränk und kostenloser Garderobenaufbewahrung ein zu einem genüßlichen Beisammensein mit unseren knackigen Weihnachtsmännern und -frauen. Und vergessen Sie nicht unseren großen Silvestermarathonball mit kaltem

Bufett und der sensationellen Mr. und Ms. Hellfire-Wahl. Mit dem gefeierten Hellfire-Preisrichter, unserem lieben – Joe!«

»Der!« sagte Tom und schnaubte verächtlich. »Diese miese Schlampe schuldet mir zwölfhundert Dollar.« Sicherlich entging Tom, daß ich auf diese Worte mit eisiger Kälte reagierte und mein Rücken kerzengerade wurde. »Sie haben ihn damals im Park kennengelernt, erinnern Sie sich?«

»Ja, ich weiß.«

»Er glaubt immer noch, daß er einmal diesen Film machen wird. Er kann einem fast leid tun.«

Ich starrte auf den Tresen. *Nein, Tom Potts, du bist derjenige, der einem leid tun kann. Ich habe deine Wohnung gesehen.*

Er fuhr mit seinen Verleumdungen fort. »Ich habe mich mal lange mit seiner Schwester unterhalten. Sie ist der festen Überzeugung, daß er schizophren ist. Aber ich halte ihn für einen ganz durchtriebenen Gauner. Er macht Sachen, Mimi – Sie würden es nicht für möglich halten. Einem anständigen Menschen würden die Haare zu Berge stehen. Aber ihn interessiert nur, wie er möglichst viel Geld scheffeln kann.« Er beugte sich näher zu mir. »Wissen Sie, was er tut, Mimi?«

»Was denn?« flüsterte ich zurück.

»Er verkauft seine schmutzige Unterwäsche.«

Als Ausdruck des Erstaunens hob ich die Augenbrauen und versuchte, mir nicht anmerken zu lassen, daß ich just an diesem Nachmittag drei Päckchen Unterwäsche verschickt hatte.

»Männer bestellen bei ihm getragene Unterwäsche. Das ist doch unvorstellbar, oder?«

»Eigentlich nicht«, bekannte ich aufrichtig.

»Aber wissen Sie, was das Allerschlimmste daran ist?«

»Was?« Ich schluckte.

»Er zieht sie nicht mal selber an. Das läßt er andere erledigen. Ich und Ronald Russo sind zwei Monate lang in schmutziger Unterwäsche rumgelaufen. Denken Sie doch nur an die armen Schwulen irgendwo da draußen in Peoria! Die glauben, sie kriegen die Unterwäsche von diesem geilen Typ, dabei ist's die von Ronald Russo!« Tom brüllte vor Lachen, bis ihn ein neuerlicher Hustenanfall unterbrach.

Ich war entsetzt über diese ungeheuerliche Lüge. Das war eine ganz miese Tour! Joel hatte die Unterwäsche sehr wohl selbst getragen. Schließlich hatte ich es mit eigenen Augen gesehen! Er trug immer drei Unterhosen gleichzeitig und wechselte sie nach dem Rotationsprinzip – wie Autoreifen ... Ach, Tom Potts, was bist du doch für ein erbärmlicher Lügner!

»Der Kerl ist 'ne Witzfigur«, ging die Schimpfkanonade weiter, »ein absoluter Trottel. Die Leute gehen in seine Filme, damit sie was zu lachen haben. Sie veranstalten richtige Kino-Partys mit gebratenen Hähnchenkeulen und so, und dann sitzen sie da und lachen sich schief. Er ist die Ann Miller der Pornoindustrie.« Ich sah stur geradeaus und versuchte, nicht zuzuhören. Doch die Lügen wollten kein Ende nehmen. »Überhaupt – von wegen Porno-Star. Wissen Sie, wie groß sein Pimmel ist? Hm? Raten Sie mal, wie groß der Pimmel von diesem sogenannten Porno-Star ist.« Er hielt seinen kleinen Finger hoch. »So groß.«

Unwillkürlich starrte ich auf Toms Finger.

»Klar, er stutzt seine Schamhaare, damit der Schwanz größer wirkt. Er läßt sich auch immer von unten fotografieren. Und natürlich kennt er sämtliche Beleuchtungs-

tricks. Aber ich sage Ihnen, Mimi: Er ist winzig ... wiiinnn-
zig ... Wieso winkt uns die Frau da hinten?«
»Wie bitte?«
»Die Frau da drüben. Neben der Schlinge.«
»Das ist meine Freundin.«
»*Das* ist Ihre Freundin?«
»Ja, und wir sind verabredet. Im Le Zinc.« Ich schaute auf
meine Uhr. »Oh, wir sollten ja schon seit einer Stunde dort
sein.« Ich sprang auf. »Ich rufe Sie an«, sagte ich und tät-
schelte sein Knie.
Es fühlte sich entsetzlich knochig an.

In den Schlachthöfen herrscht auch nachts reger Betrieb.
Als wir das Hellfire verließen, waren die Fleischlieferan-
ten eifrig bei der Arbeit. Während wir auf der anderen
Straßenseite auf ein Taxi warteten, sahen wir ihnen zu. Im
Schein der Feuer, die in alten Ölfässern flackerten, luden
sie Rinderhälften aus; ihre weißen Arbeitskittel waren
blutverschmiert, und riesige Schatten huschten gespen-
stisch über die Backsteinmauern. Doch die Leute schienen guter Dinge zu sein. Ein Radio lief, und eine Spanierin
sang sich die Seele aus dem Leib. Einer der Männer legte
mit seinem halben Rind einen kleinen Cha-Cha-Cha auf
den Asphalt.
Auf unserer Straßenseite war die Stimmung etwas ge-
dämpfter. Nanette hatte sich im Lauf des Abends offenbar
einen männlichen Begleiter angelacht. Ich weiß, was Sie
jetzt denken, und ich dachte dasselbe: »So ein Flittchen.
Da ist ihr Freund gerade mal acht Stunden verschwunden,
und schon wirft sie sich einem anderen Mann an den Hals.
Typisch!« Doch als sie uns miteinander bekannt machte
(»Mimi, das ist ... äh, wie heißt du noch mal?« Nervöses
Hüsteln. »Herman.«), wurde mir sogar im schwachen,

241

flackernden Licht der Ölfässer klar, daß niemand, der auch nur halbwegs bei Sinnen war, sich einen Mann wie Herman anlachen konnte. Er war der klassische Verlierer-Typ, um die sechzig und fett; sogar nach Hellfire-Maßstäben stand er in der Hierarchie ganz unten. Seine Haut war blaß und fleckig wie ein alter Rettich, sein Haar grau und dünn. Mit seinem feuchten Schmollmund erinnerte er an Winston Churchill. Und er sah einem nie direkt in die Augen. Aber er war sauber und gut gekleidet, das mußte man ihm lassen; sein schwarzer Mantel hatte mindestens zwölfhundert Dollar gekostet. Ich hatte Boyce immer zu überreden versucht, sich so einen zuzulegen.

Nanette nahm mich beiseite. »Er gibt uns zwo fünfzig. Was meinst du?«

Ich überlegte einen Augenblick. Grundsätzlich halte ich nichts davon, Taxis mit anderen zu teilen, aber die Fahrt hierher hatte mich bereits über zehn Dollar gekostet, und ich wußte nicht genau, wieviel Bargeld ich noch in der Tasche hatte. »Heißt das, zwei fünfzig für jede von uns, oder daß wir uns zwei fünfzig teilen müssen?«

»Daß wir sie uns teilen müssen«, erklärte Nanette.

»Das ist nicht besonders viel.«

Sie starrte mich entgeistert an. »Die Dame hält sich wohl für was Besseres.«

»Na schön«, lenkte ich ein. Es war zwei Uhr morgens, und ich wollte nur noch nach Hause. Außerdem mußte ich ja noch bis zu meinem Wagen, der in der 79th Street im Parkhaus stand, und die ganze Strecke nach Bronxville zurückfahren.

Während wir durch die leeren Straßen brausten, starrte ich aus dem Fenster und rechnete. Mal sehen ... wir verkauften durchschnittlich fünf bis acht schmutzige Unterhosen pro Woche. Jetzt, kurz vor Weihnachten, brachten wir es sogar auf bis zu zehn. Aber Joel meinte, das sei nur saisonbedingt und würde wieder abflauen. Nun, wie lange muß man eine Unterhose tragen, bis sie dreckig genug ist, um sie zu verkaufen? Zwei Tage? Sagen wir drei. Hmm … wenn Joel immer drei Unterhosen gleichzeitig trug und sie im Zwölf-Stunden-Turnus wechselte, konnte er es schaffen …

Auf Höhe der 23rd Street fuhren wir durch ein Schlagloch, und mir wurde plötzlich bewußt, daß es ungewöhnlich still im Taxi war.

Außerdem, was war eigentlich dabei, wenn ein anderer die Unterhosen schon mal anschmutzte? Das zeugte nur von gesundem Geschäftssinn. Joel hatte sie trotzdem getragen, und darauf kam es doch an. Warum also gelang es mir nicht, diese innere Unruhe abzuschütteln, die mich plötzlich befiel? Sie nahm beinahe übermächtige Ausmaße an – als stürzte alles, woran ich bisher geglaubt hatte, mit einemmal in sich zusammen wie ein Kartenhaus. Wann war dieses Gefühl zum ersten Mal aufgetreten? Da wurde es mir blitzartig klar: Es hatte angefangen, als Roger Joels Namen über Lautsprecher verkündet hatte. Erinnern Sie sich, daß ich erwähnt habe, wie Tom verächtlich schnaubte? Tja, jetzt muß ich wohl mit der ganzen Wahrheit herausrücken. Er war nämlich nicht der einzige, auch andere schnaubten verächtlich. Das soll nicht heißen, daß ein kollektives verächtliches Schnauben durch die Menge ging, nein, so schlimm war es auch wieder nicht. Aber immerhin … es war nicht zu überhören gewesen. Mehr als *ein* verächtlicher Schnauber. Vielleicht fünf … vielleicht auch sieben …

Plötzlich spürte ich etwas Merkwürdiges an meinem Fuß. Es fühlte sich an, als glitte eine Python darüber.

Ich sah hinunter. Auf dem Boden des Taxis kroch Herman

herum, den Po hoch in der Luft und leckte meinen Schuh. Es gab genug Platz dafür, denn wir saßen in einem Kleinbus-Taxi.

»So ist's recht, Arschloch«, sagte Nanette. Mit Hilfe eines kleinen Spiegels überprüfte sie ihr Lippenrot und fletschte die Zähne, um zu sehen, ob etwas daran klebte. »Du bist im siebten Himmel, nicht wahr, mein Schweinchen?«

Herman murmelte etwas in meinen Schuh. Nanette legte den Spiegel beiseite und musterte ihn streng. »Was hast du gesagt?«

Einen Augenblick ließ Herman von meinem Fuß ab. »Ich bin im siebten Himmel«, erwiderte er mit zittriger Stimme. Er klaubte sich einen Fussel von der Zunge und versuchte zu schlucken, wobei sich ein seltsamer, gepreßter Laut seiner Kehle entrang.

»Wie heißt das? ›Ich bin im siebten Himmel …‹?« fragte Nanette und trat ihm nach dem Wort »Himmel« mit der Schuhspitze in den Hintern.

»Ich bin im siebten Himmel, Gebieterin Nanette.«

»Na also«, meinte sie. »Weißt du, wer das ist?«

»Wer?«

»*Wie* heißt das?«

»Wer, Gebieterin Nanette?«

»Das ist Gebieterin Mimi. Sag der Gebieterin Mimi guten Tag.«

»Guten Tag, Gebieterin Mimi.«

»Guten Tag«, erwiderte ich.

»Heute nacht hast du also zwei«, fuhr Nanette fort. »Zwei wunderschöne blonde Hurengöttinnen. Stimmt's? *Stimmt's?*«

»Jawohl.«

»*Wie* heißt das?!«

Es ist komisch, was einem in solchen Augenblicken durch

den Kopf geht. Ich dachte nur immer wieder: Ich bin doch gar nicht blond. Ich bin brünett mit einem Stich ins Rötliche. Nanette muß verrückt sein, mich als Blondine auszugeben.

»Nanette«, flüsterte ich.

»Was ist?«

»Ich weiß nicht so recht ...«

»Entspann dich. Mit dem ist es ein Kinderspiel. Rein und raus in sieben Minuten, glaub mir.«

»Aber ...«

Sie warf mir einen treuherzigen Blick aus ihren kleinen Knopfaugen zu. »Ich habe ihm zwei versprochen, Mimi«, sagte sie. »Ich hab's ihm *versprochen*.«

Kurz bevor wir Joels Haus erreichten, packte Nanette Herman am Kragen, zog ihn hoch und ließ ihn auf den Sitz plumpsen. Dann stiegen wir alle aus, und Herman bezahlte den Fahrer. Er war so fahrig, daß er sein Wechselgeld fallen ließ. Zweimal.

Keine Panik, versuchte ich mich zu beruhigen. Solange du das Haus nicht betrittst, kann dir nichts passieren. Sie können dich nicht mit Gewalt reinschleppen, wenn du aus Leibeskräften brüllst.

Anscheinend hatte auch Herman gewisse Bedenken. Nachdem das Taxi weggefahren war, blieb er wie angewurzelt am Straßenrand stehen. Und ich stand einen Meter neben ihm und rührte mich ebenfalls nicht vom Fleck. Nanette war schon fast an der Haustür, ehe sie bemerkte, daß wir nicht nachkamen. Sie drehte sich um und starrte uns an, die Hände in die Hüften gestemmt. Keiner bewegte sich.

Ihr Blick heftete sich an Hermans Brieftasche, die er noch nicht weggesteckt hatte. Jetzt hielt er sie sich wie einen Schutzschild vor den Bauch.

»Hört mal«, sagte er mit bebender Stimme, »ich weiß, ihr seid zwei nette Mädchen. Ich möchte euch nicht beleidigen. Was haltet ihr davon, wenn ich euch je einen Zwanziger gebe und …«

Nanette trat auf ihn zu und nahm ihm die Brieftasche aus der Hand; dann griff sie nach seinem kleinen Finger und bog ihn zurück, bis er aufschrie. »Jetzt kommt schon«, befahl sie. »Alle beide.«

Herman haßt mich.

Ich schwirrte im Badezimmer hin und her wie eine Motte in einer Schuhschachtel. Es war nicht zu leugnen. Nur meinetwegen wollte er einen Rückzieher machen. Stellen Sie sich das vor – da habe ich das erste Mal einen Freier, und er weist mich zurück! Sogar als *Prostituierte* war ich ein Reinfall. Nahmen die Demütigungen in meinem Leben denn gar kein Ende?

Ich saß auf dem Rand der Badewanne und versuchte, mich zusammenzureißen. Überall um mich herum baumelten feuchte Strapse – wie Lametta. Eins war gewiß: Hier konnte ich mich nicht ewig verstecken. Ich drückte mich hier ohnehin schon seit zehn Minuten herum.

Leise öffnete ich die Tür. Im Schlafzimmer war zum Glück niemand. Dann mußten sie wohl noch im Wohnzimmer sein. Vielleicht hatten sie noch gar nicht angefangen, vielleicht konnte ich unbemerkt die Wohnung verlassen. Auf Zehenspitzen schlich ich den Flur entlang und spähte ins Wohnzimmer.

Ich erkannte es kaum wieder. Sämtliche Möbel waren an die Wand geschoben und bildeten jetzt eine Art Arena. Auch das Licht war anders: dezente Hintergrundbeleuchtung, nur ein einzelner Strahler warf einen hellen Lichtkegel, wie ein Spotlight.

In diesem Lichtkegel stand Nanette, einen Fuß à la Marlene Dietrich auf den Stuhl gestützt. Eine Zigarette hing aus ihrem Mundwinkel, und gelangweilt blickte sie auf Herman hinunter. Bekam der Kerl denn nie genug? Er mußte doch mittlerweile gut und gern eine halbe Stunde lang Schuhleder abgeleckt haben.

Ohne Kleider sah er ganz anders aus. Er trug zwar noch Schuhe, Socken und Sockenhalter, aber ansonsten war er nur ein großer, bleicher, rosa angehauchter Fleischkloß. Die Farbe erinnerte mich an die Labormäuse, die für Experimente benutzt werden. Obwohl er einen beachtlichen Schmerbauch hatte, war sein Gesäß – das er mir unglücklicherweise direkt präsentierte – klein, flach und hatte eine Gänsehaut.

»Du brauchst das«, hauchte Nanette, »nicht wahr, mein Kleiner? Du hast das bitter nötig.«

»Ja, ich habe es bitter nötig«, winselte er. Er schien nicht mehr Herr seiner selbst zu sein, er zitterte, sabberte, keuchte. »Ach, meine Gebieterin«, sagte er etwas lauter. Verzückt betrachtete er Nanettes Stiefel und legte die Hände neben ihn. »Das sind Ihre Stiefel!« rief er aus. »Die Stiefel, mit denen Sie gehen, die Stiefel meiner Gebieterin! Ich werde sie lecken, immer wieder ablecken, um Ihnen zu beweisen, daß ich ein guter Sklave bin. Jawohl, ich bin weiter nichts als ein Sklave, der Frauen wie Ihnen zu Diensten sein will. Oh, wie wundervoll! Wie wundervoll!« Er erinnerte mich ein wenig an Maurice Evans, den alten Shakespeare-Schauspieler.

»Jetzt den anderen«, kommandierte Nanette.

Sie stellte den anderen Fuß auf den Stuhl, und der Anblick eines neuen Stiefels, den er ablecken durfte, versetzte Herman in einen Erregungszustand, wie er mir noch nie zu Gesicht gekommen war. Er leckte mit solcher Hingabe, daß mir plötzlich ein Licht aufging. Das war es! Genau das brauchte Joel. Das waren seine tiefsten, geheimsten Sehnsüchte, die er sich hinter verschlossenen Türen erfüllen ließ – er wünschte sich, von einem billigen Flittchen erniedrigt zu werden!

»Ach, schau mal, wer hier ist«, sagte Nanette.

Ich muß ihr zugute halten, daß sie auf mich und meine Situation sehr feinfühlig reagierte. Sie gab mir das Gefühl dazuzugehören, ohne mich unter Druck zu setzen. Sie hielt, bildlich gesprochen, meine Hand und sprach mir Mut zu, sie zeigte mir, was zu tun war, und ließ es mich dann selbst versuchen.

Prostitution hatte ich mir immer ganz anders vorgestellt. Am ehesten würde ich es mit dem Bedienen in einem Restaurant vergleichen. Man mußte immer einen Schritt vorausdenken, immer zuvorkommend sein, dem Gast Komplimente machen, zum Beispiel: »Das ist aber eine hübsche Krawatte!«

Erst ließen wir Herman im Zimmer herumkrabbeln und wie einen Hund bellen, aber dabei scheuerte er sich die Knie wund, deshalb schlugen wir ihn lieber mit der Reitgerte und dem Tischtennisschläger. Nach kurzer Zeit war er am ganzen Körper krebsrot. Dann leckte er eine Weile meine Schuhe, während Nanette die Asche ihrer Zigarette auf seinen Hintern schnippte und ihm vorhielt, wie abstoßend er sei. Als nächstes riß Nanette ihm ein paar Brusthaare aus, und zwar eins nach dem anderen – ich half ihr dabei –, dann schlugen wir ihn auf die Innenseite der Oberschenkel. Das tat echt weh.

Bald wurde mir klar, daß Herman, auch wenn er mich vielleicht nicht direkt haßte, doch Nanette den Vorzug gab. Einmal steckte sie ihm die Reitgerte in den Mund und befahl ihm, sie mir zu bringen. Er zögerte. Noch heute bin ich Nanette dankbar dafür, wie sie darauf reagierte: Sie packte seinen schütteren Haarschopf und riß ihm den Kopf ruckartig nach oben. »Hörst du schlecht, Arschloch?« schrie sie. »Ich hab' gesagt, bring's deiner Gebieterin Mimi!«

Er gehorchte, sah dabei allerdings nicht besonders glücklich aus. Ich suchte eine Stelle, die noch nicht von Speichel triefte, und nahm ihm die Peitsche mit spitzen Fingern aus dem Mund.

»Schlagen Sie mich, Gebieterin Mimi«, soufflierte ihm Nanette. »Schlagen Sie mich auf meine kleinen Eierchen.« Er trug sein Sprüchlein ziemlich lustlos vor, und ich gab ihm mit der Peitsche einen leichten Klaps auf die Hoden. Ich wollte ihn nicht fest schlagen, sondern gewissermaßen »das Eis brechen«. Na, aber er warf mir einen dermaßen säuerlichen Blick zu – als wollte er sagen: »Sie sind mir ja 'ne schöne Hurengöttin« –, daß ich noch mal zuschlug, und zwar so kräftig, daß Nanette mit einem erstaunten »Wow!« angelaufen kam.

Herman hatte offensichtlich schwerwiegende Probleme mit seiner Einstellung uns gegenüber. Er tat so, als seien Nanette und ich wahre Furien, die ihn dazu zwangen, all dies zu tun. Als wäre es *unsere* Schuld. Aber wenn wir dann aufhörten, flehte er uns an weiterzumachen. Dabei war sein Gesichtsausdruck alles andere als aufmunternd: er wirkte ängstlich und bedauernswert, als amüsierte er sich kein bißchen. Ich hatte ein wenig Angst, er würde jeden Moment in Tränen ausbrechen. Daß man sich auf die Art bei einer Prostituierten nicht gerade beliebt macht, versteht sich wohl von selbst.

Doch das eigentliche Problem war, daß er es offenbar nicht fertigbrachte zu ejakulieren – oder, wie Nanette es ausdrückte, »abzuspritzen«. Wir versuchten es mit allen

Mitteln. Seine Brustwarzen waren äußerst empfindlich, also nahmen wir uns je eine davon vor und drehten an ihr herum, als wollten wir einen entfernten Sender im Radio einstellen. Er kam ein paarmal fast zum Höhepunkt, und wir waren schon voller Hoffnung – endlich, dem Himmel sei Dank! –, aber dann war es doch wieder nur falscher Alarm.

Schließlich ging Nanette hinaus, um einen großen Plastikpenis zu holen, den sie im Wäscheschrank vermutete. Es ist schwer zu sagen, was mir mehr Angst einjagte – die Aussicht auf das, was passieren würde, wenn sie zurückkam, oder die Vorstellung, mit Herman allein zu sein. Die Hände in die Hüften gestemmt, stand ich da und starrte auf die Kredenz. Herman betrachtete das Intermezzo offensichtlich als Pause. Mühsam rappelte er sich auf und ließ sich japsend auf die Couch fallen.

Nach einer Weile hörte er auf zu japsen, und ein unsäglich trauriger Laut entrang sich seiner Brust, ein Seufzer abgrundtiefen Bedauerns. »Warum tue ich das alles nur?« stöhnte er. »Ich verdiene zweihunderttausend Dollar im Jahr. Mein Sohn ist Arzt, ich wohne in Huntlington, Long Island. Warum tue ich das nur?«

Jetzt begriff ich Joels Worte, bei diesen Leuten müsse man gelegentlich den Psychiater spielen. Instinktiv fügte ich mich in diese Rolle und nahm auf einem Stuhl Platz. »Sie tun das, weil Sie ab und zu ein bißchen Dampf ablassen müssen«, erklärte ich ihm. »Das ist völlig normal.«

Er sah mich mit dem Blick eines kleinen Jungen an und begann, an seinem Penis herumzuspielen. »Bin ich böse?«

»Nein, Sie sind nicht böse«, sagte ich mit fester Stimme. »Das ist ganz in Ordnung. Sehen Sie, viele Leute tun so etwas.«

Mein Zureden schien ihn nicht zu beeindrucken. Sein

Blick war immer noch auf mich gerichtet, wurde jedoch glasiger, und seine Hand bewegte sich schneller. »Bin ich böse?« fragte er wieder.

»Sie sind nicht böse«, wiederholte ich, noch nachdrücklicher. »Sie sind kein schlechter Mensch. Sie sind ein wertvoller Mensch. Sie ...«

In diesem Moment kam Nanette ins Zimmer zurück, und sein Blick wanderte zu ihr. »Bin ich böse?«

»Böse?« schrie sie. »Du bist ein Stück *Scheiße!* Dein Vater hätte dich gleich nach der Geburt das Klo runterspülen sollen. Da gehörst du hin – mit dem Kopf voraus in die Kloschüssel! Du bist Abschaum, Herman. Abschaum! Herman ist DER LETZTE DREECKKK! ABSCHAAUUMMM!«

Vor meinen Augen verwandelte sich Herman. Seine Augen traten aus den Höhlen, er stieß ein tiefes, kehliges Knurren aus, einen primitiven Urlaut, der zu einem Brüllen wurde, als er von der Couch sprang. Er streckte den Unterleib vor, seine Hand rubbelte wie besessen den zuckenden dunkelroten Penis, der so steif war, daß er wahrscheinlich abgebrochen wäre, wenn man ihn nur angestupst hätte. Das Knurren ging in ein Brüllen über, und plötzlich spritzte Samen durchs ganze Zimmer. Es war wie in Beirut. Nanette und ich mußten hinter den Möbeln in Deckung gehen. Ein paar Tropfen flogen so weit, daß sie klatschend auf dem Bildschirm des riesigen Fernsehers landeten, der aus einem porösen Material besteht, das man auf gar keinen Fall berühren durfte. Es blieb ein Fleck darauf, den ich nicht mehr wegbekam, obwohl ich es mit allem Möglichen versuchte, sogar mit Bleichmittel.

# Kapitel Sechzehn

Neben der Innenarchitektur habe ich noch viele andere Interessen, jede Menge kleiner Hobbys. Zum Beispiel beschäftige ich mich mit Collagen, ich züchte Usambaraveilchen, beize alte Möbel ab und löse Kreuzworträtsel; außerdem sammle ich Zinngeschirr, trinke gern erlesene Weine und erkunde alte Museen. Doch ich muß zugeben, daß mir nichts davon eine solch tiefe Befriedigung schenkt wie das Schneidern von Kleidungsstücken für meinen Hund. Chihuahuas *müssen* natürlich etwas am Leib haben – ihnen fehlt ja die lebenswichtige Fettschicht – aber bei Brüsseler Griffons wie Baby hat man die Wahl. Glücklicherweise trägt Baby Kleidung mindestens so gerne, wie ich sie nähe. Nicht einmal Hüte stören ihn.

Sein Lieblingskostüm ist ein Yankee-Trikot mit Baseballmütze, das er alljährlich zur Saisoneröffnung trägt. Es gehört sogar ein Schlagstock dazu! Wir sitzen dann gemeinsam auf der Couch und sehen uns das Spiel an. Er besitzt sicher an die dreißig Ensembles. An Silvester trägt er einen weißen Frack mit Fliege, an Weihnachten ein Nikolauskostüm. Er kann sich außerdem im Surfer-Look sehen lassen, in Cowboy-Klamotten herumtoben oder in Gala auftreten: in einem rot-weiß-blauen Uncle-Sam-Anzug, der von oben bis unten mit Pailletten besetzt ist. In dieser Aufmachung hat er damals in Teheran bei den Feierlichkeiten zum Unabhängigkeitstag in der amerikanischen Botschaft den ersten Preis beim *Wettbewerb unserer kleinen Lieblinge* ergattert. Die Shabanou persönlich überreichte ihm die Trophäe. Boyce hat unzählige Aufnahmen von diesem Ereignis gemacht – ohne daß ein Film im Apparat war! Typisch. Dennoch werde ich nie vergessen, wie Ihre Königliche Hoheit auf Baby herabschaute und mit ihrem leichten Lispeln sagte: »*Quel drôle du chien.*«

In den nächsten paar Tagen war ich heilfroh, daß ich ein Hobby hatte, das mich völlig in Anspruch nahm. Sie wissen ja, wie das ist, wenn man etwas höchst Ungewöhnliches erlebt hat, so wie ich mit Nanette – man läuft ruhelos auf und ab und sagt sich die ganze Zeit: »Ich kann einfach nicht glauben, daß ich das getan habe.« Tatsächlich saß ich den ganzen Samstag am Fenster, starrte auf den dreckigen Schneematsch hinaus, der den Christusdorn bedeckte, und sagte diesen Satz wieder und wieder. Doch das war, so entschied ich schließlich, keine konstruktive Art der Problembewältigung. »Du mußt was Konkretes anfangen«, befahl ich mir, und schon wenige Minuten später nahm ich Maß bei einem sehr aufgeregten Baby – den ich, wie ich zugeben muß, seit seinem Anfall sträflich vernachlässigt hatte. Ich wollte ihn als Apachentänzer ausstaffieren. Sie wissen doch – wie diese Männer, die im Paris der zwanziger Jahre in den Nachtclubs tanzten und ihren Partnern die Zigaretten aus dem Mund schlugen.

Ich hatte keine moralischen Skrupel wegen dem, was geschehen war. Nein, das war nicht das Problem. Immerhin war ich einundvierzig Jahre alt. Ich war sozusagen schon »ganz schön rumgekommen«. Und ich fühlte mich nicht erniedrigt oder vergewaltigt. Auch packte mich nicht das blanke Entsetzen, wenn ich mir die Szene in Erinnerung rief. Damit kam ich sogar ganz gut zurecht. Natürlich duschte ich sehr, sehr oft und schlief nur mit Licht, aber das tat ich ohnehin häufig.

Nein, das eigentliche Problem stand mir noch bevor. Und es lautete ganz schlicht: »Was wird Joel dazu sagen?«

Ich traute mich kaum, das Haus zu verlassen, falls er anrief. Klar, wir telefonierten ansonsten nicht besonders oft – ich kann mich eigentlich nur an zwei Male erinnern; einmal ging es um eine Unterwäsche-Verkaufspräsentation bei Gimbels, die ich auf keinen Fall verpassen sollte, das andere Mal bat er mich, die Elektronikfachgeschäfte in Westchester nach einer bestimmten Stoppuhr durchzukämmen, mit der er die exakte Länge seiner Drehbuchszenen messen wollte. Aber er hätte anrufen *können*. Und deshalb hatte ich bei meinem kurzen Besorgungsgang zum Stoffgeschäft – ich brauchte schwarzen Filz für Babys Baskenmütze – immer im Hinterkopf, daß zu Hause vielleicht gerade das Telefon klingelte. Dieser Gedanke machte mich derart nervös, daß ich von meinem geplanten Einkauf im Supermarkt Abstand nahm. Ich konnte ebensogut eine Weile von Konserven leben.

Ich zweifelte keine Sekunde daran, daß Joel wußte, was vorgefallen war. Nanette hatte es ihm erzählt, keine Frage. Doch was *genau* hatte sie ihm erzählt? Ihr mangelte es an der raffinierten Durchtriebenheit einer Lavinia, und ihre verbalen Fähigkeiten waren ausgesprochen dürftig, aber trotzdem ... Nur der Himmel wußte, was für eine Geschichte sie ihm aufgetischt hatte.

Würde er schockiert sein? Schließlich war ich um einiges älter als er, und man mußte keine Karen Horney sein, um in unserer Beziehung auch das Element eines Mutter-Sohn-Verhältnisses zu sehen. Obwohl seine Mutter schon gestorben war, sprach er ziemlich häufig von ihr. Mich erstaunte immer wieder, wie sehr wir uns zu ähneln schienen. Sie war eine unermüdlich fleißige Frau gewesen und hatte immer gern anderen Menschen geholfen. Nie verlor sie den Mut, und sie besaß viel gesunden Menschenverstand. Außerdem war sie ziemlich groß gewesen.

Die nächsten drei Tage verstrichen quälend langsam. Ich erwog schon, Dr. F. davon zu erzählen – ich mußte einfach mit *irgend jemandem* darüber reden –, doch dann verließ mich im letzten Moment die Courage. Was sollte ich auch sagen? »Lassen Sie mich überlegen, Herr Doktor. Seit unserer letzten Sitzung habe ich an der Wut gearbeitet, die ich auf die Welt habe, und ich habe das Buch zu Ende gelesen, das Sie mir gegeben haben. Das, wie man lernt, ›nein‹ zu sagen. Und dann war da noch etwas. Was war denn das noch gleich? Ach ja, letzten Freitag habe ich hundert Dollar als Prostituierte verdient.«

(Das stimmt: einhundert Dollar! Die Tussi hat mich ausgetrickst. Eine Hundertdollar-Note konnte ich einstecken, mehr nicht. Nein, das war kein Versehen. Eins habe ich jedenfalls kapiert: Egal, wie dumm Prostituierte sein mögen, sie haben alle ein unglaubliches rechnerisches Talent. Sie können jede Aufgabe lösen, solange sie mit Bargeld zu tun hat. Natürlich war ich sauer, aber ich hielt lieber den Mund. Denn wer weiß? Vielleicht gibt es ja so was wie eine Vermittlungsprovision, keine Ahnung.)

Die Abende waren am schlimmsten. Wenn sich die kalten Winternächte auf das Haus herniedersenkten, schaltete ich den Fernseher ein und sah mir Unterhaltungssendungen an, während ich nähte. Baby döste im Bett neben mir. Doch früher oder später kehrten meine Gedanken immer wieder zu Joel zurück und kamen stundenlang nicht mehr von ihm los. Vielleicht war er ja auch gar nicht schockiert. Es gab noch andere Reaktionsmöglichkeiten ... insbesondere eine. Und wenn ich an diese Möglichkeit dachte, begannen meine Hände so stark zu zittern, daß ich die Näharbeit hinlegen mußte. Was ... was, wenn Joel mich nun in einem völlig anderen Licht sah? Was, wenn er jetzt dachte: »Hmmm, vielleicht habe ich Mimi falsch eingeschätzt.

Vielleicht liegt hinter dieser Fassade aus höflicher Reserviertheit – wenn man ihr erst einmal die Perlen abnimmt, die vernünftigen Schuhe abstreift und den BH aufhakt, vielleicht, wenn man bis in ihr Innerstes vordringt ... ja, vielleicht wartet dort ... sehnsüchtig, zu allem bereit ... *eine wunderschöne blonde Hurengöttin ...*«

Das erstemal hatte ich den Namen »Copper Beech« von Tom und seinen Freunden gehört. Eine Zeitlang war es ihr absolutes Lieblingsrestaurant. Dann stand in der *New York Times* etwas über das Tagesmenü, mit fünfundachtzig Dollar das teuerste der Stadt; dem Artikel zufolge war es das aber nicht wert. Diese Kritik führte zu einer erbitterten Auseinandersetzung. Floyd pflichtete dem Artikel in allen Details bei. Tom verteidigte loyal einzelne Gerichte. Ronald Russo hingegen meinte, er wisse gar nicht, weshalb ein derartiger Wirbel darum gemacht werde; es sei nun mal das teuerste Restaurant der Stadt, da wäre es doch egal, wie das Essen schmeckt. »Gourmets werden enttäuscht sein«, eröffnete die *Times* ihren Verriß. »Doch niemand wird sich der Atmosphäre dieser überwältigenden Prachtentfaltung entziehen können.« Es klang nach der idealen Umgebung für Joels Geburtstagsdinner.

Ich hatte für diesen besonderen Anlaß einen Wagen gemietet. (Ronald Russo sagt, man darf auf keinen Fall ›Limousine‹ sagen, sondern einfach nur ›Wagen‹.) Allerdings war ich überrascht, wieviel ich dafür bezahlen mußte, und ich wurde das Gefühl nicht los, daß mich die Verleihfirma kräftig übers Ohr gehauen hatte. Doch als ich vor Joels Haus vorfuhr, war ich froh, daß ich die Extra-Kosten nicht gescheut hatte. Das Gesicht des Türstehers rechtfertigte jeden Penny. Und es war ausgerechnet Peter, der, den ich nicht leiden konnte! Er war einmal Türsteher von

Ina Balin gewesen, und er sorgte dafür, daß man das nie vergaß. Einmal zeigte er mir eine Weihnachtskarte, die er von ihr bekommen hatte. Jedenfalls war das einzige, was mir meinen Augenblick des Triumphs ein wenig vergällte, die Tatsache, daß ich einfach nicht herausfinden konnte, welchen Knopf man betätigen mußte, damit das Fenster herunterschnurrte. Doch nachdem ich auch das erfolgreich gemeistert hatte, sah ich Peter ins Gesicht und verlangte mit Grandezza in der Stimme: »Würden Sie bitte Mr. Sabinak mitteilen, daß Mrs. Smithers da ist?«

Dann lehnte ich mich zurück und strich mein Kleid glatt. Obwohl ich mich wegen des Termins noch einmal telefonisch bei Joel rückversichert hatte, war es nur ein kurzes Gespräch gewesen, zu kurz, um über »meine Nacht auf dem Strich« zu reden. Doch hier nahte er nun, der Augenblick der Wahrheit. Mein Blick streifte schimmerndes Leder, und ich sah auf meine Füße. Ich trug die *roten Schuhe*. Ja, ich war für alles gerüstet.

Es dauerte ein Weilchen, bis Joel endlich erschien – lange genug, um sich Sorgen wegen der Tischreservierung zu machen. Der Chauffeur sah immer wieder betont auf die Uhr, und ich fürchtete schon, daß ich Peter um einen zweiten Anruf bitten müßte, als sich die Drehtür in Bewegung setzte und Joel ausspuckte, in Jeans und Daunenweste. Hinter ihm stakste Nanette in einem ihrer Cher-Kostüme, nichts als Federn und Perlen.

Zuerst dachte ich, es sei etwas dazwischengekommen und unser Abend somit geplatzt, aber die beiden stiegen einfach in die Limou … – Entschuldigung, den *Wagen* – und los ging's. Ich gestehe, ich war ein wenig vor den Kopf gestoßen. Was machte Nanette denn hier? Wollte sie sich irgendwo absetzen lassen? Sie hatte doch nicht etwa vor mitzukommen? Und Joels Aufmachung! Hatte ich ihm

258

nicht gesagt, um was für ein extravagantes Restaurant es sich handelte? Es war schließlich nicht so, daß er die entsprechenden Klamotten nicht besessen hätte. Immerhin lag ihm die halbe Seventh Avenue zu Füßen – buchstäblich.

»Champagner?« fragte ich munter.

»Jippie!« erwiderte Joel und beschrieb mit dem Zeigefinger eine Spirale in der Luft.

»Ich nehm' welchen«, bellte Nanette. Sie trug Robin-Hood-Stiefel, die Sorte mit den überhängenden Stulpen.

An die Fahrt zum Restaurant erinnere ich mich nur vage; ich weiß noch, wie mein Mund immer mehr austrocknete. Ein schlechtgelaunter Joel war kein erhebender Anblick. Seine berühmten Adern traten vor, und er atmete schwer. Er war doch nicht etwa *meinetwegen* derart aufgebracht?

Als wir vorfuhren und aus dem Wagen stiegen, standen die berühmten gestutzten Hecken – in Form eines Huhns, eines Pfaus, eines Korbs und eines Schweins – wie zur Begrüßung Spalier. Der Chauffeur, ein Ausländer mit einem riesigen Schnurrbart, fragte mich, wann er uns wieder abholen solle. »In zwei Stunden«, erwiderte ich. Inzwischen war mein Mund wie mit Watte ausgelegt.

Bei Joel dagegen floß der Speichel überreichlich. Er spuckte eine beträchtliche Menge davon in das kunstvolle Strauchwerk, dann betraten wir durch eine Messingtür das exquisite achteckige Foyer. Die Wände waren großzügig mit blaßgrüner Moiré-Seide ausgeschlagen. Ein Kellner, der gerade etwas in ein Buch kritzelte, hielt inne und sah auf. »Ja, bitte?« fragte er mit französischem Akzent.

»Ich bin Mrs. Smithers und habe einen Tisch bestellt. Eigentlich für zwei Personen, aber offenbar sind wir jetzt zu dritt, und ich wollte fragen, ob es vielleicht möglich ist, noch einen Stuhl dazu …«

»Madame«, fiel er mir ins Wort, dann zögerte er einen Augenblick. Offenbar war gegen uns in vielerlei Hinsicht etwas einzuwenden, und er wußte nicht recht, wo er anfangen sollte. »Der Gentleman wird ein Jackett und eine Krawatte brauchen.«

»Das ist ein Jackett«, widersprach Joel, und von da an ging alles endgültig den Bach hinunter. Es würde mich zu sehr mitnehmen, im Detail zu beschreiben, was dann passierte. Lassen Sie mich nur soviel sagen: Eine Minute später standen wir wieder draußen auf dem Gehweg. »Fick dich ins Knie, Froschschenkelfresser!« brüllte Joel noch einmal, dann marschierte er los, um den Wagen zu holen, der ein Stück weiter vor einer Bar geparkt war.

Ich wartete, bis er außer Hörweite war. »Nanette«, flehte ich. »Was habe ich falsch gemacht? Warum haßt er mich so?«

»Ach, vergiß es«, erwiderte sie und kramte in ihrer Handtasche nach einem Kaugummi. »Er ist nur sauer, weil Sklave Sheldon seinen Film nicht finanziert.«

»Was?«

»Sklave Sheldon will seinen Film nicht finanzieren. Er sagt, das Skript ist beschissen.«

»Wie schrecklich«, sagte ich, und eine Woge der Erleichterung überflutete mich. Doch sofort kam mir ein anderer Gedanke: Joel litt. Ich mußte ihn trösten.

»Ich habe gehört, was passiert ist«, flüsterte ich, als wir in den Wagen stiegen.

»Der Kerl ist ein Riesenarschloch«, meinte Joel und ließ sich auf den Sitz fallen. Dann gab er dem Chauffeur Anweisung, uns zu einem bestimmten Souvlaki-Stand am Times Square zu fahren, den Joel für den besten der ganzen Stadt hielt. Wie viele Juden aß er für sein Leben gern Souvlaki. »Er sagt, sie haben die Steuergesetze geändert, deshalb kann er jetzt nichts mehr investieren. Vollkommener Blödsinn.«

»Sie werden das Geld schon auftreiben.«

»Ach nee. Und woher?«

»Es wird sich schon jemand finden.«

»Wer denn?«

Ich überlegte einen Augenblick. »Was ist mit dem Mann, der Sie zum Karneval nach Rio eingeladen hat?«

»Er ist gestorben.«

»Ach? O je. Und was ist mit dem Kokser?«

Joel verdrehte die Augen. »Mimi, der Kokser ist verheiratet und lebt mit seiner Frau und vier Kindern in Fort Lee, New Jersey. Wo soll er denn soviel Geld hernehmen?«

Ich dachte noch einen Augenblick nach. »Über wieviel Geld reden wir überhaupt?«

Er zuckte die Achseln. »Na ja, um die zwanzigtausend Dollar.«

»Mehr nicht?« Ich hatte geglaubt, Filme kosteten wesentlich mehr. Zwanzigtausend Dollar waren ein Klacks! Boyce mußte nur zum Telefon greifen, um über eine solche Summe zu verfügen. Ebenso meine Mutter. Selbst ich hatte zwölftausend Dollar auf einem Bankkonto in Lubbock; Geld, das ich von meiner Großmutter geerbt und niemals angerührt hatte, obwohl ich der Versuchung oft kaum hatte widerstehen können, vor allem bei Teppichen.

Ich zermarterte mir das Hirn nach weiteren potentiellen Geldgebern. »Was ist mit Neil Martingale?« Er war ein rechtsgerichteter politischer Berater und versuchte verzweifelt, Joel zum Umzug nach Laguna Beach zu bewegen, in eine Eigentumswohnung.

Joel stöhnte. Doch plötzlich machte es klick in seinem Gehirn. Man sah förmlich, wie sich das Räderwerk in Bewegung setzte. Bis zum Souvlaki-Stand sagte er keinen Ton mehr.

Ich blieb im Wagen sitzen, während Joel und Nanette das Essen besorgten. Ich sah sie an der Theke stehen. Er sah hinreißend aus, gut gebaut und sexy, wie ein Engel, der auf die Erde gefallen ist. Sie dagegen wirkte reichlich ordinär. Die Stiefel waren ein grober Fehlgriff. Man mußte sie immer wieder hochziehen. Aber Nanette machte zur Zeit überhaupt eine ganze Menge Fehler. Da war Joel in einer persönlichen Krise, und sie hatte nichts Besseres zu tun, als ihre Stiefel nach oben zu ziehen und zu quengeln. Im Gegensatz zu mir – ich war immer für ihn da, ich hörte ihm zu, machte Vorschläge ...

Plötzlich saß Joel wieder im Wagen. Allein. »Fahren Sie einfach ein bißchen durch die Stadt«, befahl er dem Chauffeur. Dann packte er griechisches Essen und Coca-Cola aus einer weißen Papiertüte.

»Was ist mit Nanette?«

»Sie mußte nach Hause«, antwortete Joel und fiel halb verhungert über sein Pitabrot her. »Wie spät ist es jetzt in Los Angeles?«

Ich sah auf meine Uhr. »Ähm, jetzt ist es hier fast neun, dann muß es dort ... gleich sechs sein.«

»Noch 'ne Masse Zeit«, brummelte Joel. »Ich ruf' Neil erst später an.«

»Ach, Joel«, seufzte ich. Mir wurde ganz warm ums Herz, weil ich so stolz darauf war, daß ich ihm hatte helfen können. »Ich bin sicher, daß er es tun will.«

Er reichte mir ein Souvlaki. »Auf jeden Fall werde ich dabei ein bißchen braun.«

»Braun?«

Er wischte sich mit dem Handrücken über den Mund. »Wenn Neil Martingale die Kohle rausrückt, werde ich in

L. A. drehen müssen. Sie kennen ihn nicht. Er will garantiert höchstpersönlich die Beleuchtung aufbauen und die Kamera einstellen.«

Damit hatte ich nicht gerechnet. »Wie lange werden Sie weg sein?«

Die Frage schwebte eine lange Zeit im Raum und senkte sich nur langsam und millimeterweise zu Boden. »Wollen Sie die Wahrheit hören?« erwiderte er dann leise und traurig. »Ich werde nicht zurückkommen.«

Ich konnte einen Schreckensschrei nicht unterdrücken.

»Warum sollte ich? Was hat mir New York zu bieten? Ich vermisse den Strand. Ich vermisse mein Auto. Und meine Schwester wird auch bald wieder zurück sein. Was soll ich dann tun? Wo soll ich wohnen?«

»Aber ...«

»Aber was?«

Wir fuhren die Eighth Avenue entlang, den verkommenen Teil der Eighth Avenue aus den fünfziger Jahren. Vignetten des Lebens zogen an uns vorbei – eine Kinderbande bearbeitete mit Stöcken eine Mülltonne, eine alte Frau mit zwei Einkaufstüten schleppte sich Gott weiß wohin. Im Wagen war es so still, als wären wir allein auf einem anderen Planeten. Nur aus dem Autoradio ertönten dezente Klänge: die Disco-Version von »Don't Cry for Me, Argentina«. Aber es war ganz leise gestellt, und ich konnte es kaum hören.

»Aber ... wenn Sie ... das Geld hier auftreiben könnten .. dann würden Sie ... bleiben, oder?«

Er zuckte die Achseln. »Hier krieg' ich's sicher nicht.«

»Und wenn doch?«

Wieder ein Achselzucken.

»Joel?« Er sah mir ins Gesicht. »Ich hab' da eine Idee«, sagte ich.

Er lächelte. An seiner Lippe hing ein Tropfen Souvlaki-soße – es sah aus wie Blut.

Dann hörte ich ein anderes Geräusch, ein merkwürdiges Surren. Ich sah nach vorn und stellte fest, daß die Trenn-wand zwischen dem Chauffeur und uns hochgegangen war. Innerhalb von nur zwei Sekunden waren wir herme-tisch von der Außenwelt abgeriegelt. Wie war das pas-siert? Ich wandte mich wieder Joel zu.

Und da saß er und lächelte mich an – eigentlich war es nur die Andeutung eines Lächelns, ähnlich wie bei der *Mona Lisa*. Dieses Lächeln hatte ich auf seinem Gesicht noch nie gesehen. Nein, stimmt nicht. Ich *hatte* es schon einmal ge-sehen. Es war das Lächeln aus der Fotoserie C.

»Komm her«, sagte er und zog mich in seine Arme. Es war ein eigenartiges und wundervolles Gefühl, ihm so nahe zu sein. Ich konnte die Wärme seines Körpers und seine durchtrainierten Muskeln spüren. Das war schon mehr als genug für mich, doch standen mir noch ganz andere Schauer der Erregung bevor. Denn jetzt nahm er mein Kinn, drehte mein Gesicht zu sich, und dann küßte er mich. Ich schmeckte das Lammfleisch. Sein Mund schien außergewöhnlich naß. »Oh, Baby«, stöhnte er, dann küßte er mich noch einmal, diesmal fester. »Du willst es auf die harte Tour, stimmt's?«

Ich war nicht sicher, wie ich diese Frage beantworten soll-te, doch bevor ich dazu kam, rief Joel: »Hey! Fahren Sie ran!«, und die Limousine blieb am Straßenrand stehen. Wir waren an der Nordseite der kleinen Grünanlage vor dem Plaza-Hotel. Dort stand eine alte Frau mit einem Handkarren voller Blumen, die sie zum Verkauf anbot. »Wieviel?« fragte Joel und deutete auf ein paar prachtvolle Rosen in einem verzinkten Blecheimer.

Die Margeriten erwiesen sich allerdings als sehr viel günstiger, und wenig später überreichte mir Joel einen exquisiten Strauß, in dem diese mit Schleierkraut und Grünzeug kombiniert waren. »Oh!« rief ich begeistert und hielt die Blumen vor mein Gesicht, um ihren dezenten, leicht bitteren Duft einzuatmen. »Jetzt zur Second Avenue«, rief Joel dem Chauffeur zu, und wir fuhren weiter, vorbei an La Vieille Russie (eines meiner Lieblingsgeschäfte in New York), am alten Playboy Club, an Bloomingdale's, und glitten dann die Second Avenue mit ihren Antiquitätengeschäften entlang. Die ganze Zeit hielt Joel mich in seinen Armen und flüsterte mir Koseworte ins Ohr oder summte Melodien aus dem Radio mit. Ich war im siebten Himmel; ich wünschte nur, ich könnte mich besser an die Einzelheiten erinnern. An der 14th Street wies Joel den Chauffeur an, links abzubiegen. Wir fuhren weiter bis zur First Avenue; dort ließ er noch einmal anhalten.

*Wie hinreißend*, dachte ich, *mehr Blumen*. Aber es stellte sich heraus, daß er von zwei jungen Schwarzen an der Ecke Kokain kaufen wollte. Die Transaktion dauerte nur wenige Sekunden, und schon fuhren wir weiter, diesmal ziellos durch Stuyvesant Town, während Joel das Kokain auf dem Eiskübeldeckel vorbereitete. »Hier«, sagte er und gab mir seine Brieftasche. »Such 'nen Schein und roll ihn zusammen.« Alles, was ich finden konnte, war ein Scheck, also nahm ich den. Er war von Sklave Sheldon und auf eintausend Dollar ausgestellt.

Joel sog das Kokain geräuschvoll und gierig in die Nase, erst in das eine, dann ins andere Nasenloch. »Jetzt du«, sagte er und gab mir den Scheck. Ich starrte auf das Kokain. Es sah genauso aus wie Chanel-Körperpuder. Er hatte es in Linien ausgelegt, in zehn oder so, die wie Miniatur-Sanddünen aussahen.

Na schön, dachte ich. Wer A sagt, muß auch B sagen.

Mein erster Versuch ging daneben, aber beim zweiten klappte es ziemlich gut. In meinem Kopf wirbelte alles durcheinander, und das nächste, woran ich mich erinnern kann, war Joels Mund. Er war direkt neben meinem Ohr, ganz heiß und naß. »Weißt du, was ich von dir gehört habe?« knurrte er.

»Was?« fragte ich. Mein Herz klopfte schneller, als ich es je für möglich gehalten hätte.

»Du bist eine Hure.«

Mich beschlich ein seltsames Gefühl, das Gefühl, daß ich die Grenze zu einer brandneuen, verrückten Traumwelt überschritten hatte, in der alles möglich und erlaubt war. Ich stöhnte.

»Stimmt das, Baby? Bist du eine Hure?«

»Ja ... ja!« schrie ich. »Ich bin eine Hure, ich bin ein Flittchen!«

Er nahm meine rechte Hand und legte sie zwischen seine Beine.

»Willst du meine Hure sein?«

»Ja, ja!« seufzte ich.

Joel lachte und rutschte ein bißchen zur Seite. »Wie wär's mit noch 'ner Prise?« fragte er.

Die nächste Stunde fuhren wir kreuz und quer durch die Lower East Side. Offen gesagt, ich war zu allem bereit, aber Joel schien damit zufrieden, mich im Arm zu halten, genauer gesagt, in seinem linken Arm. Den rechten brauchte er, um weiter Kokain zu schnupfen und meine wie auch seine Brust zu streicheln.

# Teil Drei

# Joel

# Kapitel Siebzehn

Am vierzehnten sollten die Dreharbeiten beginnen. Joel hätte am liebsten sofort angefangen. »Von mir aus kann's losgehen, Leute«, sagte er dauernd. Er erinnerte mich an einen Athleten, der sein Leben lang für die Olympischen Spiele trainiert hat – und jetzt war es endlich soweit. Sein großer Augenblick stand bevor. Außerdem würde er einiges an Leihgebühren sparen, wenn er die Ausrüstung bis zu einem bestimmten Datum zurückgab.

Das bedeutete, daß wir nur zehn Tage für jene ungemein wichtige Phase des Filmemachens hatten, die man »Preproduction« nennt. Die Preproduction, so erfuhr ich, ist entscheidend für den gesamten Prozeß des Filmemachens. In dieser Phase werden alle grundlegenden Entscheidungen getroffen. Man muß ein Filmteam engagieren, die Schauspieler vorsprechen lassen, einen Art Director suchen, Requisiten besorgen, Dekorationen anfertigen lassen, geeignete Drehorte für die Außenaufnahmen finden, Kostüme auswählen. (Vielleicht denken Sie, letzteres könnte bei einem Film dieser Art nicht sonderlich schwierig sein, aber da irren Sie sich. Joel verbrachte allein zwei von den zehn Tagen damit, die Geschäfte in der Christopher Street nach einer geeigneten Lederjacke zu durchstöbern.)

Eine weitere Aufgabe, die vielleicht nicht allzu interessant klingt, aber ebenso wichtig war, bestand im Tippen des Drehbuchs, und dafür war ich zuständig. Eine ziemlich zeitaufwendige Arbeit; Joel war ein Tüftler, und ständig stieß ich auf irgendwelche Anmerkungen oder Ergänzungen, die eingearbeitet werden mußten. Da stand etwa:

»Einfügung A hier einfügen«, und dann konnte ich im ganzen Text nach dieser Einfügung A fahnden. Auch die Personennamen änderten sich des öfteren, so daß manchmal unklar war, wer gerade redete; die Ränder waren mit beinahe unleserlichen Hieroglyphen vollgekritzelt. Trotz allem hatte ich nach jeder fertigen Seite das Gefühl einer Offenbarung. Dieses Gefühl wurde immer intensiver, und als ich schließlich zu Seite 189 vorgedrungen war und »ENDE« tippte, war ich schlichtweg überwältigt. Joel war der geborene Schriftsteller – anders kann ich es nicht ausdrücken.

Das Drehbuch für *Verschwommene Tiefen* – der Titel sei, wie man mir sagte, irgendeine Anspielung darauf, daß man beim Fotografieren den Fokus nicht findet – war ganz ohne Zweifel ein kraftvolles, leidenschaftliches Werk. Es war anders als alles, was ich bislang gelesen hatte – vielleicht mit Ausnahme von *Der Fänger im Roggen* oder *Atlas Shrugged*. Man spürte den Zorn, das Aufbegehren, aber vor allem auch die unglaubliche Sensibilität des Autors. Ich war außerordentlich beeindruckt von seinem soziokulturellen Scharfblick. Das zentrale Thema war eindeutig die Verschwörung unserer Gesellschaft gegen künstlerische Impulse: Junge Männer mit *echtem* Talent – letztlich eine »Gefahr« für die Gesellschaft – können sich nicht verwirklichen, weil ihnen ständig Steine in den Weg gelegt werden.

Es war in jeder Hinsicht ein vielschichtiges und durchdachtes Werk. Nehmen wir zum Beispiel die Rolle, die Joel spielte. Einerseits war er ein hartgesottener Motorradrocker, der für die Spielregeln der Gesellschaft nur Verachtung übrig hatte. Doch zugleich war er ein begnadeter Dichter, dessen erster Gedichtband demnächst in gebundener Ausgabe erscheinen sollte. Er war ein Einzelgänger, besaß jedoch eine solche starke Ausstrahlung, daß ihn die Rockerbande, die sich in einer Bar namens »Olymp« herumtrieb, anstandslos als ihren Boß akzeptierte. Übrigens hatte er im Film keinen Namen, sondern hieß immer nur »ER« – ein genialer Kunstgriff. Die Frauen fühlten sich oft gegen ihren Willen zu IHM hingezogen. Doch da sie IHN früher schlecht behandelt hatten, durchschaute ER sie sofort. Meistens waren es nur Flittchen. Wonach ER sich sehnte, war eine Frau, bei der ER auch seine schwachen Seiten zeigen durfte. (All das erfährt der Zuschauer in einem langen Monolog, den ER bei einer Motorradfahrt durch die nächtliche Großstadt hält.)

Die Frau seines Herzens findet ER schließlich in einem Mädchen namens Samantha; sie stammt aus einer sagenhaft reichen Familie, ihr Vater hat als Brezelhersteller ein Vermögen gemacht. (Das Drehbuch ist voll von derlei witzigen und komischen Anspielungen.) ER lernt sie kennen, als ER sie aus den Klauen einer Straßenbande befreit, die sie gerade in einer dunklen Gasse vergewaltigen will. Sie ist süß und unschuldig, ganz im Gegensatz zu ihrer Stiefmutter, ein mannstolles Oberschichtsweib namens Blythe. Diese versucht den ganzen Film hindurch, IHN mit allen möglichen Tricks zu verführen. Außerdem hat ER eine Ex-Freundin (oder »Mama«), die Corrine heißt und zur Rockerbande gehört. In der Beziehung der beiden fliegen häufig die Fetzen. Hier ein kurzer Auszug aus einem Dialog:

CORRINE: *(reißt sich von ihm los und sieht ihn haßerfüllt an):* Verdammt noch mal, ich hab' nichts mit ihm gehabt. Er hat mir bloß seine Maschine gezeigt.

ER: *(spöttisch):* Die Maschine kann ich mir lebhaft vorstellen, du Schlampe.

CORRINE: *(wütend):* Sag nicht Schlampe zu mir, ja! Wieso behandelst du mich immer wie den letzten Dreck? Du bist ein Schwein.

ER: Ach ja? Du mußt grade reden.

CORRINE: Du bist echt ein Schwein. Und die da auch. *(Deutet auf die anderen.)* Schau sie dir doch an. Einfach zum Kotzen.

ER: Das hat dich ja wohl nicht gestört.

CORRINE: *(schlägt ihm ins Gesicht):* Leck mich am Arsch!

ER: Ich? *(schlägt zurück)* Leck dich selber!

Wie Joel mir anvertraute, verdankte er diese Sprachgewalt seinem Studium der Stücke von David Mamet.

Doch was *Verschwommene Tiefen* so faszinierend machte, waren nicht nur der Handlungsverlauf und die Charaktere, sondern vor allem Joels virtuoser Umgang mit den stilistischen Mitteln des Films. Obwohl ich von Film wenig Ahnung habe, fielen sogar mir alle möglichen »Cineasten«- oder »Autoren«-Techniken auf, insbesondere in den Traumsequenzen. Die Vorgänge im Unterbewußten seines Helden brachte Joel mit einer äußerst lebendigen und überzeugenden Symbolik zum Ausdruck. In einer Szene beispielsweise geht ER einen endlosen Korridor entlang und hat dabei eine ganze Reihe erschreckender Visionen. So sieht ER etwa eine Frau, die von seltsamen Kreaturen – halb Mensch, halb Vogel – angegriffen wird, während im Hintergrund ein paar Rabbis Tischtennis spielen.

Ich hoffe, ich habe nicht den Eindruck erweckt, *Verschwommene Tiefen* sei ein perfektes Werk. Das war es keineswegs. Es war die Arbeit eines jungen Nachwuchskünstlers mit all den dazugehörigen Stärken und Schwächen. Manches mußte geglättet werden, der Schluß »stimmte« auch noch nicht ganz, und meiner persönlichen Meinung nach handelten die Charaktere oft unmotiviert. Die Handlung hatte mehrere Nebenstränge, und es gab eine längere Passage, in der ER die nukleare Bedrohung erörtert; diese Szene bestach zwar durch ihre vollendete Form, hätte aber durchaus weggelassen werden können, ohne daß Joels künstlerische Intention im Kern angetastet worden wäre. Ich hatte vor, ihn auch noch auf einige andere veränderungsbedürftige Details aufmerksam zu machen. Zum Beispiel Professor von Schtupp, der komische »zerstreute Professor«, den Joel mit Groucho-Brille und Vogelscheuchenperücke selbst spielen wollte: Im Drehbuch las es sich ganz amüsant, aber als ich ihn diese Rolle einstudieren sah, überkamen mich gewisse Bedenken. Und mußten es denn wirklich so viele Liebesszenen mit IHM und Samantha sein? Besonders die vor dem offenen Kamin? Ich markierte alle Stellen, an denen sie sagte: »Hast du denn schon genug, Liebling?«, um sofort Vorschläge für die Kürzung parat zu haben, die man uns garantiert auferlegen würde.

»Sie denken wohl, Sie können mich verarschen?« brüllte Joel ins Telefon, als ich zu unserem vereinbarten Termin in seine Wohnung trat.
Die übrigens wieder einmal völlig verändert aussah. Jetzt fungierte sie als Produktionsbüro von »Ramona Productions«, benannt nach Joels Mutter. Der Eßtisch stand mitten im Wohnzimmer und diente Joel als Kommandozentrale. An den Wänden hingen Anschlagtafeln mit Dutzenden von festgepinnten Pappkärtchen, die verschiedene Symbole und kryptische Bildunterschriften trugen. Ebenfalls neu: die Plakate von Filmen, die Joel besonders gefielen, unter anderem *Taxi Driver*, *Interiors* und *Aguirre, der Zorn Gottes*.

Joel war eindeutig in seinem Element. Wie ein Tiger im Käfig lief er im Zimmer auf und ab und sprühte förmlich vor Energie, während er am Telefon verhandelte. Noch nie hatte ich erlebt, daß er mit solcher Begeisterung bei der Sache war. »Sie glauben wohl, Sie können mich aufs Kreuz legen, aber ich bin ein viel größeres Schlitzohr als Sie!«, ließ er seinen Verhandlungspartner wissen. Es freute mich, ihn so glücklich zu sehen.

Die restlichen Möbel waren am anderen Ende des Zimmers zu einem großen Haufen zusammengestellt worden, wie bei einem Räumungsverkauf. Dort saß das Filmteam, das Joel engagiert hatte, und wartete darauf, daß die Produktionsbesprechung weiterging. (Damals war jeder Tag eine einzige lange Produktionsbesprechung.) Zwar hatte ich die Crew schon kennengelernt, konnte mir aber nicht merken, wer wie hieß und wofür zuständig war. Sie waren insgesamt etwas jünger und ungepflegter, als mir lieb war, und einer hätte, ehrlich gesagt, mal wieder ein Bad vertragen können. Momentan qualmten sie alle um die Wette und führten eine hitzige Debatte um eine Schauspielerin namens Kimmy, die für ihre »Zungenfertigkeit« berühmt war.

Da ging die Tür auf, und ein Mann kam herein. Zuerst dachte ich, es sei ebenfalls einer vom Team, nur etwas dicker. Er war älter als die anderen, hatte Hamsterbacken, schmale Lippen und dünnes, in Büscheln abstehendes Haar, das mich an eine Pusteblume erinnerte. In der einen Hand hielt er eine Einkaufstüte, in der anderen eine Schachtel Doughnuts.

»Entschuldigen Sie«, sagte ich. »Sind Sie nicht Laurence O'Boyle?«

»Huch«, kreischte er, »ein Fan!« Er stellte die Doughnuts ab und fing an, in seiner Tüte zu wühlen, wobei er ununterbrochen redete. »Haben Sie mich im Duplex gesehen?

Mein Engagement hätte verlängert werden sollen, wissen Sie, es war schon alles arrangiert, aber Patti-Renee Goldstein, diese Ziege, wollte ihre Termine nicht verschieben – sie haben dort alle schreckliche Angst vor ihr. Ganz New York läßt sich von dieser dummen Gans einschüchtern. Aber ich sag' Ihnen eins: *Ich hab' sie schon gekannt, als sie noch in Flushing Nägel manikürt hat.* Ah, da haben wir's ja. Na, was sagen Sie dazu? Gefällt Ihnen das Kostüm? Oder finden Sie, es sieht zu sehr nach Bob Mackie aus? Ich schwitze darin wie ein Schwein, aber für das Potpourri mit den Mädchen ist es gerade richtig. Und wissen Sie was? Ich mache jetzt auch Parodien. Ich singe Fran Lebowitz. Hier, da haben Sie ein paar Flugblätter. Nehmen Sie ruhig noch mehr. Die können Sie bei sich in der Eingangshalle auslegen.«

»Machen Sie auch bei dem Film mit?« fragte ich.

»Nur bei den Kostümen und Requisiten«, antwortete er und warf sich in Pose. »Ich habe als Filmschauspieler nicht mehr gearbeitet seit dem Tod meiner Mutter…sprache. He, das ist genial! Das muß ich mir merken!«

Während er nach einem Stift kramte, spürte ich, wie die Wut in mir hochstieg. Sogar Laurence O'Boyle! Alle vergnügten sich, nur ich versauerte mit meinem epileptischen Hund in einem langweiligen Vorort. Es war einfach nicht fair.

Joel legte auf, und augenblicklich fingen alle an, gleichzeitig auf ihn einzureden. Manche fuchtelten mit den Händen in der Luft herum, um seine Aufmerksamkeit auf sich zu lenken. »Mimula!« rief er, als er mich erblickte, lief auf mich zu und küßte mich auf die linke Wange. So überschwenglich hatte er mich noch nie begrüßt. Meine Gereiztheit war verschwunden, ich merkte, wie mir eine leichte Röte ins Gesicht stieg. Dann erglühte ich regelrecht, denn er führte mich über den Gang ins Schlafzimmer und schloß *die Tür hinter uns!*

»Hast du es dabei?«

»Na klar«, sagte ich und griff in meine Tasche. »Ta-ta!«

»Was ist das?«

»Das Drehbuch. Ich habe es binden lassen.«

Auf seinem Gesicht zeichnete sich ein Ausdruck ab, den ich nur als Glückseligkeit bezeichnen kann. Beinahe ehrfürchtig nahm er das Buch an sich. »Herrgott«, sagte er. »Es ist ja so ... so dick.« Er drückte es an die Brust und bewunderte dann die goldenen Lettern auf dem lindgrünen Kunstledereinband. »*Verschwommene Tiefen* von Joel Sabinak«, las er vor. »Wow.«

»Ach, Joel«, sagte ich. »Es ist umwerfend. Einfach brillant. Ich war tagelang wie benommen davon.«

»Es ist wirklich gut, nicht wahr?« Er strich über die Bindung, wog sein Werk in der Hand und roch am Einband. »Wo sind die anderen Exemplare?«

»Draußen im Flur. Ich habe zwanzig machen lassen.«

»Mensch, du bist wirklich 'ne Wucht.«

Ich errötete noch mehr. »Weißt du, Joel, ich habe viel Zeit. Vielleicht kann ich dir noch anderweitig behilflich sein. Ich könnte zum Beispiel Briefe tippen, Telefondienst machen, die Wohnung saubermachen oder ...« Fast wäre mir ein »staubsaugen« rausgerutscht.

»Nun ja, ich hätte schon was für dich.«

»Ja?«

»Hilf Nanette mit ihrem Text.«

»Oh.«

»Sie bringt das immer noch nicht so richtig.«

»Tja ...«

»Schön«, meinte er und warf das Skript aufs Bett. »Und wo ist der Scheck?«

Wir beschlossen, mit Nanettes Nachilfeunterricht möglichst bald anzufangen. Bereits an den vergangenen Abenden hatte Joel mit ihr gearbeitet. Er studierte nicht nur den Text mit ihr, sondern übte auch die »Vertrauensspiele«, die er an der Berkeley University gelernt hatte. Anscheinend kapierte sie aber überhaupt nicht, worum es dabei ging, und statt ihn aufzufangen, ließ sie ihn immer wieder auf die Nase plumpsen – was sie auch noch ungeheuer lustig fand. Mit dem Text passierte bei ihr etwas sehr Merkwürdiges: Das optisch wahrgenommene Bild der Textseite veränderte sich auf dem Weg von der Hornhaut zum Großhirn und hatte oft nicht mehr viel Ähnlichkeit mit dem Original. Kurz gesagt: Nanette konnte nicht richtig lesen.

Damit will ich nicht behaupten, daß Hopfen und Malz verloren war. Nanette hatte eine ausgesprochen positive und optimistische Einstellung und das unerschütterliche Selbstvertrauen einer jungen Carmen Miranda. Sie war schlicht davon überzeugt, daß sie großartig sein würde. Und bei den so überragend wichtigen körperlichen Aspekten ihrer schauspielerischen Darbietung überließ sie nichts dem Zufall. Die führenden Maniküre-Salons der Stadt wurden zu Rate gezogen, ihr Haar erhielt eine neue, hellere und leuchtendere Färbung, die sich im Scheinwerferlicht vorzüglich machen würde, und nach massiver Anwendung wirkungsvoller Mykotika gelang es ihr auch fast, ihre hartnäckige Pilzinfektion auszukurieren.

In der hektischen Atmosphäre von Joels Wohnung konnte man unmöglich arbeiten, also fuhren wir nach Bronxville hinaus. Es war ein herrlicher Nachmittag. Zwar mußte ich Nanette dreimal auffordern, ihre Füße vom Armaturenbrett zu nehmen, aber ansonsten war es eine recht angenehme Fahrt. In ihrer rührend naiven Art brachte Nanette ihre Bewunderung für mein Haus zum Ausdruck. »Mensch, Mimi, ich hab' ja gar nicht gewußt, daß du in einer Villa wohnst.« Ich führte sie ein wenig im Haus herum und wies sie besonders auf ein paar schlichte, volkstümliche Gegenstände hin, die ihr meiner Einschätzung nach gefallen müßten, wie die Keksdosensammlung meiner Tante Jemima und ein Spielzeugschweinchen, das »Wien, Wien« spielte, wenn man es am Schwanz zog.

Ich machte Tee und Zimttoast, dann setzten wir uns ins Wohnzimmer und begannen mit der Arbeit. »Mit welcher Szene wollen wir loslegen, Liebes?« fragte ich, setzte meine Lesebrille auf und kam mir vor wie Paula Strasberg.

»Wie wär's mit der Stelle, wo sie mit ihrem Vater streitet?«

»Wie bitte?« Soweit ich mich erinnerte, tauchte Corrines Vater im Drehbuch gar nicht auf.

»Na, du weißt schon. Wo sie die Cocktails trinken und er ihr droht, daß er sie auf die katholische Schule schickt.«

Es dauerte eine Weile, bis ich begriff, doch dann überkam mich ein flaues Gefühl in der Magengegend, und ich stellte die Teetasse ab. Nanette spielte die Samantha! An diese Möglichkeit hatte ich nicht im Traum gedacht. Ich hatte angenommen, sie würde den Part der Corrine übernehmen, der ihr auf den Leib geschrieben schien. Und ich hatte auch immer geglaubt, Joel hätte sie tatsächlich für Nanette erfunden! Sie waren beide so abgebrüht und kaputt – genau derselbe Typ. Vor meinem geistigen Auge sah ich schon die Reklame: »Nanette Noonan *ist* Corrine!«

Aber Samantha! Samantha war ein zartes, liebenswertes Geschöpf, unschuldig und verletzlich, durch und durch Park Avenue und Bildungsbürgertum. Und um es auf den Punkt zu bringen: durch und durch achtzehn Jahre alt. Ich weiß nicht, ob Nanette stramm auf die dreißig zuging oder schon darüber hinaus war, aber irgend etwas sagte

mir, daß ihr Abschlußballkleid längst aus der Mode gekommen war (falls es in den Besserungsanstalten überhaupt einen Ball gab).

Nanettes erste Textzeile lautete: »Helen?« (Sie ruft nach
dem Hausmädchen.) Ihr erster Versuch war im wahrsten
Sinn des Wortes markerschütternd: Sie brüllte das Wort
so laut, als hätte sie gerade entdeckt, daß Helen ihre gesamte Familie im Schlaf ermordet hatte. »Etwas dezen-
ter«, schlug ich vor. Das zweitemal klang es nach einem
unwirschen »komm jetzt«, zwar ganz überzeugend, aber
vielleicht etwas unpassend für eine Dame, die sich nur erkundigen will, ob jemand für sie angerufen hat.

Während wir mit dieser Zeile kämpften, geriet ich mehr
und mehr in Sorge. Was mich vor allem nachdenklich
stimmte, war Nanettes Mimik. Ihr Gesicht erinnerte mich
an das, was man sieht, wenn man durch ein Mikroskop
eine Bakterienkultur begutachtet. Alles war ständig in Bewegung. Die Augenbrauen hoben und senkten sich, die Na-
senflügel bebten, die Lippen spitzten und kräuselten sich.
Das Publikum bekam sicherlich einiges geboten, aber ich
fragte mich, ob Nanettes Technik mit dem Skript zu vereinbaren war. Wenn sich die Gelegenheit bot, eine Szene
falsch zu spielen, eine ohnehin unlogische Gefühlsregung
hervorzuheben oder sinnlose Gesten zu machen, dann
konnte man sich darauf verlassen, daß Nanette sie nutzte.

Inzwischen hatten wir uns zum Kern der Szene vorgear-
beitet und befaßten uns mit der Zeile: »Und wo sind sie
denn alle?«

»Nanette«, sagte ich nach einer Weile, »es heißt: »wo sind
sie *denn* alle!«

»Häh?«

»Es heißt ›denn‹, nicht ›dann‹.«

»Nö, es heißt ›dann‹.«

Da klingelte das Telefon – Gott sei Dank, denn ich bekam allmählich Kopfschmerzen.

»Hallo?«

»Mimi?«

»Ja, guten Tag, Herr Regisseur! Sieht aus, als würde Nanette langsam Fortschr…«

»Mimi«, sagte er in einem Ton, daß mir das Wort im Halse stecken blieb.

»Ja?«

»Das ist ein Scheck über zwölftausend Dollar.«

»Ja, richtig.« Genaugenommen waren es $12 647,57. Ich mußte es schließlich wissen – ich hatte zwei Tage lang mit Banken und Anwälten telefoniert, um das Geld flüssig zu machen.

»Hatten wir nicht zwanzigtausend vereinbart?«

Ich zögerte nicht eine Sekunde. Ich überlegte mir nicht einmal, was ich sagen wollte. Die Worte sprudelten einfach aus mir heraus. »Doch, das hatten wir ausgemacht. Das ist die erste Teilzahlung. Den Rest bekomme ich am … Augenblick … am Montag.«

»Aber Drehbeginn ist am *Freitag*.«

»Gut, dann eben Freitag. Kein Problem.«

Der Tee im Wohnzimmer war inzwischen kalt geworden. Ich ging in die Küche und setzte neuen auf. Während ich wartete, daß das Wasser endlich kochte, blickte ich zum Fenster hinaus auf die Bäume und den Himmel. Es dämmerte bereits. Achttausend Dollar! Woher in aller Welt sollte ich achttausend Dollar nehmen? Hatte ich eigentlich noch alle Tassen im Schrank? Ein kalter Wind fegte durch die Zweige, der Wasserkessel begann zu pfeifen, und meine Kopfschmerzen waren plötzlich viel, viel schlimmer.

# Kapitel Achtzehn

»Na, so was«, sagte Dr. Fineman und sah von einem Farbmuster hoch, das er näher betrachtet hatte. »Was verschafft uns die Ehre Ihres Besuchs?«

»Hallo«, murmelte ich kleinlaut und huschte hinüber zur Couch. Er hatte recht. Ich war nicht mehr hiergewesen seit ... oh, mein Gott, seit Joels Geburtstag. Seither hatte ich Tag und Nacht getippt. Ich hatte mein Gewissen damit beruhigt, daß ich jedesmal anrief und mich krank meldete, und zwar immer dann, wenn ich wußte, daß ich den Anrufbeantworter erwischen würde.

Doch heute lagen die Dinge anders. Ich war mit meiner Weisheit am Ende. Als ich mich heute nacht schlaflos im Bett hin und her gewälzt hatte und eine weitere Hyperventilationsattacke drohte, mußte ich der kalten, unbarmherzigen Wahrheit ins Gesicht sehen: Wenn ich je professionelle Hilfe brauchte, dann jetzt.

Dr. Fineman schien mich nicht erwartet zu haben. Im Radio dudelte leichte Unterhaltungsmusik, und als weiteres Zeichen der Freizeitstimmung hatte er seinen Gürtel aufgemacht. Vielleicht hört sich das seltsam an, aber er schien gerade über die Neugestaltung der Räumlichkeiten nachzudenken. Teppichmuster und Farbkarten lagen ausgebreitet auf dem Couchtisch. Obwohl ich wirklich nicht in guter Verfassung und vor Angst und Sorge ganz außer mir war, konnte ich nicht umhin festzustellen, wie hoffnungslos mittelmäßig sein Geschmack war.

Ich machte es mir auf der Couch bequem, und die Sekunden verstrichen. Dr. Fineman wartete prinzipiell darauf, bis der Patient das Wort ergriff, aber das, was ich loswerden wollte, war ungemein kompliziert. Ich hatte auf der Herfahrt Eröffnungssätze geprobt, aber hier auf der Couch klangen sie alle … *einstudiert*. Sie dürfen nicht vergessen, Dr. Fineman wußte nichts … buchstäblich *gar nichts*. Er hielt Joel für einen homosexuellen Naturfotografen. O Gott, hatte ich ihm das auch wirklich erzählt? Ich konnte mich nicht mehr genau erinnern. Na ja, egal, das spielte jetzt keine Rolle mehr. Er würde ohnehin bald die Wahrheit wissen. Aber wie? Wo sollte ich anfangen?

»Es tut mir leid, daß ich so viele Sitzungen habe ausfallen lassen«, sagte ich.

Zu meiner großen Überraschung ging Dr. F. sofort darauf ein. »Ja, wirklich schade«, pflichtete er mir eifrig bei. »Sie waren ziemlich beschäftigt, was?«

»Sie können sich gar nicht vorstellen, wieviel ich um die Ohren hatte.«

»Vielleicht *zuviel?* Vielleicht ist die Therapie zu zeitaufwendig für Sie? Wenn wir das Kontingent kürzen sollen …«

»Oh, nein!« rief ich.

»Schließlich macht es wenig Sinn, für Stunden zu zahlen, die man gar nicht in Anspruch nehmen will.«

Ich dachte, ich höre nicht recht. Hieß das etwa, man mußte auch für die zahlen, die man hatte ausfallen lassen?

»Und da wir gerade vom Geld reden«, fuhr Dr. Fineman unbeirrt fort. »Wissen Sie, wann Sie das letztemal Ihre Rechnung beglichen haben?«

»Das ist eine Weile her«, gab ich zu.

»Haben Sie eine ungefähre Vorstellung, wieviel Sie mir schulden?«

»Es muß eine ganze Menge sein.« Ich überschlug es im Kopf und kam auf etwa 250 Dollar. »Wieviel?«

»Vierzehnhundert Dollar.«

»Du meine Güte!« sagte ich, und kalter Schweiß brach mir aus allen Poren.

Dr. Fineman seufzte. »Mimi, ich gebe Patienten nur selten einen Rat. Das ist nicht meine Aufgabe. Ich bin für ihr psychisches Wohlergehen zuständig und kein persönlicher Freund. Doch ab und an tritt eine Situation ein, die auf eine Katastrophe zutreibt. Ich stelle fest, daß genau das bei Ihnen der Fall ist. Und dann muß ich mich dazu äußern. Es ist, als ob man mit ansieht, wie im Kino ein Feuer ausbricht. Es wäre fahrlässig, die Geschäftsleitung nicht darüber zu informieren. Verstehen Sie, was ich meine?«

Unbehaglich rutschte ich auf der Couch hin und her. »Ja, ich denke schon.«

»Haben Sie Merv gestern abend gesehen?«

»Wie bitte?«

»Merv Griffin.«

»Ähm, nein, ich glaube nicht.«

»Er hatte Joey Heatherton zu Gast.«

»Aha.«

Er hielt inne. »Sie erinnert mich an Sie.«

»Ich werde zahlen, glauben Sie mir«, sagte ich und brach in Tränen aus.

Als ich zu Dr. Fineman gekommen war, hatte ich das Gefühl gehabt, schlimmer könnte es eigentlich gar nicht mehr werden. Anscheinend hatte ich mich geirrt. Ich weinte ein Weilchen vor mich hin und nahm dann dankbar das Papiertaschentuch entgegen, das Dr. Fineman mir reichte. Dabei dachte ich: »O Gott, wenn er erst von meinem Doppelleben als Prostituierte erfährt!« Diesmal würden sie mich bestimmt in dieses Sanatorium nach Connecticut schicken, soviel stand fest. Und ganz bestimmt würden sie mir meine kleinen Trösterchen wegnehmen.

Da bemerkte ich etwas höchst Merkwürdiges. Die Vorhänge waren abgenommen worden – wohl im Zuge der Renovierungsarbeiten –, und ich konnte Dr. Fineman zum erstenmal in einer Therapiesitzung beobachten, da er sich in den Fensterscheiben spiegelte. Entspannt, mit ausgestreckten Beinen, lehnte er in seinem nachgemachten Eames-Stuhl. Für mich war das ein echter Schock. Ich hatte mir immer vorgestellt, er würde angestrengt lauschend auf der Stuhlkante kauern, mit interessiertem Gesicht und spitzem Bleistift. Doch das einzig Spitze war ein Finger, mit dem er erst am einen, dann am anderen Nasenloch kratzte. Wollte er etwa in der Nase bohren? Aber nein; er bohrte den Finger ins Ohr, grub darin herum, zog den Finger wieder heraus, hielt ihn gegen das Licht und untersuchte mit kritischem Blick sein Ohrenschmalz.

Ein unheilvoller Gedanke begann in mir Gestalt anzunehmen. War er wirklich der Mann, dem ich mein Herz ausschütten wollte? Konnte jemand, der so phantasielose konventionelle Farben für seine Wände wählte, meine Notlage überhaupt verstehen? Konnte er sich einen Menschen wie Joel auch nur vorstellen? Mein Blick fiel auf seine Schenkel. Geistesabwesend wackelte er mit dem linken auf und ab. Das Fleisch bebte, und dieses Beben setzte sich wellenförmig fort, wie bei einem Wasserbett.

Und noch etwas störte mich. Er war ziemlich scharf auf die vierzehnhundert Dollar. Ein bißchen zu scharf, wenn Sie mich fragen. Meine Großmutter hatte einen Begriff dafür. Eigentlich mehr eine Geste: Sie formte mit dem Zeigefinger eine gekrümmte Nase. Und was die Sache noch schlimmer machte: Er würde für das Geld seine Räume mit einem Saxony-Plüsch-Imitat aus Nylon in abscheulichen Farben auslegen lassen. Und das, wo es doch viel bessere Arten gab, es anzulegen, in etwas Schönem, etwas Wertvollem, in etwas …

Wie Joels Film! Ich griff nach einem weiteren Taschentuch und putzte mir die Nase. Mein Herz begann zu klopfen. Warum eigentlich nicht? Boyce würde glauben, daß Dr. Fineman das Geld bekommen hätte, es würde Monate dauern, bis die Wahrheit ans Licht kam. Bis dahin war der Film angelaufen, und die Tantiemen würden in Strömen fließen. Zwei Sekunden später war mein Plan gefaßt. Warum nicht – das Geld lag doch förmlich auf der Straße! Ich hatte meinen Grips nur nicht genug angestrengt. Allein fünfhundert Dollar vergammelten im Bankschließfach. Und dann meine Kreditkarten. Konnte man sich damit nicht auch Bargeld auszahlen lassen? Und was war mit meinen chinesischen Teppichen? Ich hatte erst kürzlich einen ähnlichen in der Columbus Avenue für *fünftausend Dollar* gesehen ...

An diesem Tag endete die Sitzung vorzeitig. Ehe ich ging, ließ mich Dr. Fineman noch einmal die Punkte wiederholen, die wir als Nahziele ausgearbeitet hatten. Das erste war, zur nächsten Sitzung mit einem Scheck über vierzehnhundert Dollar zu erscheinen. Das zweite, die Autobiographie von Sammy Davis junior zu lesen. Das dritte habe ich vergessen; ich war zu beschäftigt mit meiner eigenen kleinen Liste. »Danke, Doktor«, sagte ich, als ich ging, und ich meinte es sogar ehrlich. Ich war ihm wirklich dankbar für seine Hilfe. Er war ein netter Mensch, und er hatte mir in schwierigen Zeiten Kraft gegeben. Doch wenn er glaubte, daß er sich Joels vierzehnhundert Dollar unter den Nagel reißen konnte, dann war er bescheuert.

Achttausend Dollar aufzutreiben, erwies sich als das reinste Kinderspiel. Kaum war ich zu Hause, sah ich im Branchenverzeichnis unter »Antiquitäten« nach. Die ersten beiden Händler sagten, es wäre ihnen ein Vergnügen, sich anzusehen, was immer ich vorbeibringen wollte, der eine meinte allerdings einschränkend: »Keinen religiösen Kitsch.« Der dritte bot an vorbeizukommen – noch am selben Nachmittag. Von wegen Pechsträhne! Doch wie auch Dr. Fineman immer und immer wieder betont hat: »Man muß sein Glück eben selbst in die Hand nehmen.«

Sein Name war Kirk Weintraub, und – Wunder über Wunder – er erinnerte mich an Joel. Er war ungewöhnlich jung für einen Antiquar und sah auf jüdische Art sehr gut aus, bärtig und nach dem letzten Schrei gekleidet: ein Sportsakko aus glattem Kammgarn mit hochgekrempelten Ärmeln, dazu eine dieser schicken Bundfaltenhosen. Er fuhr sogar einen schwarzen Wagen, allerdings einen Mercedes, keinen Cadillac. Und er schlenderte sehr selbstbewußt durch mein Wohnzimmer – genau wie Joel es getan hätte – und unterbreitete mir ein Angebot nach dem anderen. Als Baby ihn in die Fersen zu beißen versuchte, ging er wieder. (Baby mag keine fremden Männer.)

Zum erstenmal in meinem Leben war der ganze Krempel, den ich in all den Jahren gesammelt hatte, zu etwas zu gebrauchen. Sie würden sich wundern, was das Zeug wert war! Für meine antike koreanische Vitrine bekam ich tausend Dollar, und dabei waren ein paar Beschläge nicht einmal original – eine Tatsache, auf die mich erst Kirk aufmerksam machte. Die antiken Tôle-Übertöpfe brachten 600 Dollar, die Vase aus Biskuitporzellan einen glatten Hunderter. Für den chinesischen Teppich bekam ich eintausendzweihundert Dollar, einiges weniger als erwartet, aber er hatte mich ja auch nur 500 gekostet – bei einem iranischen Zollbeamten, der auf der Flucht nach Rancho Mirage war. Wie schade, daß ich ihm nicht auch noch die zwei Louis-quatorze-Fauteuils abgekauft hatte. Na ja.

Kirk war sehr freundlich und gesprächig, und schon bald

wußte ich alles über ihn und sein Geschäft. Er hatte unzählige Geschichten über Frauen auf Lager, die ihren Verlobungsring verkauften, weil die Heirat – oft unter den abstoßendsten Umständen – in letzter Sekunde abgeblasen wurde. Sein gelungenster Kauf war der Ring einer prominenten jungen Frau aus Manhattan, die entdeckt hatte, daß der Mann, den sie ehelichen wollte – und der über einen enormen Grundbesitz verfügte –, Bettnässer war. »Sie ertappte ihn sozusagen in flagranti«, sagte Kirk und hielt inne, damit seine Worte ihre Wirkung entfalten konnten. Diese Anekdote veranlaßte mich dazu, meinen Schmuck herauszukramen, und ich wurde die gräßliche Granatstecknadel los, die mir Boyce zum Hochzeitstag geschenkt hatte. Was für ein Geizkragen – sie brachte nur dreißig Dollar! Außerdem nutzte ich die Gelegenheit, eine klobige Aquamarinbrosche ($ 175), eine Cloisonné-Lorgnette ($ 60), einen Freundschaftsring mit Diamant ($ 100) und eine Armbanduhr von Helbros ($ 35) zu verhökern.

Kirk erstand Waren im Gesamtwert von fünftausendsechshundertundfünfzig Dollar. Und am nächsten Tag tätigte ich bienenfleißig weitere Verkäufe in Valhalla – Endsumme eintausendzweihundertundsiebzig Dollar. Doch erst am Tag darauf ging ich wirklich in die vollen und überließ einem Händler in Ardsley die georgianischen Kerzenständer meiner Großmutter. Ursprünglich wollte ich diese Familienerbstücke behalten, doch nachdem ich mich einmal dazu durchgerungen hatte, handelte ich rasch und ohne Bedauern. Seltsam, dachte ich, während ich das Zeug auf dem Beifahrersitz betrachtete, wo ich es mit dem Sicherheitsgurt festgezurrt hatte, daß mir dieser Schrott einmal soviel bedeutet hat!

Dann kam der Freitag – der Termin. Joel konnte mit mir zufrieden sein, dennoch saß ich wie auf glühenden Kohlen neben dem Telefon. Sollte ich ihn anrufen und ihm die gute Botschaft überbringen? Er war sicher sehr beschäftigt. Schließlich war heute der erste Drehtag, und ich wollte auf keinen Fall stören. Es gab weiß Gott genug, womit er sich herumschlagen mußte. Zum Beispiel mit Fred, dem Kameramann. Ob es wohl mit ihm klappte? Joel hatte gezögert, ihn zu engagieren, weil er nach einem Motorradunfall schielte. Und dann der Zeitdruck! Ich mußte es wissen: Schließlich hatte ich die ganze Handlung abgetippt – einundzwanzig Szenen in sieben Tagen. Würden sie das durchhalten?

Ich döste etwas vor mich hin und sah mir ein paar Quizsendungen an, dann machte ich mir ein Sandwich mit Thunfischsalat. Die Stunden dehnten sich endlos. Als der Zeiger auf halb fünf zuging, begann ich im Zimmer auf und ab zu laufen. Baby folgte mir auf den Fersen. Wie lange würden sie wohl arbeiten? Bis fünf? Bis halb sechs? Um viertel nach fünf hielt ich es nicht mehr aus und wählte die Nummer, die Joe mir gegeben hatte.

Das Telefon klingelte und klingelte. Himmel, dachte ich, sie sind schon alle weg. Doch dann schnarrte plötzlich eine rauhe Stimme, die ich als die von Laurence O'Boyle erkannte: »Was gibt's?«

»Laurence? Hier ist Mimi.«

»Mimi?«

»Ihr Fan.«

»Liebste!«

»Wie geht's bei euch?«

»Nichts geht.«

»Wie bitte?«

»Wir haben keine einzige Szene im Kasten.«

»Du lieber Himmel! Warum denn nicht?«

»Tja, es ist ganz sicher nicht meine Schuld, ganz egal, was

er sagt.« Und dann erzählte er mir eine verwickelte Geschichte – das heißt, eigentlich waren es mehrere. Zuerst stellten sie fest, daß sie das falsche Filmmaterial gekauft hatten, und mußten es umtauschen. Das dauerte mehrere Stunden. Dann war ein Objektiv im Aufnahmegerät kaputt, und der Recorder mußte zu Camera Mart zurück gebracht werden. Zwischendrin erschienen ein paar Männer von den Elektrizitätswerken – Laurence nannte sie die »Strombullen« – und drohten, alle ins Kittchen zu bringen, weil sie das falsche Stromnetz angezapft hatten. Zudem funktionierte die Heizung nicht ordentlich, und Joels neue Lederjacke, die er praktisch in jeder Szene trug, war mit zu kurzen Ärmeln geliefert worden. Als er sie anprobierte, waren alle in schallendes Gelächter ausgebrochen.

»Ach, du meine Güte«, sagte ich. »Kann ich ihn sprechen?«

»Ich glaube, das wäre im Moment keine gute Idee.«

»Könnten Sie ihm dann etwas ausrichten?«

»Was denn?«

»Sagen Sie ihm ... sagen Sie ihm, ich hab' das, was er wollte.«

»O Gott! Jetzt auch noch Drogen. Das hat uns gerade noch gefehlt.«

Ich schloß das Geld in der Hausbar ein. Dann machte ich meine Oberschenkelübungen und ging früh zu Bett. Ich wollte frisch sein für morgen. Schließlich konnte ich jeden Augenblick zu ihm gebeten werden. Vielleicht würde ich gleich morgen früh bei Ferris-Hoblin's einen Anrufbeantworter kaufen. Falls ich nicht da war, wenn er anrief. Nicht, daß ich vorhatte, auch nur einen Schritt aus dem Haus zu tun ... Nur für alle Fälle ...

Seit langem war ich nicht mehr so glücklich eingeschlummert. Natürlich wollte ich, daß mit dem Film alles klappte, und ich betete sogar, daß es morgen besser laufen würde.

Doch irgendwie befriedigte mich die neueste Entwicklung. Joel liebte diesen blöden Film mehr, als er mich liebte. Er mußte lernen, daß Filme kamen und gingen, daß sie einen enttäuschten, daß sie einen im Stich ließen. Dabei gab es doch etwas, das immer zu ihm hielt. Und das war ich ...

# Kapitel Neunzehn

Der Anruf kam natürlich, als ich am wenigsten damit gerechnet hatte. Ich war bei Linens 'N' Things gewesen und hatte mich, um mich irgendwie abzulenken, nach den Preisen altmodischer Vorhangstoffe erkundigt. Und als ich wieder nach Hause kam, war eine Nachricht auf dem Anrufbeantworter. Es war eine Männerstimme, die ich nicht auf Anhieb erkannte. »Hier ist Stewie«, sagte sie. »Joel braucht das Geld sofort. In bar. Jetzt gleich! Bitte beeilen Sie sich!«

Fünfzehn Minuten später saß ich im Auto.

Joel hatte für die Innenaufnahmen das Obergeschoß einer Lagerhalle gemietet, die in der verwinkelten Gegend zwischen Chinatown und Little Italy stand, wo mich unter normalen Umständen keine zehn Pferde hinbekamen. Die Straßen sind ständig von Lastwagen blockiert, und nach einem Parkplatz muß man ewig suchen. Als ich das Haus endlich fand, stellte ich fest, daß es über hundert Jahre alt war – aber alles andere als das, was man sich unter einem hübschen Altbau vorstellt. Mehrere Hispanos saßen auf Bierkästen in der Eingangshalle, tranken Whisky (aus Flaschen in Papiertüten) und stocherten in Zähnen. Gerade wollte ich sie fragen, wo der Aufzug war, da spuckte einer von ihnen aus – so abstoßend, daß ich beschloß, lieber die Treppe zu nehmen. Schließlich hatte ich achttausend Dollar in meiner Handtasche!

Ich war so nervös wie am ersten Tag der neunten Klasse. Stellen Sie sich vor – ich auf dem Set eines Pornofilms! Was würde ich da wohl erleben? Meine größte Sorge war hereinzuplatzen, während Joel ... *in Action* war. Würde ich damit umgehen können? Wahrscheinlich ließen sie ohnehin niemanden zuschauen. Vielleicht aber doch. *Lieber Gott* ...

Im zweiten Stock war es ziemlich kühl. Ich fand nur eine einzige Tür – ohne Aufschrift; sie war angelehnt. Ich spitzte aufmerksam die Ohren, und als ich keinen Ton hörte, öffnete ich die Tür gerade so weit, daß ich einen Blick hineinwerfen konnte.

Ich kannte diese Lofts aus Wohnmagazinen: Obergeschosse von Fabriken oder Lagerhäusern, die als Ateliers genutzt werden. Normalerweise sind sie sehr hoch und weitläufig, haben großflächige, helle Parkettböden und sind spärlich möbliert. Man kann sich also vorstellen, wie erstaunt ich war, als mein Blick auf eine Art Holzfällerhütten-Küche fiel, einen kleinen, niedrigen Raum mit Möbeln Marke Eigenbau aus roh behauenem Holz in uneinheitlichen Maßen. Tageslicht gab es hier überhaupt nicht, lediglich eine nackte Hundert-Watt-Birne baumelte von der Decke. Und wie dreckig es hier war – auf den Arbeitsflächen stapelten sich leere und halbvolle Pizzakartons.

Ich konnte meinen Atem sehen, so kalt war es.

Plötzlich hörte ich ein Geräusch, ein sehr merkwürdiges Geräusch – es klang wie das Getrappel kleiner Hufe. Es kam näher und näher, und da stürzte Nanette herein, auf Pfennigabsätzen schwankend und in eine blaue Decke gehüllt. Sie sah aus, als sei sie soeben vom Roten Kreuz gerettet worden.

»Mimi?« brachte sie zähneklappernd hervor. »Ach, Gott sei Dank, daß du endlich da bist!«

Ihre Frisur war faszinierend. Sie hatte eine typische »Pornofilm-Frisur« – ein Stil, der mir nicht vertraut war, den ich in den nächsten Tagen aber noch eingehend kennenlernen sollte. Er ist schwer zu beschreiben, denn er hat von allem etwas – genauer gesagt, von allem eine Menge. Eine Seite ist mit Haarpolstern hochtoupiert, die andere straff zurückgekämmt. Obendrauf reichlich künstliche Locken, wodurch der Kopf wesentlich länger wirkt – bei Nanette sah es aus, als würde sie umkippen, wenn sie sich zu weit nach links beugte.

»Ich hasse ihn«, sagte sie, trippelte zum Herd und riß die Tür des Backofens auf. Ein Schwall heißer Luft strömte heraus. »Aaaah«, seufzte sie.

Ich stellte mich neben sie an den Herd und rieb mir die Hände.

»Er ist ein echter Tyrann«, sagte sie und schob schmollend das Kinn vor. »Weißt du, was er gemacht hat?«

»Nein, aber paß auf, daß du dir nicht die Haare ansengst.«

»Er hat Cara Lott mit einem Linienflug aus Atlanta einfliegen lassen.«

»Cara Lott?«

»Für eine einzige Szene! Okay, für zwei Szenen. Aber mir zahlt er nicht mal das Taxi nach Hause.«

»Wer ist Cara Lott?«

Verblüfft sah sie mich an. »Du kennst Cara Lott nicht?«

»Wo ist denn Joel?« erkundigte ich mich, denn ich hatte das Gefühl, daß wir vom Thema abschweiften.

»Gib dir keine Mühe«, erwiderte Nanette. »Er redet nicht mit dir. Er redet mit niemandem.«

»Na, das wollen wir doch mal sehen«, sagte ich und tätschelte unwillkürlich meine Handtasche.

Ich ließ Nanette am Herd kauern und ging zu der Tür. Sie führte zum eigentlichen Raum, der zwar nicht den Erwartungen einer *Architectural-Digest*-Abonnentin entsprach, aber zumindest geräumig war: an die fünf Meter hoch und fünfzehn Meter lang. Ganz am anderen Ende standen ein paar Scheinwerfer um diverse Möbelstücke – eine

gelbe Naugahyde-Couch und zwei skandinavische Holzstühle. Hinter der Couch befand sich ein künstliches Fenster mit leuchtend blauen Vorhängen und ein Theken-
spiegel mit einer Bierwerbung. Was soll das darstellen?
fragte ich mich. Das Stammlokal der Rockerclique?

Auf den Möbeln saßen ein paar Leute vom Filmteam. Sie
waren dick eingemummelt in Jacken und Mäntel und
schienen gerade eine Petition zu verfassen. »Wir, die Un-
terzeichner ...«, begann Laurence O'Boyle und las vor,
was er in die Maschine tippte. Es ging um die Heizung. Eigentlich ging es aber nur im ersten Absatz um die Heizung, im zweiten jedoch um die lange Arbeitszeit und im
dritten um die Pizza.

Der Augenblick schien denkbar ungünstig gewählt, um
mich nach Joels Verbleib zu erkundigen. Da tauchte zum
Glück Stewie auf. »Gott sei Dank!« sagte er und zog mich in
einen kleinen Nebenraum, wo Joel vor einem Schneide-
tisch saß. Er sah furchtbar müde aus und versuchte gerade, seine verspannten Schultern etwas zu lockern. Der
arme Kerl! So erschöpft war er, daß er nur mit Mühe eine
Begrüßung murmeln konnte. Jedoch der Anblick des Gel-
des – achttausend Dollar in bar! – schien seine Lebensgei-
ster wieder zu wecken. Sofort zählte er zehn Hunderter ab
und beauftragte Stewie, sich in ein Taxi zu setzen und das
Geld zum Vermieter zu bringen.

»Wir haben das Geld!« rief er dann den Filmleuten
draußen zu. Diese reagierten mit ziemlich sarkastischem
Beifall.

Joel und der Kameramann gingen zurück ins Zimmer, um
sich das ungeschnittene Material anzusehen, das eben
aus dem Labor gekommen war. Es hätte bestimmt für drei
Tage gereicht. Mir war unklar, ob ich gehen sollte oder
nicht. Aber da meine Anwesenheit niemanden zu stören

schien, hielt ich mich im Hintergrund und schaute den beiden unauffällig über die Schulter.

Joel fädelte den Film auf die Spule und drückte auf einen Knopf. Schwaches Licht flackerte auf. O Gott, dachte ich, jetzt kommen gleich die ganzen nackten Leute. Aber ich schluckte den Kloß in meinem Hals hinunter und hielt den Blick tapfer auf den Bildschirm gerichtet.

Zu meiner großen Überraschung sah man aber keine nackten Leute, sondern Joel – vollständig bekleidet an einem Schreibtisch. Er trug eins dieser T-Shirts, in denen seine Muskeln so gut zur Geltung kamen (»Muskelshirts« nannte er sie), und schrieb an einem Gedicht. Es war eine wirklich hübsche Aufnahme, gut in Szene gesetzt, und die Hintergrundbeleuchtung zauberte Lichtreflexe in sein Haar. Die Wimpern wirkten besonders dicht; wahrscheinlich hatte er sie mit Wimperntusche bearbeitet. Er schrieb und schrieb, und gelegentlich wanderte sein Blick in die Ferne, als suchte er nach dem passenden Wort. So blieb die Kameraeinstellung eine ganze Weile; der Schnitt kam erst, als Nanette versehentlich durch den Hintergrund lief und sich ein künstliches Haarteil auskämmte.

Auch auf der zweiten Spule sah man nur Joel. Diesmal ging er zu einer Tür, drehte sich um und sagte: »Ich kann es nicht fassen, daß wir so miteinander reden.« Davon gab es mehrere Versionen, und sie waren alle recht gelungen. Ich hätte nicht gewußt, welche die beste war. Joel schien es genauso zu gehen, denn wir sahen uns die Sequenz vier- oder fünfmal hintereinander an. Das einzige, was vielleicht nicht so ganz … na ja, nicht so ganz *paßte*, war Joels Stimme. *In natura* klang sie sehr angenehm, aber im Film hatte sie etwas … Näselndes. Er hörte sich an wie ein Junge bei mir auf der Highschool; er war Vorsitzender des

Raketenmodellbauvereins. Aber den anderen schien das nicht aufzufallen, also hielt ich lieber den Mund.

Da geschah es. Wir starrten alle auf den Bildschirm und warteten auf die nächste Szene, als plötzlich die Nahaufnahme eines sehr vertraut aussehenden Penis erschien. Ich wandte mich rasch ab und verrenkte mir dabei fast den Hals.

Doch weil mir klar war, daß ich früher oder später wieder hinsehen mußte, nahm ich meinen ganzen Mut zusammen und sah zurück zum Bildschirm. Der Film war noch nicht geschnitten und stellenweise sehr unscharf, aber es gab keinen Zweifel, was sich jetzt abspielte – Joel und Nanette »trieben es« auf irgendwelchen uninteressanten, aus der Mode geratenen Laken mit einem braun-gelben geometrischen Muster. Es war entsetzlich. Ich konnte kaum hinsehen; der Anblick schnürte mir die Kehle zu. Die ganze erste Minute kniff ich die Augen zu. In der zweiten Minute wagte ich ab und zu einen schnellen Blick. In der dritten Minute gewöhnte ich mich allmählich daran, und ab der vierten Minute war ich ganz die kritische Zuschauerin.

Als solcher mißfiel mir besonders Nanettes Darbietung. Daß sie Schwierigkeiten mit dem Text haben würde, war mir klar, aber ich hätte nie gedacht, daß sie sexuell nichts »bringen« würde. Zugegeben, auf dem Gebiet der Fellatio bin ich keine Expertin, aber ich merke doch, wann jemand es falsch macht. Aus unerfindlichen Gründen hatte Nanette die Backen aufgeblasen wie ein Hamster. Und dann die Haare! Ständig kam es zu Unterbrechungen, weil zusätzliche Haarklammern gesteckt werden mußten. Einmal fiel eine ganze Strähne ab, was allgemeine Belustigung hervorrief. Der arme Joel – er tat mir so leid. Von Zeit zu Zeit stellte sie aus heiterem Himmel irgendwelche aufregenden Sachen mit den Zähnen an, und Joel zuckte jedesmal vor Schmerz zusammen. Er lag da, starrte auf sie hinunter, wie sie sich abmühte, und sein Gesichtsausdruck schien zu sagen: »Mein Gott, und die hab' ich engagiert???«

Dann wechselten sie die Stellung. Wie Nanette da auf dem Rücken lag, die Beine weit gespreizt, die roten Klauenhände über den Brüsten, das übertrieben gelockte Haar fächerartig auf das Kissen gebreitet, die Zunge gebetsmühlenartig um die Lippen kreisend – ganz ehrlich, damit konnte man doch keinen Hund mehr hinter dem Ofen vorlocken! Zu allem Überfluß stöhnte sie auch noch ununterbrochen »Oooh, ist das schön«, bis Joel irgendwann seine Aktivitäten unterbrach, zu ihr aufsah und meinte, sie solle sich doch endlich mal was Neues einfallen lassen.

Mit ehrfürchtiger Scheu nahm ich die Massen von Schmuck wahr, die sie trug. Jede mögliche und unmögliche Stelle glänzte und glitzerte. Sie hatte goldene Reife an den Knöcheln, Silberreife an den Handgelenken, Sklavenarmreife an den Oberarmen, herzförmige Ohrringe, abartig viele Ringe an den Fingern und eine Goldkette um die Taille. Sogar ihre Stöckelschuhe (schwarz, gold und silber) waren mit Kettchen verziert. Die Schuhe bekam man gut zu sehen, denn sie verdeckten meistens – mit den Absätzen nach oben – Nanettes Gesicht.

Doch erst bei der nächsten Filmspule, als die beiden zu »normalem« Geschlechtsverkehr übergingen, trat Nanettes Unfähigkeit in vollem Umfang zutage. Man erkannte es vor allem an den Schreien, die sie ausstieß. Bei jedem Stoß kam ein spitzes Kieksen aus ihrem Mund. Es hörte sich an wie ein Wurf Dobermannpinscher, denen gerade die Ohren kupiert werden. Joel sah sich schließlich gezwungen, die Lautstärke zu drosseln.

Dann traten bedauerlicherweise mehrere technische Pannen auf, die sowohl Joel als auch dem Kameramann Kopfzerbrechen bereiteten. Mit der Ausleuchtung schien etwas nicht in Ordnung zu sein, das Bild war entweder über- oder unterbelichtet. Und das Galgenmikrofon war in nahezu jeder Einstellung sichtbar, sogar in denen ohne Ton. (Es gab eine hitzige Debatte darüber, wessen Schuld das war.) Doch das wohl gravierendste Problem war, wie die Kamera über nicht identifizierbare Fleischmassen hinwegglitt, als wäre sie verzweifelt auf der Suche nach etwas Interessantem oder zumindest Erkennbarem. Wenn sie dann zufällig auf etwas Derartiges stieß, zoomte sie es heran, und sofort war das Bild verschwommen. Darauf folgten hektische Versuche, es wieder scharf zu kriegen, doch inzwischen war die interessante Stelle längst vorbei.

»Das ist Mist«, knurrte Joel.

»Also, ich finde es wunderbar«, sagte ich.

Die nächste Sequenz füllte anfangs das ganze Bildfeld mit einer sinnlichen Farbe, einer Art schwärzlichem Dunkelrot – wie das Blut, das einem der Arzt aus dem Arm entnimmt. Wir starrten alle darauf und rätselten, was es sein könnte.

»Das ist die Orgie«, erklärte Joel.

»Es sind die Lesben«, entgegnete der Kameramann.

»Jedenfalls sieht es sehr schön aus«, warf ich ein.

Da glänzte etwas im Gebrodel auf. Wir beugten uns näher. Es war eine Hand, die mehrere Penisse umfaßte.

»Es ist doch die Orgie!!« riefen wir wie aus einem Mund.

»Aber was ist da falschgelaufen?« fragte Joel mit bebender Stimme.

Was auch immer falschgelaufen sein mochte, es war auch bei den restlichen drei Filmspulen passiert. Die Akteure sahen aus, als hätte man sie durch zwanzig stark getönte Sonnenbrillen aufgenommen. Von Zeit zu Zeit erkannte man eine Bewegung, die man aber nicht näher identifizieren konnte.

»Scheiße«, murmelte Joel. »Die Orgie ist im Eimer.«

»Und die Begegnung der lesbischen Art auch«, ergänzte Fred, der Kameramann.

Dafür, daß es sich um einen Schicksalsschlag größeren Ausmaßes handelte, blieb Joel bewundernswert gefaßt. Mir fiel das Gedicht ein, das ich in der siebten Klasse gelernt hatte: »Wenn du kühlen Kopf bewahren kannst, während alle anderen / den Kopf verlieren und dir die Schuld geben, / wenn du Vertrauen zu dir selbst hast, auch wenn alle anderen an dir zweifeln …« Den Rest habe ich vergessen, aber dann kommt irgendwas mit einem abgenutzten Werkzeug. Jedenfalls wäre ich an Joels Stelle zusammengeklappt. Aber er vergrub nur den Kopf in den Händen und stöhnte leise vor sich hin. Nach einer Weile begab er sich ins Nebenzimmer, wo ein Fenster auf einen düsteren Hinterhof hinausging. Den Bruchteil einer Sekunde lang dachte ich, er würde es aufmachen und hinunterspringen, doch er stand nur reglos da und starrte hinaus. Fred und ich wagten nicht den Mund aufzumachen. Sollte ich zu Joel gehen und ihn trösten? Meinen Arm um seine Schulter legen? Oder um seine Hüfte? Was wäre in einer solchen Situation angemessen? Doch ehe ich mich durchringen konnte, drehte er sich um und kam mit festen, entschlossenen Schritten auf uns zu.

»Okay, Leute«, sagte er in einer Lautstärke, die im ganzen Stockwerk zu hören war. »Packen wir's an! Wir haben noch einen ganzen Film vor uns!«

Langsam und zögernd kam das Team aus den Ecken des Raumes zum Szenenaufbau. Die Position der Scheinwerfer mußte mehrmals geändert werden, bis Joel endlich zufrieden war. Er war ein strenger Boß. Reden war verboten, außer wenn es unbedingt notwendig war. Ich half Laurence O'Boyle bei einigen kleineren Korrekturen des Szenenaufbaus. Wir verrückten die Holzstühle um ein oder zwei Zentimeter, dann traten wir zurück und betrachteten das Ergebnis. Es sah schrecklich aus. Der ganze Szenenaufbau war schrecklich. Ich war ziemlich enttäuscht. Es wirkte alles reichlich schäbig. Kein Stil, kein Pep. Und der Fensterrahmen klapperte, wenn man daran vorbeiging.

»Was soll das darstellen?« flüsterte ich Laurence zu.

»Das Penthouse in der Park Avenue«, flüsterte er zurück.

Joel schickte mich los, um Nanette zu holen. Ich fand sie immer noch am Herd kauernd, wie sie das I Ging warf und einen abgebrochenen Fingernagel restaurierte. Am Set gab Joel ihr noch einmal letzte Anweisungen. Die Szene verlangte ihr keine allzu großen schauspielerischen Leistungen ab. »Du mußt nur auf den Set kommen, kurz stehenbleiben, mich ansehen – ich liege auf der Couch und schlafe – und dann mußt du dich deinen sexuellen Phantasien hingeben.« Mit der Decke um die Schultern machte sie ein paar halbherzige Versuche, wobei sie immer auf den Boden schielte, um ihre Markierung nicht zu verlieren.

Heizstrahler wurden hereingeschleppt und so aufgestellt, daß sie gerade knapp über dem Blickfeld der Kamera blieben.

»Okay«, rief Joel. »Los!«

»Los!« wiederholte jemand.

»Action!«

Nanette warf die Decke ab und stürmte zu den Heizstrahlern. Ich hatte gedacht, sie sei nackt (abgesehen von der enormen Schmuckkollektion, versteht sich), doch das war nicht der Fall. Sie trug einen ausgefallenen Body, schwarz mit dunkelroten Spitzen und an den Beinen hoch ausgeschnitten. Als sie endlich ihre Markierung gefunden hatte, biß sie die Zähne zusammen, damit sie nicht klapperten, und warf einen wenig verführerischen Blick auf die Couch, wo Joels Double lag, nämlich Laurence O'Boyle in einem Lodenmantel. Der echte Joel stand neben der Kamera und kaute an den Fingernägeln. »Tu was!« rief er ihr zu.

»Ich tu' doch was«, fauchte Nanette.

»Überlaß dich deinen sexuellen Phantasien.«

»Tu' ich doch.«

»Dann zeig es mir.«

Nachdem sie ihm einen vernichtenden Blick zugeworfen hatte, blähten sich ihre Nüstern, und sie atmete tief ein. Gleichzeitig fuhr sie sich mit den Händen über den Körper, was offenbar sinnlich wirken sollte. »Mehr!« schrie Joel. »Komm, er törnt dich wahnsinnig an. So geil warst du noch nie!« Sie verlagerte ihr Gewicht von den Fersen auf die Fußballen und wieder zurück. »Los, mehr! *Zeig's mir!*«

»Blöder Jud«, murmelte Nanette fast unhörbar, folgte aber weiter seinen Anweisungen. Ich stand im Schatten außerhalb des Scheinwerferlichts und beobachtete sie. Da sollte diese Frau vor Begierde und Leidenschaft dahinschmelzen, und für mich sah es aus, als müßte sie dringend zur Toilette.

Gegen neun Uhr machten wir Schluß. Ursprünglich hatten wir bis elf weitermachen wollen, doch das schien sinnlos, weil Joel keine Erektion mehr bekam, sosehr er sich auch anstrengte. Gott sei Dank mußte ich dieses Debakel nicht mit eigenen Augen ansehen. Ich hatte mich längst in die

Küche zurückgezogen, wo ich mir mit Saubermachen und Bodenwischen die Zeit vertrieb.

Ich war im Filmgeschäft nicht sehr bewandert, aber ich wußte, daß wir in ernsthaften Schwierigkeiten steckten. Für mich lag die Ursache des Problems auf der Hand: Joel hatte die falschen Leute engagiert. Er hatte sich mit lauter Dilettanten umgeben. In seinem Edelmut hatte er diesen blutigen Anfängern eine Chance gegeben, aber sie wurden seinen Erwartungen nicht gerecht – entsetzlich. Sie hatten überhaupt keine Ahnung vom Ausmaß seiner künstlerischen Visionen. Es brach mir das Herz.

Einer nach dem anderen verschwand. Sie marschierten durch die Küche und waren zu erschöpft, um sich zu verabschieden. Aber Joel mußte noch dasein. Als ich sicher war, daß alle anderen weg waren, schlich ich auf Zehenspitzen in den großen Raum und fing an, den Boden zu fegen. Nach etwa fünf Minuten hörte ich ein Seufzen. Es drang unter der Decke auf der Couch hervor und war bei weitem das traurigste, verlorenste Seufzen, das ich je gehört hatte.

Ich näherte mich mit meinem Besen dem Ende der Couch, an dem ich Joels Gesicht vermutete.

»Oh, mein Gott«, stöhnte er.

»Also, ich finde den Film toll«, meinte ich.

»Er ist beschissen«, jammerte er.

»Nein, das stimmt nicht«, erwiderte ich. So ging es eine Weile hin und her, bis Joel in Tränen ausbrach. »Ich habe alles verpatzt, Mimi. Ich habe total versagt.«

Da legte ich den Besen beiseite und kniete mich neben ihn auf den Boden. »Klar, es gibt Probleme. Aber keine, die du nicht lösen könntest.«

»Aber wann?« schrie er. »Und wo? Wir müssen morgen hier raus, weil irgendeine Theatergruppe den Raum braucht. Wir sind vier Tage im Verzug. Wir müssen die Orgie noch mal drehen, und die Lesbenszene. Noch elf Szenen! Was soll ich nur machen? Häh? Sag's mir, du weißt doch sonst immer alles. *Was soll ich machen?*«

# Kapitel Zwanzig

Für den unwahrscheinlichen Fall, daß
je ein Pornofilm in Ihren vier Wänden
gedreht wird, hier ein paar Tips, die
Sie vielleicht ausschneiden und aufheben wollen. Ich
wäre sehr, sehr dankbar gewesen, wenn ich eine solche
Liste gehabt hätte. Doch wie die Dinge nun mal lagen, kam
ich mir vor, als müßte ich das Rad neu erfinden ...
Nummer eins: Ziehen Sie die Vorhänge zu. Wenn Sie
weder Vorhänge noch Jalousien haben, hängen Sie Laken
vors Fenster. Überlassen Sie in dem Punkt nichts dem Zufall. Und glauben Sie bloß nicht, daß es jemand anderes
erledigen wird. *Machen Sie es selbst.* Sie denken vielleicht,
daß kein Schauspieler so blöd sein wird, sich unbekleidet
ans Fenster zu stellen, aber glauben Sie mir, sie *sind* so
blöd. Und da wir gerade von den Nachbarn sprechen – es
ist empfehlenswert, sich für die eine Story auszudenken.
Die Leute werden nämlich enorm neugierig wegen des
ständigen Kommens und Gehens und wundern sich über
all die fremden Wagen in Ihrer Auffahrt. (Ich zum Beispiel
habe erzählt, ich ließe meine Küche renovieren.)
Nummer zwei: Bringen Sie sämtliche Nippsachen an
einem sicheren Ort unter. Nicht so sehr, weil die Schauspieler sie stehlen könnten, sondern weil die Crew ständig dagegenstößt und alles kaputtmacht. Die Filmleute
laufen gegen die Wände und schlagen Nägel in die Holz-
vertäfelung; sie kratzen Farbe ab und verzieren die Fußlei-
sten mit Klebeband (und wenn Sie es wieder entfernen,
geht die ganze Farbe mit ab), sie legen Kabel kreuz und
quer durchs ganze Haus und hinterlassen Dreckklumpen
auf sämtlichen Teppichen und Läufern. Das alles wird

passieren, gleichgültig, wie hoch und heilig die gesamte Crew Ihnen das Gegenteil verspricht. Geben Sie bloß nichts auf das Wort einer Filmcrew! Ihr Haus wird um mindestens fünf Jahre altern, stellen Sie sich gleich darauf ein. Sie können sowieso nichts dagegen machen.

Nummer drei: Kaufen Sie Schlösser für Ihre Telefone. Sie wissen schon, diese kleinen runden Dinger, die man bei Woolworth kriegt. Die klemmen Sie an die Wählscheibe, und dann läßt sie sich nicht mehr drehen. Einen Porno-Star juckt es ständig in den Fingern; sobald er ein fremdes Telefon zu Gesicht kriegt, ruft er sofort sämtliche Leute an, die er kennt. Sie hätten meine Telefonrechnung sehen sollen! Sie war drei Seiten lang. Darunter Anrufe nach Los Angeles, Miami, Fort Lauderdale, Acapulco, Amsterdam und ein Anruf für dreiundfünfzig Dollar nach Troy, New York.

Nummer vier: Stellen Sie den Schauspielern eine Art Aufenthaltsraum zur Verfügung. Es wird lange Zeitspannen geben, in denen sie nichts zu tun haben und nur herumsitzen und warten, bis die Beleuchtung endlich stimmt. In diesen Zwangspausen qualmen sie, was das Zeug hält, und diskutieren Leben und Karriere von Menschen wie Tina Turner. Wenn Sie ihnen keinen bestimmten Platz dafür zuweisen, werden sie sich niederlassen, wo immer ihnen gerade danach zumute ist. Ich habe ihnen die Frühstücksnische hergerichtet. Sorgen Sie dafür, daß sie es dort gemütlich haben und sich wohl fühlen; mit Kissen, Lampen zum Lesen, mit Zeitschriften und Aschenbechern.

Nummer fünf: Haben Sie keine Angst vor Porno-Stars. Sicher, zu Anfang fühlt man sich ein wenig von ihnen eingeschüchtert. Das ist ja auch verständlich – was für Leute verdienen sich auf diese Weise ihren Lebensunterhalt?

Ganz sicher nicht die, die es jeden Morgen pünktlich auf den Acht-Uhr-Zug schaffen. Der arme Stewie unterhielt praktisch einen Abholdienst, um die Nachzügler am Bahnhof einzusammeln. Als wir die Orgie nachdrehten, warteten wir auf zehn Protagonisten. Schließlich kamen ganze acht zusammen – ein erstaunlich gutes Ergebnis, wie man mir versicherte.

Lassen Sie mich mit den Männern anfangen. Mit denen hatte ich kaum Probleme. Wer kann schon nachvollziehen, was im Kopf eines Mannes vorgeht, wenn es sich um Sex handelt? Es war für mich immer ein Buch mit sieben Siegeln, und ich bin nicht einmal sicher, ob *sie* es selbst wissen. Aus den Briefen an Joel habe ich eins gelernt: Männer machen sich und anderen über ihr Sexualleben permanent etwas vor. *Vor allem* sich selbst. Und sie haben *für alles* eine rationale Erklärung.

Nehmen wir nur mal Tony Santana: absolut auf der Höhe der Zeit, ein drahtiger Bursche mit Sonnenbrille und schmaler Lederkrawatte. Dauernd küßte er andere Männer auf die Wange und säuselte dabei: »Hey, ganz locker bleiben, Baby – wir leben schließlich in den Achtzigern.« Das machte die anderen Männer ziemlich nervös, vor allem Howie.

Erinnern Sie sich an Howie, den Wichser aus dem Hellfire? Auch er tauchte plötzlich auf. Aber als er all die Scheinwerfer und Kameras sah, wollte er einen Rückzieher machen. Schließlich hatte er einen Job bei Shearson Lehman an der Wall Street. Also versprach ihm Joel, daß sein Gesicht nicht zu sehen sein würde, was ihn ungemein beruhigte. (»Das sagt er zu jedem«, erzählte mir Stewie.)

Nein, die Männer waren für mich kein Problem. Aber die Frauen. Nennen Sie mich ruhig altmodisch – ich kann einfach nicht über meinen Schatten springen. Die einzig mögliche Erklärung für mich war Drogensucht, nur konnte ich keinerlei Anzeichen dafür entdecken, und glauben Sie mir, ich habe gesucht wie ein Spürhund. Joel hatte sehr strenge Ansichten, was Drogen betraf. Sie waren absolut verboten. Nicht etwa, weil er Drogen aus tiefstem Herzen verabscheute; nein, sie veränderten die Augen der Schauspieler so merkwürdig, beispielsweise wurden sie plötzlich rosarot. Wenn sie sich »die Birne zudröhnen« wollten, sagte Joel, sollten sie Wein trinken. Was Amber allerdings nicht genügte. Andauernd verschwand sie auf den Hof, um sich »'nen Joint reinzuziehen«, bis Joel sie wütend am Kragen packte und zurückbeförderte.

Bei oberflächlicher Betrachtung fand ich alle vier Frauen, die am ersten Tag dabei waren, soweit ganz attraktiv. Obwohl jede irgendeinen Makel aufwies – meist waren es die Zähne. Offensichtlich kommt die Porno-Star-Gewerkschaft nicht für die Zahnarztkosten auf. Bei Amber störte ihr vorstehender Kiefer; Ginas Zähne sahen aus wie Dominosteine, die gerade umfallen; und zwischen Katrinas Zähnen klafften kleine Lücken. Wobei Gina und Katrina sich ansonsten so ähnlich waren, äußerlich wie auch vom Temperament her, daß man sie kaum auseinanderhalten konnte. Na ja, Katrina schielte ein bißchen, aber wenn man sie von der Seite fotografierte, merkte man fast gar nichts. Aber von vorne – vor allem bei einer Fellatio – erntete sie jedesmal Gelächter.

Wer mich wirklich faszinierte, war Sheena St. Regis, die ehrgeizigste Porno-Darstellerin der Welt. Sie war nicht engagiert worden und tauchte trotzdem auf – falls wir doch plötzlich Verwendung für sie hätten. Sie kannte meine Adresse – keiner konnte sich erklären, woher. Angeblich war sie neu im Geschäft – frisch eingeflogen aus Aspen, Colorado, wo sie in einer Après-Ski-Boutique gearbeitet

hatte. Sie schüttelte jedem einzelnen die Hand. Trotz
ihrer nicht gerade gertenschlanken Taille engagierte Joel
sie vom Fleck weg. Den Rest des Tages verbrachte sie
damit, jeden auszuquetschen, welche wichtigen Regisseure er oder sie denn kenne und ob sie nicht vielleicht
die Telefonnummern dieser Regisseure haben könne. Ich
muß sagen, daß mich ihre Dreistigkeit beeindruckte, obwohl sich der Rest der Truppe hinter ihrem Rücken über
sie lustig machte.

Sie waren ein eingeschworener Klüngel, die Porno-Stars.
Alle schienen sich von früheren Engagements und durch
ein mysteriöses Netzwerk von »Clubs« zu kennen. Offen
gesagt, ich hatte nicht viel mit ihnen gemein. Also saß ich
in ehrfürchtigem Schweigen herum und sorgte nebenbei
dafür, daß immer genug Kaffee und Rosinenbrötchen be-
reitstanden.

Ach ja, das Essen. Wie ich schon bald feststellen sollte, ist
es beim Drehen eines Films unglaublich wichtig. Eine gut
gefütterte Crew ist eine glückliche Crew. Dasselbe gilt für
die Schauspieler. Und da diese Leute meine Gäste waren,
gab ich mir natürlich alle erdenkliche Mühe, sie nicht dar-
ben zu lassen. Wenn sie morgens ankamen, war das Früh-
stück bereits fix und fertig. Neben den oben erwähnten
Rosinenbrötchen sollten Sie auf keinen Fall versäumen,
auch ausgefallenere Leckerbissen auf den Tisch zu bringen. In der Topp's Bakery entdeckte ich wunderbar zarte
Blaubeer-Muffins. Die Leute gerieten sich ihretwegen regelrecht in die Haare. Glauben Sie mir, jeder Gast weiß
eine aufmerksame Bewirtung zu schätzen.

Legen Sie sich auch einen größeren Vorrat an antialkoho-
lischen Getränken zu. Vergessen Sie auf keinen Fall die
Diätlimonade, weil die Frauen nichts anderes anrühren
werden. Leihen Sie sich außerdem eine Kaffeemaschine

für vierundzwanzig Tassen und sehen Sie regelmäßig nach ihr. Stellen Sie eine Obstschale daneben, damit man tagsüber immer einen leichten Imbiß zu sich nehmen kann. Seien Sie auch auf ausgefallenere Wünsche vorbereitet. Joel brauchte beispielsweise zweimal am Tag ein Dutzend frische Austern, die ich telefonisch im Notte di Venezia, einem italienischen Restaurant, orderte.

Die erste Frage, die jedermann stellt, ist: »Haben Sie zugesehen?« Das verursachte mir einiges Unbehagen, weil ich die entsprechende Benimmregel nicht kannte. Sollte ich denn zusehen? Wurde das von mir erwartet? War es unhöflich, es nicht zu tun? Schließlich wollte ich auf gar keinen Fall hochnäsig erscheinen. Gelegentlich mußte ich aus dem einen oder anderen Grund auf den Set. Natürlich bekam ich dann aus den Augenwinkeln nackte Körper zu sehen. Vor allem Tony Santana. Er stand gewöhnlich nur mit Badeschlappen bekleidet herum. Und ich muß zugeben, man konnte auf Anhieb erkennen, warum *er* engagiert worden war. Doch ich blickte immer stur geradeaus, ich wollte ja nicht, daß sich jemand meinetwegen unwohl fühlte. Obwohl ich einmal mitten in eine Cunnilingus-Szene stolperte. Und ein anderes Mal mit dem Anblick von Sheena St. Regis konfrontiert war, wie sie gerade mit dem Inhalt meiner Obstschale Geschlechtsverkehr simulierte. Die meiste Zeit verbrachte ich mit Laurence O'Boyle in der Küche. Auch er hielt sich fern vom Zentrum des Geschehens, obwohl bei ihm keineswegs Schamhaftigkeit daran schuld war. Er sagte, er könne den Fischgeruch nicht ertragen, womit er die Frauen meinte.

Doch nicht durch die Schauspieler wurde *Verschwommene Tiefen* eine so einzigartige Arbeitserfahrung für mich. Nein, es war das Verdienst der Crew. Ich nehme alles zurück, was ich je über sie gesagt habe. Kaum waren sie der deprimierenden Umgebung des Lagerhauses entronnen und in gutgeheizten Räumlichkeiten, schon tauten sie auf und entpuppten sich als ausgesprochen reizende Menschen.

Wir waren wie eine große Familie. Um keinen falschen Eindruck zu erwecken: Wir arbeiteten hart, und der Zeitdruck war enorm. Doch was ich immer am stärksten in Erinnerung behalten werde, war der ausgeprägte Kameradschaftsgeist. Nehmen wir zum Beispiel Fred, den Kameramann – wenn es je den sprichwörtlichen Fels in der Brandung gegeben hat, dann war er es. Ein großer, bärtiger junger Mann mit Schuppen (mich juckte es immer in den Fingern, sie ihm abzubürsten), der durch nichts und niemanden aus der Ruhe zu bringen war, egal, was für eine Katastrophe nahte – die einzig mögliche Ergänzung zu dem immer nervösen, energiegeladenen *Herrn Direktor*, wie wir Joel scherzhaft betitelten. Und Fred war kein schmieriger Pornograph. Sonst drehte er hauptsächlich Dokumentarfilme; außerdem hatte er eine Frau namens Gail und ein Kind namens Beth, das gerade zahnte. Dann war da noch Freds Assistent Mike, der aus der Bronx kam und tatsächlich in einer Sozialwohnung hauste, obwohl er ein Weißer war. Das fand ich unglaublich spannend. Doch jedermanns Liebling war eindeutig Stewie, unser Chefbeleuchter und Elektriker, ein korpulenter, unbekümmerter Zeitgenosse Ende zwanzig, der uns mit seinen zwerchfellerschütternden Imitationen von Nanette beim Koitus die Zeit vertrieb.

Meine eigene Aufgabe war anfangs nicht genau definiert. Da Joel sich an mein Talent in Einrichtungsfragen erinnerte, wies er mich zunächst Laurence O'Boyle zu. Doch bald hatte ich auch alle möglichen anderen Dinge zu erledigen

– mal mußte ich einen Botengang erledigen oder einen Telefonanruf, mal schnell etwas besorgen oder auch einfach nur einen Scheck ausstellen.

Ich habe noch nie in meinem Leben so intensiv gearbeitet. Um fünf Uhr morgens stand ich auf und bereitete alles vor; mit dem Drehen begannen wir um acht und hörten erst gegen elf Uhr nachts wieder auf. Am ersten Tag drehten wir die Orgie nach und machten flott mit ein paar allgemeinen »Leck- und Bumsszenen« weiter, wo wir gerade die ganzen Leute so schön beieinander hatten. Dann rasten wir in die Garage, um dort noch schnell eine Traumsequenz zu drehen, und anschließend ins Arbeitszimmer, das Joels Künstlermansarde darstellte, in der ER SEINE Gedichte schrieb. Hier verbrachten wir einen langen Abend beim Dreh der entscheidenden Szene, in der Joels Verleger IHM mitteilt, daß SEIN Gedichtband auf Anhieb ein Bestseller geworden ist. Der zweite Tag verlief noch hektischer mit der großen »Abschlußball«-Szene – clever zusammengestrichen zu einem kleinen Imbiß auf meiner Sonnenterrasse –, gefolgt von verschiedenen Konflikten und ihrer jeweiligen Lösung. Es war fast Mitternacht, als Joel schließlich das Zeichen zum Aufhören gab.

Die Tage verstrichen, und die Spannung wurde fast körperlich spürbar. Allmählich nahm der Film Gestalt an. Zugegeben, er entsprach nicht mehr in allen Details Joels ursprünglichen Vorstellungen. Vieles wurde gestrichen – was bei manchen Szenen kein großer Verlust war, während andere zweifellos in die Filmgeschichte eingegangen wären. Aber Joel war unerbittlich. Wenn in einer Szene kein Sex vorkam, flog sie raus.

Der Druck, der ihm im Loft fast das Rückgrat gebrochen hätte, spornte ihn jetzt um so mehr an. Seine Entscheidungen fielen schnell und ohne Zögern. Mir war klar, daß diese Atmosphäre um jeden Preis erhalten bleiben mußte, und ich tat alles, was in meiner Macht stand, damit er sich wohl fühlte. Ich erklärte ihm nachdrücklich – und er pflichtete mir bei –, daß es das beste wäre, wenn er während der Dreharbeiten bei mir wohnte; und die dauernde Nähe führte schnell zu einer wechselseitigen symbiotischen Abhängigkeit – ähnlich wie bei Jimmy und Rosalynn Carter.

Ich bedauere nur, daß wir so selten allein waren. Vielleicht schätze ich deshalb jene Augenblicke am meisten, die wir in trauter Zweisamkeit verbrachten, etwa die Nacht vor dem letzten Drehtag. Es war ein Uhr nachts, und Joel war gerade ins Bett geklettert, erschöpft, aber aufgekratzt von der großen Vergewaltigungsszene. »Noch *ein* Tag«, sagte er immer wieder.

Ich saß mit dem Klemmbrett in der Hand auf der Bettkante und ging noch einmal den Drehplan durch.

»Sieht aus, als hätten wir es tatsächlich geschafft«, sagte er mit einem schläfrigen Lächeln. Er konnte kaum die Augen offenhalten.

»Sieht aus, als hättest *du* es geschafft«, korrigierte ich.

»Jaaah«, gähnte er. »Aber du hast kräftig mitgeholfen.«

Das war ein sehr glücklicher Moment.

»Weißt du was, Joel …«, fing ich an.

»Hmmm?«

»Ich habe nachgedacht. Du bist total erschöpft. Ein kleiner Urlaub würde dir guttun.«

»Erzähl mir mehr davon.« Sein Kopf lag auf dem Kissen, seine Augen waren nur noch winzige Schlitze.

»Na ja, ich habe da eine Anzeige für eine Kreuzfahrt gesehen, und da habe ich gedacht …«

»Eine *Kreuzfahrt?*«

»Nur eine kleine Schiffsrundreise. Es ist eine Kreuzfahrt

nach Nirgendwo. Man kann ein bißchen ausspannen und neue Kräfte tanken. Es gibt ein Dampfbad und sogar eine Sonnenbank. Und stell dir vor – kein Telefon! Das Schiff ist die *Queen Elizabeth II*, alles sehr elegant und ...«

Sein gleichmäßiger Atem verriet mir, daß ich das Thema im Augenblick ruhen lassen mußte. Ich saß noch eine Weile da und beobachtete Joel. Noch nie hatte er so schön ausgesehen. Mitleid erfüllte mich – sein armer Mund war geschwollen und wund von den Strapazen des Tages. Was hatte er alles mitgemacht! Da half auch der Fettstift nicht mehr, den Joel unentwegt auftrug – es würde Wochen dauern, bis er sich ganz erholt hatte.

Auf Zehenspitzen schlich ich zurück in mein Zimmer. Durchs Fenster konnte ich sehen, daß drüben bei Mrs. Garrett Licht brannte. Wie weit weg Bronxville mir inzwischen vorkam! Ich kroch ins Bett, räkelte mich genüßlich und paßte auf, daß ich dabei nicht Nanette weckte, mit der ich das Schlafzimmer teilte. Dann stellte ich den Radiowecker auf 5 Uhr; dabei stellte ich ihn versehentlich an. Barbra Streisand sang ein Lied über die Liebe und über die Bereitschaft, alles für den Geliebten zu tun. Ich legte mich zurück und hörte zu. Da fiel mir plötzlich ein, daß ich die Laken und Handtücher noch nicht gewaschen hatte – eine wichtige Sache bei einem Pornofilm. Also kletterte ich wieder aus dem Bett und ging nach unten, um mich an die Arbeit zu machen. »I am a woman in love«, sang ich in der Waschküche. »And I'll do anything ...«

Am nächsten Morgen war ich besonders beschäftigt. Laurence O'Boyle hatte nach langem Hin und Her eingewilligt, mich eine ganze Szene allein »einrichten« zu lassen, und ich hatte mir geschworen, daß sie von allen Szenen des Films den nachhaltigsten Eindruck hinterlassen würde.

Es handelte sich um die Nachaufnahme der Lesbenszene; also entschied ich mich für etwas Romantisches, aber bewußt Feminines. Mit dieser Idee im Hinterkopf kramte ich meine neuen Laura-Ashley-Laken heraus – die blaß-zitronengelben mit den sich überkreuzenden Rittersporzweigen – und überzog damit das Bett im Gästezimmer, wo die Szene gedreht werden sollte. Dann legte ich eine Volantmanschette um das Bett und einen passenden Petticoat daneben. An die Wand hinter dem Bett hängte ich einen Druck von Tony Icart, daneben stellte ich eine schwarzlackierte spanische Wand, über die ich ein farbenfrohes, mit Alpenveilchen bedrucktes Umschlagtuch drapierte. Ein paar Blumentöpfe mit Farn und einen Philodendron arrangierte ich auf einer Reihe niedriger Tischchen rund ums Bett. Es fehlte immer noch etwas. Aber was? Da hatte ich eine Eingebung! Ich rannte hinunter auf die Sonnenterrasse und schleppte ein üppiges hängendes Ampelkraut herauf, das ich von der Decke baumeln ließ.

Dann trat ich zurück und bewunderte mein Werk. Nicht schlecht. Wirklich nicht schlecht. Ein Blick zur Uhr sagte mir, daß ich in fünf Minuten den Kuchen aus dem Ofen holen mußte. Eigentlich zwei Kuchen. Zum Abschluß der Dreharbeiten hatte ich nämlich eine Party geplant, eine kleine Feier. Mit Champagner, ein paar Cajun-Shrimps, dem berühmten Streuselkuchen meiner Großmutter – mit viel guter Butter …

Plötzlich hörte ich, wie jemand meinen Namen rief. Es war Stewie. »Setz deinen Hintern in Bewegung!« brüllte er. Ach, du meine Güte, dachte ich, während ich in die Eingangshalle hastete, wo gerade die Szene gedreht wurde, wie ER für immer aus Samanthas Leben verschwindet.

Was hatte ich bloß vergessen? Ich hatte schon den ganzen Morgen dieses merkwürdige Gefühl.

Joel stand am unteren Treppenabsatz, den Kopf zur Seite geneigt. »Pscht«, machte er, als ich näher kam. Ich wußte, was das bedeutete. Es hieß, daß irgendein merkwürdiges Geräusch vom Recorder mit aufgezeichnet wurde und er herauszufinden versuchte, was es war. Beim Drehen mußten alle mucksmäuschenstill sein. Wir zogen sogar den Stecker aus dem Kühlschrank, wenn eine Szene in der Küche spielte. Und wenn ein Flugzeug über das Haus flog oder jemand vergaß, den Telefonhörer abzunehmen, konnte das einen ganzen Take ruinieren. Sie hätten erleben sollen, wie Joel reagierte, als SEIN großer Monolog über SEINE Mutter von meiner Schwarzwälder Kuckucksuhr gestört wurde!

Ich gesellte mich zu den angestrengt Lauschenden. Zuerst hörte ich überhaupt nichts, aber nach ein paar Sekunden ... ja, da war es. Ganz undeutlich und weit entfernt, aber ich erkannte es auf Anhieb. Es war Baby, der seit drei Tagen ununterbrochen auf dem Speicher eingesperrt war und sich großartig gehalten hatte – bis jetzt.

»Ich kümmere mich darum«, versprach ich und rannte nach oben.

»Du böser Hund!« sagte ich und zog die Speichertür hinter mir ins Schloß. Baby war so aufgeregt, daß er auf den Hinterbeinen um mich herumtanzte, was er seit Jahren nicht mehr getan hatte. Er war ein ungezogener Köter gewesen. Der Speicher stank bestialisch, und dann hatte er auch noch im Christbaumschmuck *und* in Boyce' Modelleisenbahn gewütet. Überall lagen angenagte Salonwagen herum. Schließlich beruhigte er sich, und wir hatten eine kleine Aussprache. Ich erzählte ihm, daß nur noch eine Szene gedreht werden mußte, dann konnte er wieder nach Herzenslust herumlaufen, wo er wollte. Meinetwegen durfte er sogar zur Abschlußparty kommen. Natürlich hatte ich ihn immer noch lieb und würde ihn immer liebhaben, auch wenn er jetzt einen neuen Daddy hatte, einen Daddy, den er schon bald lieben und schätzen würde (der Daddy ihn natürlich auch, selbst wenn es im Augenblick nicht danach aussah) ...

Ohne mit der Wimper zu zucken, sah Baby zu, wie ich zur Treppe ging. Doch kaum hatte ich die Tür hinter mir geschlossen, fing er wieder an zu kläffen.

»Mimi!« brüllte Joel.

Ich habe alles versucht. Ich habe ihn in den Keller gesperrt, von da hörte man ihn nur noch mehr. Ebenso in der Garage. Ich überlegte, ihn zu den Nachbarn zu bringen. Doch dazu hätte ich eine ganze Serie von Lügen erfinden müssen, und dazu war ich im Augenblick nicht in der Lage. Sollte ich ihn ins Auto sperren und ihn ein paar Straßen weiter weg fahren? Aber was, wenn irgendein Tierfreund die Bullen rief? Zu guter Letzt holte ich den Hundetragekorb vom Regal in der Eingangshalle, legte ein Leberleckerle hinein, bugsierte Baby hinterher und fuhr ihn zum Tierschutzverein nach Yonkers. Ich stellte mir vor, daß ich ihn dort für ein paar Tage unterbringen könnte.

Man ließ uns in einem kleinen Zimmer warten, dann kam eine Frau mit einem Plastikschildchen herein, auf dem »Beraterin« stand. Sie setzte sich und faltete die Hände. Ich erklärte ihr, daß Baby wohl einen »Hundenervenzusammenbruch« habe; außerdem seien die Verhaltensstörungen schlimmer geworden, er bekomme wieder Anfälle und scheine auch ständig unter Schmerzen zu leiden. Die Frau hörte mir geduldig zu, dann beugte sie sich vor und sah mir in die Augen. »Vielleicht ist es Zeit«, meinte sie. Zeit wofür, überlegte ich.

»Möchten Sie ihm Lebewohl sagen?«

»Lebewohl?« Jetzt dämmerte es mir.

»Ich werde Sie beide ein Weilchen allein lassen.«

Die Tür fiel ins Schloß, und ich sah zu Baby hinunter. Er hockte auf dem Metalltisch; mit heraushängender Zunge schnappte er keuchend nach Luft. Er sah aus wie Sophie Tucker auf einem Foto gegen Ende ihrer Karriere.

»Na, denn, leb wohl.«

Er wedelte mit dem Schwanz.

»Du dummer Hund. Ich hab' dir doch gesagt, du sollst die Schnauze halten.«

Auf keinen Fall wollte ich die Lesbenszene versäumen. Man stelle sich vor – etwas von *mir* in Joels Film! Ich *mußte* einfach dabeisein und mich darum kümmern, daß alles stimmte – und zwischen den Aufnahmen die Kissen aufschütteln. Ich wollte nicht, daß jemand anderes damit herumpfuschte. Das war ganz allein *mein Werk*.

Wie Sie sich vielleicht erinnern, hatten wir die Lesbenszene schon einmal gedreht, aber sie gehörte zu den Sequenzen, die »im Labor verhunzt« worden waren. Also filmten wir das Ganze noch einmal, zwar größer und besser, aber mit den gleichen Darstellerinnen – mit Nanette und Cara Lott, dieser heimtückischen Porno-Zicke, die Nanette auf den Tod nicht ausstehen konnte. Joel war die Szene so wichtig, daß er Cara Lott extra für diesen einen Tag aus Atlanta einfliegen ließ.

Als ich die Auffahrt hochfuhr, hoffte ich inständig, daß sie noch nicht angefangen hatten. Ich stürmte ins Haus – aus der Küche drang Stimmengewirr. *Bitte, lieber Gott, mach, daß ich es nicht verpaßt habe* …

Die Stimmung war geladen. Joel schritt mit mörderischem Blick auf und ab, und die ganze Crew stand aufgereiht hinter ihm und murmelte wie der Chor in einer griechischen Tragödie. Das heißt, bis sie mich sahen. In diesem Augenblick verstummten sie schlagartig.

»Ist was los?« brachte ich mit heiserem Krächzen heraus.

»Ist was los?« äffte Joel mich nach. Er war so sauer, daß die Adern an seinem Hals hervortraten. »Cara kommt nicht, das ist los.«

»Cara kommt nicht?«

»Irgendein Idiot, der besser ungenannt bleibt, hat sie nicht angerufen, um ihr die Flugnummer mitzuteilen. Stewie hat den ganzen Vormittag am Flughafen auf sie gewartet. Schließlich haben wir sie im Haus ihrer Großmutter ausfindig gemacht. Sie sagt, es hätte ihr niemand Bescheid gesagt. Sie sagt, man hätte sie nicht mal *angerufen!*«

»Oh, mein Gott!« fuhr es mir heraus, und ich klammerte mich an meinen Herd. »*Das* war es, was ich vergessen habe!«

»Du hast es *vergessen?*«

Es folgte eine kurze Beratung. Ich schlug vor, die Szene später nachzudrehen, aber das war unmöglich: Fred fing morgen mit einem neuen Film an; er drehte für PBS einen Dokumentarfilm über die Rolle der Anklagejury in unserem Rechtssystem. »Und wenn wir die Lesbenszene einfach streichen?« lautete mein nächster Vorschlag. »Schließlich haben wir auch die *Komische Erleichterung* einfach gestrichen.« Die Männer sahen mich an, als hätte ich den Verstand verloren. »Man kann die Lesbenszene nicht streichen«, sagte Joel. »Deshalb gehen die Männer doch ins Kino.«

»Müssen es unbedingt Nanette und Cara sein?« fragte ich. Darüber dachten sie eine Weile nach. Zwar trieb die im Drehbuch vorgesehene lesbische Begegnung die Hand-

319

lung voran, aber sie war keineswegs eine Schlüsselszene. »Man braucht einfach zwei Bräute«, faßte Fred es in Worte. »Schließlich ist es die Action, die zählt.«

Das gab mir Auftrieb. »Dann laß uns Sheena anrufen. Oder Gina. Oder Katrina …« Joel war bereits auf dem Weg zum Telefon. Unglücklicherweise war aber keine der Schauspielerinnen, die schon mitgewirkt hatten, frei. Von den beiden, die wir an die Strippe kriegten, war eine schon halb aus der Tür, um ihre Aerobic-Klasse zu unterrichten; und die andere – Sheena St. Regis – sagte, sie müsse beim Telefon bleiben, weil ein Produzent ihr eine Hauptrolle anbieten wollte. »Na, klar doch«, meinte Joel höhnisch, »in seinem Bett.« Und knallte den Hörer auf die Gabel.

»Das ist die allerletzte Szene«, sagte Joel. »Es ist alles fertig. Sogar das blöde Licht stimmt. Wir müssen es *jetzt* durchziehen.« Wieder begann er, hin und her zu laufen. »Alles, was wir brauchen, ist eine Frau. *Irgendeine* Frau. Irgendeine x-beliebige Braut.«

Ich zermarterte mir noch immer das Hirn, als ich merkte, daß Joel stehengeblieben war und mich ansah.

Aller Augen folgten seinem Blick.

»Nein. Nein, auf keinen Fall …«

»Mimi …«, setzte er an.

»Nein«, antwortete ich. »Nein, nein, nein und nochmals nein …«

Aber er packte mich am Handgelenk, zog mich ins Arbeitszimmer und schloß die Tür hinter uns. »Stell dich nicht so an, Mimi«, bettelte er. »Dein Gesicht wird gar nicht zu sehen sein.«

»Nein, Joel, kommt überhaupt nicht in Frage.«

Er schien ehrlich überrascht. »Warum denn nicht?«

Ich suchte verzweifelt nach einer Ausrede, und mochte sie auch noch so weit hergeholt sein …

»Weil … ich nicht attraktiv genug bin.«

Ein ungläubiger Ausdruck huschte über sein Gesicht. »Unsinn«, meinte er und nahm mich in die Arme.

»Oh, Joel, bitte«, murmelte ich in seine Schulter. Sie drückte mir die Nase platt.

»Du bist wunderschön, Kleines«, flüsterte er. »Wirklich wunderschön. Weißt du was? Du hast mir doch von dieser Kreuzfahrt erzählt. Laß uns fahren! Nur wir beide. Du wirst mit deinem Traummann allein sein. Weit draußen auf dem Ozean. Ein bißchen Sonne und viel Spaß. Wir machen uns 'ne schöne Zeit. Na, was sagst du dazu?«

»Joel, bitte …«

»Bist du bereit, Baby?« flüsterte er und preßte seinen Unterleib gegen meinen. »Bist du endlich bereit?«

Nanette half mir beim Anziehen. Wir wählten einen schwarzen Hüfthalter und passende Strümpfe. Dann probierte ich noch eines ihrer Mieder an, aber es war zu eng. Ebenso alle ihre Bodys. Da fiel mir der schwarzrote Kimono ein, den ich bei einem Basar für fünf Dollar erstanden hatte.

»Ich bin froh, daß du es bist«, sagte Nanette immer wieder, während sie mich schminkte. »Mit dir macht es mir nichts aus. Eigentlich …«, sie hielt inne und sah mir in die Augen, »… eigentlich *will* ich es sogar mit dir machen.«

»Danke«, brachte ich mühsam heraus.

»Wir sind soweit«, rief irgend jemand.

Ich erhob mich von meinem Toilettentisch. Nanette musterte mich von oben bis unten. »Schuhe!« rief sie. »Du brauchst noch Schuhe.«

Wir durchwühlten meinen Schrank. Die flachen Treter waren völlig ausgeschlossen, und auch die Delman-Pumps und die Maud-Frizon-Sandaletten schienen nicht ganz passend.

321

»Wie wär's mit denen?« fragte Nanette und hielt die *roten Schuhe* hoch.

»Jetzt macht schon!« riefen mehrere Stimmen.

Ich saß auf der Bettkante und zwängte meine geschwollenen Füße in die *roten Schuhe*. Zuerst dachte ich, ich bekäme sie niemals rein, aber schließlich schaffte ich es doch. Ich hätte gern noch einen letzten prüfenden Blick in den Spiegel geworfen. Aber ich wußte, wenn ich das tat, würde ich es nicht durchstehen.

»Und denk immer dran«, sagte Nanette. »Du darfst nie die Haare im Gesicht haben.«

*»Mimi! Nanette!«*

Ich holte tief Luft. Dann stand ich auf und warf den Kopf zurück. Was immer geschehen mochte, ich war entschlossen, mein Bestes zu geben. Schließlich zählte Joel auf mich. Jeder Schritt kostete mich ungeheure Überwindung. Mit einem Stoßgebet auf den Lippen machte ich mich auf den Weg ins Gästezimmer. Ich *bin* lesbisch, sagte ich mir immer wieder vor. Ich *bin* lesbisch. Ich *bin* lesbisch ...

# Kapitel Einundzwanzig

Ich war Stargast in »The Barbara Walters Special«, und zwar bei der großen Sondershow am Abend vor Thanksgiving. Als weitere Gäste kamen Cher und Nancy Reagan. Nancy zuletzt – immerhin war sie die First Lady. Doch von verschiedenen Leuten – einschließlich Cher – wurde mir versichert, daß die Zuschauer vor allem mich sehen wollten.

»Sie und Joel sind mit den berühmtesten Paaren unseres Jahrhunderts verglichen worden«, begann Barbara. »Der Herzog und die Herzogin von Windsor. Maria Callas und Aristoteles Onassis. John F. Kennedy und Marilyn Monroe. Robert Kennedy und Marilyn Monroe. Jackie Kennedy und Aristoteles Onassis. Die Geschichte Ihrer Liebe hat auf ähnliche Weise die Welt schockiert und fasziniert: Leidenschaft ... Schmerz ... Publicity. Ihre Beziehung wurde vom Papst verurteilt. Die Boulevardpresse widmete Ihnen eine Schlagzeile nach der anderen. Bücher sind über Sie und Ihr Leben geschrieben worden: die einsame Kindheit ... Ihre unerträgliche erste Ehe ... und dann Joel.« Einen Augenblick lang herrschte Stille, und wir senkten alle den Blick. »Und jetzt, nach all den Verwicklungen – *dies!*« Mit einer Handbewegung wies sie auf mein Wohnzimmer. »Erzählen Sie mir und dem verehrten Publikum zu Hause vor dem Bildschirm: Hatten Sie je die leiseste Vorahnung, daß alles so kommen würde? War Ihnen bewußt, welch ... welch außergewöhnliches Schicksal Ihnen bevorstand?«

Ich setzte ein wehmütiges Lächeln auf. Übrigens sah ich hinreißend aus. Die meisterhafte Maskenbildnerin Way

Bandy stand mit einem Zobelpelztupfer in der Hand nur knapp außerhalb der Kamerareichweite. Wir befanden uns irgendwo in Kalifornien. Mir war nicht ganz klar, wie wir hierher gekommen waren, aber ich kann ohne Übertreibung sagen, daß mein Wohnzimmer todschick aussah. Wir saßen auf der phantastischsten Couch, die ich je gesehen hatte: weißer – eigentlich austernfarbener Damast, mit perlweißen Biesen und passenden Fransen an der Unterseite, ganz im Stil von Rothschild. Hinter uns befand sich eine große, getäfelte Ebenholztrennwand.

»Soll ich Ihnen die Wahrheit sagen?« fragte ich.

»Warum nicht?« erwiderte Barbara lachend.

Ich wählte meine Worte mit Bedacht. Ich wollte nicht zu selbstgefällig klingen. Denn diesen Fehler machen die meisten Gäste bei Barbara Walters. Es kommt darauf an, nicht damit hausieren zu gehen, wie feinfühlig man ist; man muß vielmehr eine gewisse Einsicht in die eigene Berühmtheit präsentieren. »Ich habe schon immer gewußt, daß ich anders bin als die anderen. Ein normales Frauenleben interessierte mich einfach nicht. Ich wollte mehr.«

Noch nie hatte ich erlebt, daß jemand so an meinen Lippen hing wie Barbara an diesem Abend. Eigentlich hing sie ein wenig zu sehr daran. Ihr Grinsen hatte etwas von einem Haifisch. Ich wurde allmählich nervös. Das Licht war entsetzlich grell. Dieses Licht! Hatte ich so ein Licht nicht irgendwo schon einmal gesehen?

Mein Blick glitt an Barbara hinab und blieb an ihren Händen kleben. Diese Fingernägel! Sie waren in den verschiedensten Farben lackiert. Auf einem standen Worte … ein Bibelzitat. Ich sah ihr wieder ins Gesicht, doch es war nicht mehr Barbara. Es war Nanette. Sie starrte mich mit ihren Kuhaugen an, und ihre rotgeschminkte Schnute kam bedrohlich auf mich zu …

Schweißgebadet wachte ich auf. Ich war in einem Zimmer, das ich nie zuvor gesehen hatte. Es war in gelblichgraues Morgenlicht getaucht und modern eingerichtet. Ein Säulenfußtisch von Saarinen fiel mir auf. Ich hatte keine Ahnung, wo ich mich befand, und die Vorhänge schwankten hin und her.

Da bemerkte ich, daß jemand neben mir im Bett lag.

Langsam drehte ich mich um … es war Joel.

Natürlich! Die *Queen Elizabeth II!* Wir befanden uns auf der Kreuzfahrt. Jetzt fiel mir alles wieder ein. Wir waren am Abend zuvor gegen halb elf an Bord gegangen. Insgeheim hatte ich gehofft, wir würden uns ins Getümmel an den Bars und in den Salons stürzen, aber der arme Joel war so erschöpft, daß er nicht mal bis zur Mitternachtsgala durchhielt.

Ja, und was für einen tiefen Schlaf er hatte! Einen tiefen, aber äußerst *unruhigen* Schlaf: Ständig wälzte er sich hin und her, zerrte an den Decken und nahm mal dieses, mal jenes Kopfkissen in Beschlag, bis er alle um sich versammelt hatte wie eine kleine Festung. Einmal, gegen halb drei Uhr morgens, wachte er auf und trottete in Richtung Badezimmer, blieb dann aber vor unserem Mini-Kühlschrank stehen (dank einer plötzlichen Stornierung hatte ich eine Luxuskabine ergattert), nahm einen Schluck von seinem Gesundheitstrunk (er hatte zehn Liter davon mitgebracht) und ließ sich dann wieder ins Bett plumpsen. Er schlief sofort weiter.

Ungefähr zwanzig Minuten später hörte ich ihn ganz deutlich sagen: »Es ist ein Klassiker … es ist ein Klassiker.«

Ich dagegen hatte die ganze Nacht fast kein Auge zugetan. Ich fand es viel zu aufregend, daß dieser Mann nun mit mir in einem Bett lag. In einer solchen Situation auch noch schlafen zu können wie ein Murmeltier, war wohl zuviel verlangt. Also richtete ich mich auf eine durchwachte Nacht ein und beschäftigte mich in Gedanken mit der innenarchitektonischen Gestaltung von Musterräumen.

Aber irgendwann muß ich offenbar doch eingenickt sein, denn draußen dämmerte es, und ich hatte Alpträume. Ein Blick auf den Reisewecker sagte mir, daß es erst halb sieben war. Nach einem weiteren Blick auf meinen geliebten Joel, der leise neben mir schnarchte, legte ich mich flach auf den Rücken und versuchte es mit ein paar von den Entspannungsübungen, die mir Dr. Fineman beigebracht hatte. Gerade als ich so weit war, daß die untere Körperhälfte gefühllos wurde, durchzuckte mich eine Empfindung wie ein elektrischer Schlag. Joel hatte seine Hand auf meinen linken Busen gelegt!

Er rutschte näher heran und drehte mich geschickt auf die Seite, bis ich mit dem Rücken zu ihm lag. Seine Hand spielte weiterhin mit meinem Busen herum, umfaßte ihn und fühlte sein Gewicht. Dann glitt sie unter das Oberteil meines Negligés (eine schillernde Trikot-Seiden-Mischung in hellem Apricot; ich hatte es eigens für diese Kreuzfahrt gekauft) und begann, mich in die Brustwarzen zu kneifen.

»Magst du das?« murmelte er mit einer gutturalen Stimme, die jedoch sehr sexy klang.

Oh-oh, dachte ich. Er will mit mir schlafen. Jetzt.

»Entschuldige mich einen Augenblick«, sagte ich und schlüpfte aus dem Bett. Auf diesen Augenblick hatte ich so lange gewartet, daß er einfach perfekt werden mußte. Und während Joel auch morgens um sechs absolut hinreißend aussah, konnte man das von mir nicht behaupten. Also rannte ich ins Badezimmer, bürstete mir die Haare und kümmerte mich um ein paar intime hygienische Kleinigkeiten. Es dauerte nicht lange, zumal ich mehrere Dinge gleichzeitig erledigen konnte.

Als ich jedoch zum Bett zurückkam, fand ich es zu meiner Überraschung leer. Joel machte Kniebeugen auf einem Badetuch, das er auf den Boden gebreitet hatte. Ich lehnte mich in die Kissen zurück und sah ihm eine Weile zu, eine Hand verführerisch unter den Kopf geschoben. Als das nicht funktionierte, versuchte ich es mit einigen anderen Stellungen, aber keine hatte die ersehnte Wirkung. Ohne mich auch nur eines Blickes zu würdigen, ging er zu Liegestützen über, danach zu Sit-ups, und als er mit der Übung begann, bei der man im Schneidersitz dasitzt, den Bauch möglichst weit einzieht und gleichzeitig die Zunge herausstreckt und hechelt – nun ja, da mußte ich der bitteren Wahrheit ins Gesicht sehen: Irgendwie hatte ich den richtigen Augenblick verpaßt.

Als ich dreizehn war, nahm meine Großmutter mich auf eine Reise nach Europa mit. Sie hatte schon immer die Sixtinische Kapelle sehen wollen, und obwohl sie dann ein wenig enttäuscht war, daß die Kirche so »katholisch« aussah, war die übrige Reise (wir fuhren mit einer Gruppe von der Ersten Presbyterianischen Kirche im Omnibus durch die Alpen) einer der Höhepunkte ihres Lebens. Und obwohl dreizehn vielleicht nicht gerade das Alter ist, in dem man die Herrlichkeiten Süddeutschlands zu schätzen weiß, war auch ich außerordentlich beeindruckt. Ich werde nie vergessen, wie ich an Bord jenes französischen Schiffes kam, der *Liberté*. So etwas Prachtvolles bekam man zu Hause in Lubbock nicht zu Gesicht. Mit offenem Mund bestaunte ich den Marmor, die Messingbeschläge, die Wandteppiche, die Kerzenleuchter. Oben im Café de l'Atlantique war eine Bon-Voyage-Party in vollem Gang, die Musikkapelle spielte die aktuellen Schnulzen wie »Autumn Leaves«, »La Vie en Rose«, »C'est si bon« und »If I

Were a Bell«. Dabei beobachtete ich auch etwas, was mich damals in höchstem Maß schockierte: Eine Frau tanzte mit einem Schwarzen.

Nun, im Lauf der Jahre hat sich zweifellos auch bei den Kreuzfahrten einiges geändert. Als Joel und ich an jenem Morgen über die Decks der *Queen Elizabeth II* schlenderten, fiel mir sofort auf, daß die meisten unserer Mitreisenden ganz normale Leute aus der Mittelschicht waren. Kein Glamour – keine … *Klasse*. Ein erschreckend hoher Anteil war bereits über siebzig. Sie traten immer in Gruppen auf und schlurften so langsam durch die Gegend, daß ich sie insgeheim verwünschte. Sobald sie irgendwo eine Toilette entdeckten, wiesen sie einander darauf hin, daß sie bei Bedarf Bescheid wußten. Die jüngeren Passagiere waren zwar lebhafter, aber nicht unbedingt im positiven Sinn. Bereits um elf Uhr vormittags bevölkerten sie die Bars, und es war viel von »einen draufmachen« die Rede. Tom hatte diesen Ausdruck schon immer gehaßt, und ich begriff jetzt, warum. Aber am entsetzlichsten waren die Jugendlichen. Sie befanden sich auf einem Schulausflug – zu meiner Zeit fuhr man nach Williamsburg, besten Dank! – und hatten sich vorgenommen, möglichst viel Alkohol zu konsumieren. Ihre Vorsätze setzten sie sehr erfolgreich in die Tat um, und Joel fing irgendwann an, die Pfützen von Erbrochenem zu zählen, an denen wir vorbeikamen.

Doch er schien sich durchaus zu amüsieren. Daß es etwas ungeschliffen zuging, störte ihn nicht, und auch an unseren langweiligen Mitreisenden nahm er keinen Anstoß. (Joel war nicht der Typ, der gern Leute beobachtet. »Ich lasse sie *mich* beobachten«, sagte er einmal.) Was ihn interessierte – und sogar faszinierte –, war das Schiff selbst. Er hatte sich eine jungenhafte Neugier für Technik und

Maschinen bewahrt: Alles, was man ein- und ausschalten konnte, erregte sofort seine Aufmerksamkeit. Er hatte mir Skizzen für ein Perpetuum mobile gezeigt, das er bauen wollte. Es sollte elektromagnetisch angetrieben werden, und ich hielt es durchaus für möglich, daß das Ding funktionierte.

Im Hauptsaal hing ein Schaubild, das es Joel ganz besonders angetan hatte. Es war ein Diorama der verschiedenen Stärken des Seegangs. Offenbar wird in der Nautik der Seegang nach einer Skala von null bis neun gemessen. Null ist Windstille, neun ein ausgewachsener Sturm.

»Was haben wir denn momentan?« fragte Joel einen älteren britischen Steward, der zufällig gerade vorbeikam.

»Oh, völlig glatte See. So ruhig habe ich das Meer noch selten erlebt.«

Sicher ein gutes Omen.

Nachdem wir die Kommandobrücke besichtigt hatten, wobei der Kapitän Joel ermahnte, das Steuerrad bitte nicht anzufassen, machten wir es uns – geschützt hinter einer Glasfront – in den Liegestühlen auf dem Promenadendeck bequem. Von dort aus hatten wir einen herrlichen Blick auf das Achterdeck und das endlos weite blaue Meer. Während wir zusahen, wie der Ozean an uns vorüberglitt, spürte ich, daß etwas Wunderbares zwischen uns geschah. Zum erstenmal in unserer verrückten Beziehung stellte sich eine Art Vertrautheit ein.

Gewärmt vom Golfstrom und ausgeruht nach einer durchschlafenen Nacht, begann Joel sich mir zu öffnen. Ich lernte eine ganz neue Seite an ihm kennen, sein wahres Ich. Er ließ mich an seinen Hoffnungen und Träumen, ja sogar an seinen geheimsten Ängsten teilhaben.

»Weißt du, wovor ich am meisten Angst habe?« fragte er und blinzelte in die Sonne.

»Wovor?«

»Daß ich erschossen werde.«

Ich ließ mir sein Geständnis einen Augenblick durch den Kopf gehen. »Du meinst, bei einem Raubüberfall oder so?«

»Nein«, erwiderte er. »Von einem Fan.«

»Oje.«

»So was passiert oft. Denk doch nur an John Lennon. Oder an Tim Sloan.« Er schauderte. »Mir läuft's immer noch kalt den Rücken hinunter, wenn ich daran denke, was ihm passiert ist.«

Ich ließ einige Sekunden vergehen, ehe ich leise fragte: »Willst du darüber reden?«

Er seufzte. »Tim Sloan war der heißeste Typ von ganz L. A. Er hat ein Vermögen als Stricher gemacht und sich dann ein eigenes Fitneß-Studio gekauft. Er war der Geliebte des Gouverneurs. Erinnerst du dich noch an diesen bekloppten Gouverneur? Jedenfalls hatte Tim es geschafft. Er hatte alles, was das Herz begehrt. Und dann, als er eines Abends aus dem Ramrod kam, stellte sich ihm ein Typ in den Weg und sagte: ›Du bist zu schön zum Leben‹, und schoß ihm in den Kopf.«

»O mein Gott!«

»Er hatte ihn seit Tagen verfolgt.«

»Das ist ja entsetzlich!«

Joel schwieg eine Weile. »Man hat's nicht leicht, Mimi. Man hat's überhaupt nicht leicht. Als Porno-Star brauchen die Leute dich bloß zu sehen, und schon projizieren sie ihre ganzen Phantasien auf dich.«

Ich versuchte mir vorzustellen, wie es wohl wäre, wenn andere Leute ihre Phantasien auf mich projizierten. »Es ist sicher nicht einfach, damit umzugehen.«

Er tat meinen Einwand mit einer lässigen Handbewegung ab. »Und das ist noch das wenigste.«

»Ja?«

Er lehnte sich zurück und streckte sein Gesicht der Sonne entgegen. »Das Schwierige ist herauszufinden, wie ihre Phantasien aussehen.«

Beim Mittagessen überlegten wir uns, was wir am Nachmittag unternehmen wollten.

»Das Parfüm-Seminar wird dich wohl weniger interessieren, stimmt's?« fragte ich Joel, der in seinen Glasnudeln herumstocherte. Das war das einzige auf der Speisekarte, was sich mit seiner »Greg-Smullen-Katastrophen-Diät« vereinbaren ließ, die speziell für Rekonvaleszenten nach einer schweren Krankheit entwickelt worden war.

»Geh du ruhig hin«, meinte er.

»Ach, ich hasse Parfüms«, erwiderte ich und sah wieder ins Programmheft. Jetzt war Fingerspitzengefühl angesagt. Mit der Funktionsweise der Schiffsmotoren war unser Vormittag ausgefüllt gewesen, aber eine dunkle Ahnung sagte mir, daß die Faszination nicht die gesamte dreitägige Kreuzfahrt anhalten würde.

»Um zwei ist eine Vorführung in Ice-Carving«, wagte ich einen neuen Versuch. »Klingt ganz interessant. Und in der Eisdiele kann man sich seinen eigenen Eisbecher zusammenstellen. Ach so, das hab' ich ganz vergessen – kein Fett ... Wie wär's um drei mit Calypso-Musik am Pool? ... Oder hör dir das mal an: Weinprobe mit ausgewählten Weinsorten von Robert Mondavi. Hmmm? ... Nein? Dann wäre da noch eine kostenlose Einführung in das Glücksspiel ...«

Seine Augen leuchteten auf. »Glücksspiel?«

»Um vier im Spielcasino.«

»Hier gibt es ein Spielcasino?«

Wie sich herausstellte, waren Glücksspiele für Joel ein

großes intellektuelles Vergnügen. Ihm ging es nicht ums Gewinnen, sondern um das Spiel an sich. Er fand es faszinierend, dem Zufall ein Schnippchen zu schlagen. Seiner Ansicht nach war es hauptsächlich eine Frage der Geschicklichkeit, nicht des Glücks. Also gingen wir gleich nach dem Mittagessen ins Spielcasino. Joel gab mir eine kurze Einweisung in die Spielautomaten, und ich gab ihm einhundert Dollar. Damit setzte er sich an den Roulettetisch.

Offen gestanden habe ich bei solchen Sachen immer ein etwas ungutes Gefühl. Ich glaube, das hängt mit meinem Vater zusammen. Er war ein leidenschaftlicher Spieler, bis er bei einem Verkehrsunfall in Santa Monica, Kalifornien, ums Leben kam. (Obwohl mir meine Tante einmal erzählt hat, er sei an einer Lungenentzündung gestorben.) Zu meinen frühesten Kindheitserinnerungen gehört der ewige Krach meiner Eltern über die »schiefe Bahn« – nicht nur im Straßenverkehr.

Ich war also hoch erfreut, als Joel sich bereits knapp fünf Minuten später zu mir an den Einarmigen Banditen gesellte. »Alles schon gesetzt?« fragte ich und griff nach meiner Stola. Doch wie sich herausstellte, wollte Joel lediglich weitere hundert Dollar von mir. Und mit dem gleichen Anliegen erschien er kurze Zeit später noch einmal. Allmählich begann ich mir Sorgen zu machen. Zwar hatte ich ihm gesagt, daß die Kreuzfahrt auf meine Kosten ging, aber Spielverluste hatte ich nicht einkalkuliert. Wenn er weiter in diesem Tempo verlor, war ich in etwa zwanzig Minuten pleite.

Unauffällig pirschte ich mich von hinten an Joel heran und warf einen Blick über seine Schulter. Der Stapel Jetons vor ihm war so klein, daß mein Mund ganz trocken wurde.

»Joel«, sagte ich.

»Pscht«, machte er nur.

»Ihren Einsatz, bitte«, sagte die säuerlich dreinschauende, unattraktive blonde Engländerin, die als Croupier fungierte.

Mit einer schnellen Handbewegung nahm Joel im letzten Moment seinen ganzen Stapel und setzte ihn auf die Dreizehn.

»Joel!« stieß ich hervor.

Die Kugel rollte. Eine beinahe hysterische Unruhe ergriff mich. Was tat er da? Mit meinem Geld! Herr im Himmel! Dann geschah das Allermerkwürdigste: Die Kugel landete auf der Dreizehn.

Die Spätnachmittagssonne schien durch die Fenster des Pubs und schuf Lichtverhältnisse wie in einer Kathedrale. Staubteilchen wirbelten in den goldenen Sonnenstrahlen, und fröhliches Stimmengewirr vermischte sich mit leisen Klavierklängen. Der Ort schien wie geschaffen, um Joels verblüffende Meisterleistung zu feiern; zum erstenmal in unserer Beziehung bestand *er* darauf, die Drinks zu bezahlen.

Die Frau am Klavier war ausgesprochen hübsch, ihr Kaftan in Blau und Silber verlieh ihr etwas Zigeunerhaftes. Sie hatte pechschwarzes Haar und kluge, wissende Augen. Als wir hereinkamen, hatte sie gerade »Send in the Clowns« gespielt, doch als sie uns sah, ging sie in eine andere Tonart über und begann mit einer ruhigen, gefühlvollen Version von Bette Midlers »The Rose«.

»Ist es nicht wunderbar?« sagte ich zu Joel. Wir setzten uns, und ich nahm seine Hand.

»Hmmm«, pflichtete er mir bei, und wir hörten beide eine Weile zu. Ich würde zu gern ein paar Zeilen aus dem ergreifenden Liedtext zitieren, aber leider hat mir Warner Brothers Music, die das Copyright besitzen, die Genehmigung verweigert.

Ich blickte Joel tief in die Augen. »Von jetzt an soll es ... unser Lied sein.«

»Schatz, das ist eine wundervolle Idee.«

Woran ich mich immer noch nicht gewöhnt hatte, war die Art und Weise, wie Joel von anderen Leuten angestarrt wurde. Wissen Sie, es waren keine diskreten Blicke, es war ein ganz unverhohlenes Glotzen. In der 79th Street drehte sich einmal ein Mann nach ihm um und starrte ihm so lange nach, bis er gegen ein Halteverbotsschild donnerte. Ein echter Pechvogel. Und auch jetzt stierte wieder jemand zu uns herüber, ein Mann, der zwei Tische weiter saß und mir irgendwie bekannt vorkam.

»Lieber Himmel«, sagte ich. »Schau nicht hin, aber ist das nicht Fredd C. Hill?«

»Wo?«

Es *war* Fredd C. Hill. Dieses Kindergesicht, die glatten Schnittlauchhaare – unverkennbar, obwohl seine Haut in Wirklichkeit erstaunlich faltig aussah und das Haar längst nicht so blond war wie im Fernsehen, sondern eher rötlichgelb. Ich muß gestehen, daß ich früher einmal – nur vorübergehend – Trost in Hills Mischung aus Ernährungstips und Übungen zur Stärkung des Selbstwertgefühls gefunden habe, mit der er die Herzen des Fernsehpublikums für sich gewann. Aber das war natürlich, bevor ich Tom kennenlernte und merkte, wie »uncool« dieser »Friede-Freude-Eierkuchen-Guru« tatsächlich war.

Freilich waren seine homosexuellen Neigungen ebenso bekannt, und ihretwegen mußte er eine Menge Spott über sich ergehen lassen. Wenn man ihm im richtigen Leben begegnete, wußte man auf den ersten Blick, daß er stockschwul war. Als er jetzt aufsprang und auf uns zulief, gestikulierte er wild mit den Händen. »Ich weiß, wer Sie sind«, säuselte er affektiert. »Sie sind ein ganz, ganz böser Junge!« Keine halbe Minute später waren unsere Tische aneinandergeschoben. Fredd befand sich in Begleitung eines großen jungen Mannes, der mit Südstaatenakzent sprach und Scott hieß. Vorgestellt wurde er uns als Fredds »Reisesekretär«, was auch immer das sein sollte. Er hatte einen himmelblauen Lammwollpullover um die Schultern gelegt und die Ärmel lässig vor der Brust verknotet. Über die jüngste Wendung der Ereignisse schien er – verständlicherweise – alles andere als erfreut zu sein. Fredd ließ Joel keine Sekunde aus den Augen. Er saß auf der Stuhlkante, und ich sah ihn schon jeden Moment herunterfallen. Außerdem umgab ihn eine ziemlich penetrante Duftwolke – Eau Sauvage, würde ich sagen.

»Wenn das Phyllis erfährt! Joe auf der *Queen Elizabeth!* Sie wird vor Neid platzen! Wenn sie nicht gleich tot umfällt! Sie ist nämlich Ihr größter Fan – Phyllis Diller! Wirklich, ganz im Ernst! Sie hat sogar ihren Pudel nach Ihnen benannt! Kommen Sie, geben Sie mir ein Autogramm. Scott, hol doch mal eine Serviette.«

Joel blieb erstaunlich reserviert. Sicher, er war höflich und alles. Aber er hielt Distanz. Er erinnerte mich an ein Lagerfeuer, um das alle herumsitzen. So zurückhaltend hatte ich ihn nicht mehr erlebt seit ... ja, seit jenem Abend im Park. Jenem schicksalhaften ersten Abend ...

Joel war reserviert, aber meine Wenigkeit war genau das Gegenteil. Ich brach bei jedem von Fredds Witzen in schrilles Gelächter aus, sogar bei denen, die ich nicht verstand. Und ich ertappte mich dabei, daß ich ihn mit Komplimenten für seine letzte Show überhäufte, obwohl ich sie gar nicht gesehen hatte. Zum Glück behandelte er mich recht nett und sah mich sogar gelegentlich an, um mich ins Gespräch einzubeziehen. Auch wenn er mich ständig mit »Mamie« anredete.

»Ist dieses Schiff nicht wirklich ungeheuerlich?« meinte er. »Wie eine schwimmende Holiday Inn. Sehen Sie sich die Frau da drüben an: Ihr Slip zeichnet sich ab! Wir sind ja Gott sei Dank nur hier, um Fotos zu machen, für *Good Housekeeping*. Ich wollte den Beitrag ›In der Küche der Queen‹ nennen – hahahahaha! Wir sind buchstäblich die Wände hochgegangen vor lauter Langeweile. Aber jetzt« – er starrte auf Joels Brust – »scheint doch ein bißchen frischer Wind in die Bude zu kommen. Da fällt mir was ein: Besuchen Sie uns doch zu einem Cocktail!«

Joel lächelte. »Ich glaube nicht …«

»Ach, kommen Sie … bitte. Ich bitte Sie ganz lieb!«

Doch Joel blieb unerbittlich, worauf Fredd nur um so inständiger bettelte. »Wir sind in der Queen-Mary-Suite. Die sollten Sie sich mal ansehen. Ganz Cherry Grove. Wir haben sogar ein Bidet. Als Scott es entdeckt hat, meinte er: ›Wozu soll denn das gut sein? Wäscht man da die Babys drin?‹ Da hab' ich gesagt: ›Nein, da wäscht man die Babys *raus*!‹«

Wir lachten, bis uns die Tränen kamen – das heißt, eigentlich nur Fredd C. Hill und ich. Joel saß da wie eine Sphinx. Und Scott paffte eine Zigarette nach der anderen. Als Fredd noch eine Runde bestellte und eine Anekdote über Florence Henderson zum besten gab, fiel mir auf, daß Scott zunehmend mißtrauisch in Joels Richtung äugte.

Für das große Galadinner hatte ich ein stark herabgesetztes Albert-Nipon-Kleid erstanden. Es war mitternachtsblau und mit Goldpailletten besetzt, und ich kann ohne Übertreibung sagen, daß sich alle Blicke auf uns richteten, als wir den Queens-Grillroom betraten. Der Geräuschpegel fiel schlagartig; praktisch der einzige Laut stammte von einem hyperaktiven kleinen Mädchen in einem Ballkleid, das anfing, zu schreien und im Kreis herumzurennen, als es Joel entdeckte.

Er sah hinreißend aus in seinen altbewährten Jeans und dem Armani-Jackett, darunter ein weißes Seidenhemd, das bis zum Nabel offen war und sich um seine prächtig gewölbte Brust spannte. Aus irgendeinem Grund mußte ich dabei an Jane Mansfield denken.

Fredd C. Hill hatte uns bereits bemerkt. Er winkte mit der Serviette und machte lautlose Mundbewegungen.

Es war ein sehr amüsantes Dinner, obwohl ich aus dem Auf und Ab des Schiffes schloß, daß die See nicht mehr so totenstill war. Wir unterhielten uns über Joels Kindheit auf Long Island, ob es sich lohnte, in Öl zu investieren, und was für ein Anhänger am besten zu Joels neuer Halskette passen würde. Da kam er auf einen Ring zu sprechen, den er bei Cartier gesehen hatte. Es klang nach einem ziemlich edlen Stück, aus drei verschiedenen Goldsorten und einem geschnittenen Smaragd. Wie Joel es ausdrückte, könne er sich »mit solchen Klunkern schon anfreunden«. Dann schweifte das Gespräch zum Thema Armbanduhren ab. Ich war erstaunt, wieviel Joel darüber wußte. Wir diskutierten über die Vor- und Nachteile verschiedener Marken, bis das Sorbet serviert wurde.

»Weißt du, Joel«, fing ich an und rührte in meinem Kaffee. Schon geraume Zeit hatte keiner von uns mehr ein Wort gesagt. »Ich werde mir eine Wohnung in der Stadt nehmen. Natürlich nur zur Miete. Vielleicht im Village. Einfach einen Platz, wo ich meine Ruhe habe, bis die Scheidung über die Bühne ist ...«

337

Ich hatte mir alles genau überlegt. Ich würde eine dicke Abfindung von Boyce bekommen. Immerhin hatte ich ihm meine gebärfähigen Jahre geschenkt. Außerdem stand mir die Hälfte des Hauses zu; das machte auf einen Schlag 150 000 Dollar, vielleicht sogar mehr. Und er besaß Wertpapiere und Ersparnisse im Wert von rund 75 000 Dollar, die alle aus der Zeit unserer Ehe stammten. Auch davon würde mir die Hälfte zufallen. Und das war nicht mein einziges finanzielles Polster. Meine Mutter war fünfundsiebzig, und sie hatte Aktien von einer Busgesellschaft in Beaumont – Summe etwa eine Million. Das Geld konnte sie ansonsten höchstens der Kirche vermachen. Außerdem waren da noch die Einnahmen aus dem Film. Nach Joels Worten konnten wir mit Tausenden von Dollar *pro Woche* rechnen. Natürlich mußten wir uns noch ein oder zwei Monate gedulden, bis es soweit war ...

»Jedenfalls habe ich mir ein paar Dinge durch den Kopf gehen lassen. Du mußt ja sowieso bald ausziehen. Und du weißt ja, wie schwer es ist, in New York eine Wohnung zu finden. Deshalb ...«

»Ich hasse das Village.«

»Es muß ja nicht das Village sein. Wie wär's mit der East Side? Dort gefällt's ...«

»Ja, hallo, wen haben wir denn da?«

Wie aus dem Nichts war plötzlich das hyperaktive kleine Mädchen an unserem Tisch aufgetaucht. Sie war ungefähr vier Jahre alt. Ich beäugte sie mißtrauisch.

»Krieg' ich einen Kuß?« forderte sie.

»Aber natürlich«, meinte Joel, beugte sich zu ihr hinab und drückte ihr einen Kuß auf die Backe.

»Nein, doch nicht da!« kreischte die Göre. »Auf den Mund! Auf den Mund!«

Als wir endlich die Mutter des Balgs ausfindig gemacht

hatten und die Situation sich normalisierte, wollte Joel gehen. Zuerst schlenderten wir in den Salon, wo eine Französin auftrat. Vor Jahren war sie im Folies-Bergère ein gefeierter Star gewesen, und ich muß sagen, sie hatte immer noch einiges zu bieten. Die magersüchtige, nicht mehr ganz junge Blondine steppte, hüpfte und tänzelte über die Bühne und sang sich die Seele aus dem Leib. Soviel »pouf« und »alors« habe ich noch nie gehört. Sie schien Joel zu gefallen, doch als sie zum zweitenmal mit »I Love Paris« anfing, spürte ich seine Lippen an meinem Ohr.

»Laß uns gehen.«

Wir begaben uns in unsere Kabine. Joel schloß die Tür hinter uns ab und legte den Schlüssel auf die Kommode. Dann zog er sein Jackett aus und hängte es über einen Bügel. Das war ziemlich ungewöhnlich, ich hatte noch nie gesehen, daß er so ordentlich war. Danach zog er sein Hemd aus.

Ich wußte nicht recht, wie ich mich verhalten sollte, deshalb blieb ich einfach auf der Bettkante sitzen und umklammerte meine Handtasche.

Als nächstes nahm Joel das Kleingeld aus seiner Hosentasche und stapelte es der Größe nach auf. Einen Augenblick lang sah er mich an, als ob er etwas sagen wollte. Aber dann legte er nur seine Armbanduhr ab. Schließlich stand er vor mir, in etwa zwei Metern Entfernung, und kreuzte die Arme vor der Brust.

Ich lächelte ihn aufmunternd an.

»Gott«, sagte er, »was würde ich jetzt für ein bißchen Koks geben!«

»Ich hab' welches«, sagte ich und öffnete meine Handtasche. »Nanette hat es mir gegeben.«

Im Nu hellte sich seine Stimmung auf. Er fing an zu tanzen

und zu singen: »Left a good job in the city …«, während er die Chiffoniere abräumte und das Pulver auf einen Butterteller rieseln ließ, den ich beim Dinner in die Tasche gesteckt hatte und als Andenken mitnehmen wollte. »Mmmm – fein!« meinte er, als er das Pulver mit meiner Kreditkarte in kleine Reihen teilte. Aus seinem Toilettenschrank kramte er einen etwa zehn Zentimeter langen, abgeschnittenen Trinkhalm. »Auf unser Wohl«, sagte er und nahm mit jedem Nasenloch einen tiefen Zug. »Hier«, sagte er und hielt mir den Halm hin.

»Nein, danke, lieber nicht.«

Er schniefte, als müsse er sich die Nase putzen, und zog sich dabei weiter aus, allerdings ziemlich unkoordiniert. Erst löste er den einen Schnürsenkel, dann zog er den Reißverschluß seiner Hose herunter, danach widmete er sich wieder dem Schnürsenkel. Während er auf einem Bein stand und sich der Unterhose entledigte, fiel sein Blick zufällig auf sein Spiegelbild. »Hol mir das Babyöl«, befahl er.

Ich fand es in seinem zweiten Kulturbeutel. Als ich zurückkam, hatte Joel nichts mehr an außer den Socken. Er griff nach der Flasche und verteilte die Flüssigkeit auf Brust, Schultern, Unterleib, Schenkeln und Armen. Dabei verbrauchte er etwa den halben Flascheninhalt. Ich hielt mich unaufdringlich in der Nähe, falls er mich zum Rücken-Einölen brauchte.

Der Anblick seines glänzenden Körpers im Spiegel schien eine elektrisierende Wirkung auf ihn zu haben. Er war wie ein Schauspieler, der sich in Sekundenbruchteilen von Dr. Jekyll in Mr. Hyde verwandeln konnte, ohne dafür Make-up zu benötigen. Ein tiefes Knurren drang tief aus seiner Brust, und er warf sich in verschiedene Posen, die teilweise an Bodybuilder erinnerten, teilweise eindeutig sexuell gefärbt waren. Mit zunehmend steigender Lust veränderte sich auch sein Gesichtsausdruck auf ganz erstaunliche Weise. Joels Züge waren normalerweise schon bemerkenswert, aber jetzt glühten sie förmlich vor Sinnlichkeit. Die Augenlider senkten sich verführerisch, die Zunge fuhr sanft über die gekräuselten Lippen.

Ungefähr zu diesem Zeitpunkt fiel sein Blick auf mein Bild im Spiegel.

»Hey, Süße«, sagte er. »Wie wär's mit ein bißchen Sex?«

»Okay«, erwiderte ich.

Obwohl ich diesen Augenblick schon lange herbeigesehnt hatte, war ich von meinen Gefühlen überwältigt, als ich in seinen Armen lag. Ich klammerte mich an ihn wie an einen Rettungsreifen, drückte mein Gesicht an seine ölverschmierte Brust und wimmerte: »Ach, Joel … ach, Joel.« Ich wollte mich in ihm verlieren, ein Teil von ihm werden, das und *nur* das tun, was er von mir verlangte, in einem finsteren Zimmer in einer Ecke liegen und erst zum Leben erwachen, wenn er zu mir kam, mein Leben ein Nichts, erfüllt nur in diesen Momenten der Glückseligkeit …

»Autsch«, sagte er, als er sich an meinen Pailletten kratzte. »Zieh das lieber aus.«

Ich riß mir das Albert-Nipon-Kleid vom Leib wie eine Mutter, die in den Fluß springt, um ihr ertrinkendes Kind zu retten. Durch das Öl war es ohnehin ruiniert. Wenige Sekunden später war ich nackt, und unsere Körper berührten sich, seiner hart wie Stahl und ölglänzend, meiner etwas weicher und blasser …

»Blas mir einen …«, sagte er und drückte mich auf die Knie.

Ich starrte seinen Penis an. Er war noch kleiner, als ich ihn in Erinnerung hatte, und alles andere als steif. Na schön, dachte ich, das wird sich gleich ändern.

Ich nahm ihn in den Mund und machte mich ans Werk, so, wie ich es in den ungeschnittenen Filmaufnahmen gesehen hatte: kräftiges Saugen und schnelle, rhythmische Kopfbewegungen, auf und ab. Bedauerlicherweise war der Penis im wahrsten Sinne des Wortes nicht greifbar. Ständig glitt er mir mit einem deutlich vernehmbaren »Plopp« aus dem Mund.

Ich gab mir wirklich die größte Mühe. Eine ganze Weile rackerte ich mich ab, und ich hätte es noch länger versucht, aber irgendwann nahm Joel die Sache selbst in die Hand. Ich lehnte mich zurück und sah ihm zu, während ich meine verkrampften Kiefermuskeln zu entspannen versuchte.

Und tatsächlich bekam Joel langsam, aber sicher eine Erektion, während er sich im Spiegel betrachtete. Mit einer Hand strich er sich über den Körper, mit der anderen rubbelte er an seinem Penis. Ich hatte das Gefühl, daß ich nicht untätig bleiben durfte, und begann, seine Waden zu streicheln. Er blickte mit etwas erstaunter Miene zu mir herab, ließ mich aber gewähren.

Als der Penis einigermaßen erigiert war, wischte sich Joel die Hände an einer Socke ab und beugte sich über die Chiffoniere, um noch etwas Kokain zu schnupfen. Er nahm einen so tiefen Zug, daß ich dachte, die Glasur würde mit abgehen. Unterdessen saß ich auf dem Boden und sah zu jenen berühmten »knackigen Arschbacken« hoch, denen er soviel Fanpost verdankte. Im Gegensatz zum übrigen Körper waren sie bleich und käsig. »Ganzkörperbräune schadet in meiner Branche nur«, sagte er oft.

Da richtete er sich auf und gab mir den Halm. »Nimm auch was«, sagte er. Ich zögerte. »Na los.«

Also tat ich es schließlich doch. Ich steckte den Trinkhalm in die Nase und beugte mich vor. Mit aller Kraft sog ich eine drei Zentimeter lange Linie Kokain ein. Es prickelte in meinen Nebenhöhlen, ansonsten spürte ich kaum etwas. Dann wiederholte ich dieselbe Prozedur mit dem anderen Nasenloch.

»Los, aufs Bett«, befahl Joel.

Unsicheren Schritts tat ich, wie mir geheißen. Meine Beine wollte mir nicht recht gehorchen. Auf halbem Weg fühlte ich mich plötzlich sehr eigenartig: Die Wände begannen zu wackeln, und das Licht wurde unnatürlich grell. Einen Moment lang fürchtete ich, ohnmächtig zu werden, aber zum Glück schaffte ich es gerade noch rechtzeitig, ließ mich aufs Bett fallen, und wenige Sekunden später fühlte ich mich schon sehr viel wohler.

Joel genehmigte sich noch eine »Line« und kam dann ins Bett.

»Ach, mein Geliebter«, seufzte ich.

»Beine auseinander«, sagte er und kroch zu mir. Sekunden später lag er auf mir. Schweißperlen tropften auf mein Gesicht; eine landete in meinem Auge. Es brannte höllisch. Ich sah ein kleines weißes Kokainklümpchen, das in seinem linken Nasenloch hängengeblieben war. »Ach, Joel«, wimmerte ich.

Er grunzte und versuchte mit der rechten Hand, seinen Penis in Positur zu bringen, leider war er immer noch nicht hart genug. Also setzte er sich auf und onanierte eine Weile, wobei er von Zeit zu Zeit seine Stellung veränderte, damit er sich im Spiegel betrachten konnte. Dann versuchte er es erneut.

Diesmal hatte ich das Gefühl, daß er ihn hineinbekommen würde. Ich atmete tief ein und legte den Kopf in den Nacken – was vielleicht ein Fehler war, denn in diesem Moment wurde mir entsetzlich übel. Ich versuchte es zu unterdrücken. Alles, woran ich denken konnte, war der

Lachs vom Abendessen, der Endiviensalat, der Wein, das Schaukeln des Schiffs, das Kokain ...

»Soll ich's dir besorgen, du Schlampe?«

Ich versuchte, zustimmend zu lächeln – vergeblich. Es ließ sich nicht mehr aufhalten. Mit einem unterdrückten Schrei wandte ich den Kopf zur Seite und übergab mich ins Kissen, nur wenige Zentimeter neben Joels entsetztem, verschwitztem Gesicht.

Joel war ein Engel. Sofort rief er den Steward, der das Bett neu bezog, dann den Schiffsarzt, der eine »ganz typische« Seekrankheit diagnostizierte und mir mehrere Zäpfchen verpaßte. Als sie gegangen waren, steckte Joel mich wieder ins Bett, tauchte ein Handtuch in heißes Wasser und zeigte mir, wie ich es auf Gesicht und Nacken legen mußte, um die Übelkeit zu bekämpfen. »Vertrau mir«, sagte er. »Ich habe schon öfter mitgekriegt, wie Leute sich übergeben.«

»Ach, Joel«, seufzte ich. »Ich fühle mich so scheußlich.«

»Du solltest dich mal im Spiegel sehen.«

»Ich meine deinetwegen. Ich verderbe dir die ganze Kreuzfahrt.«

»Um mich brauchst du dir keine Gedanken zu machen.«

Das Medikament wirkte praktisch sofort, und mich überkam eine bleierne Müdigkeit. Joel zog wieder seine Jeans und ein »Muskelshirt« an, setzte sich neben mich und wartete, bis ich eingeschlafen war. »Schlaf«, befahl er und tätschelte zärtlich meine Schulter. »Schlaf.«

# Kapitel Zweiundzwanzig

Ich wachte ein letztesmal in der Dunkelheit auf. Irgend etwas hatte sich verändert. Aber was? Die dämmerige Kabine sah aus wie immer; die gräßliche Luxuskabine, die mir inzwischen aus tiefster Seele verhaßt war. Derselbe säuerliche Geruch hing in der Luft, die gleichen Berge schmutziger Wäsche lagen herum. Trotzdem hatte sich etwas verändert. Aber was?

Das Schiff schaukelte nicht mehr!

Mit wackeligen Knien stand ich auf und stakste zum Bullauge. Fünfzehn Meter entfernt sah ich die schwarzen Umrisse eines anderen Schiffes. Nein, stimmt nicht. Es war ein Pier. Von links fiel Licht in meine Augen. Es war das Empire State Building.

Ich konnte mir nicht erklären, was passiert war. Warum waren wir denn mitten in der Nacht zu Hause in New York? Hatten alle anderen das Schiff verlassen und mich vergessen? Wo war Joel? Was war hier los?

Ich spähte den Gang hinunter. Links und rechts stapelte sich Gepäck, und es war so hell, daß ich die Augen zusammenkneifen mußte. Ein Steward mit einem Gladiolenstrauß im Arm kam vorbei. »Sir«, rief ich ihm hinterher. »Wie spät ist es, bitte?«

»Sechs Uhr, Ma'am. Wir haben soeben in New York angelegt.«

Ich rechnete hoch. Meine Übelkeit hatte vor, sagen wir mal … knapp dreißig Stunden eingesetzt. Dreißig Stunden! Ich versuchte, die Mosaiksteinchen zusammenzusetzen. Zwar wußte ich noch, daß ich mich mit einiger Regelmäßigkeit übergeben hatte, alles andere war verschwommen: bizarre Träume, Dunkelheit und hämmernde Kopfschmerzen. Ich glaubte mich erinnern zu können, daß Joel neben mir stand und mich drängte, noch eine von seinen Schlaftabletten zu nehmen ...

*Wo steckte er bloß?*

O Gott, ich hatte ihn vertrieben! Wahrscheinlich war er gezwungen gewesen, sich eine andere Kabine zu nehmen. Aber seine Sachen waren noch hier! Ich rannte von einem Koffer zum nächsten, um mich zu vergewissern.

Da mir nichts Besseres einfiel, nahm ich schnell eine Dusche und zog mich an. Dann setzte ich mich in den Sessel. Inzwischen wurde es hell. Da hörte ich einen Schlüssel in der Tür. Der Türknopf drehte sich, und die Tür wurde leise geöffnet. Joel schlich auf Zehenspitzen herein und blieb wie angewurzelt stehen, als er mich in einem aquamarinblauen Hosenanzug aus Alcantara dasitzen sah.

»Geht's dir besser?«

»Ja, viel besser«, antwortete ich strahlend. »Ich hoffe, du kannst mir verzeihen.«

»Verzeihen? Was?«

»Daß ich alles verdorben habe.«

Er lachte, als wollte er sagen: »Bist du verrückt?«, was mich augenblicklich aufbaute. So lachte niemand, dem eine Kreuzfahrt verdorben worden war. Seit Wochen hatte ich ihn nicht mehr so gut gelaunt gesehen. Mein Joel war wieder ganz der alte, soviel stand fest.

Wir fingen an zu packen. Wie ich, glaube ich, bereits erwähnt habe, reiste Joel immer mit Unmengen von Gepäck – so hatten wir uns ja kennengelernt, erinnern Sie sich? –, und diese Kurzreise bildete keine Ausnahme. Er hatte für die drei Tage drei Koffer mitgebracht und alle vollständig ausgepackt. Also machte ich mich daran, ihm beim Einräumen zu helfen, nachdem ich mit meiner Reisetasche fertig war. Während ich im Badezimmer seine Toilettensachen zusammensuchte, fiel mein Blick auf die kleinen Härchen im Waschbecken. Merkwürdig, dachte ich. Er hat wieder angefangen, sich die Schamhaare zu schneiden.

Joels Besitztümer hatten in seine Koffer gepaßt, als wir an Bord gegangen waren, aber als wir jetzt das Schiff verlassen wollten, schien sich jedes einzelne Molekül vergrößert zu haben. Nur mit Mühe gelang es uns, die Klamotten, die Bibliothek von Ernährungsratgebern, das Lieblingshandtuch, ohne das er niemals verreiste, die Nachschlagewerke zum Thema Filmschnitt, die Fitneßzeitschriften, dazu Papier und Schreibzeug, Terminkalender und Bleistiftschachteln hineinzustopfen. Aber wir konnten uns abmühen, wie wir wollten – die schmutzige Unterwäsche paßte nicht mehr hinein.

»Hier«, sagte er und überreichte mir seine Slips. »Paß du ein Weilchen auf sie auf.«

Das war typisch Joel – was vorbei ist, ist vorbei. Wir waren wieder in New York, und soweit es ihn betraf, gehörte die Kreuzfahrt der Vergangenheit an. Die Ausschiffung begann erst gegen acht Uhr, und er konnte es kaum erwarten, vom Schiff zu kommen. Wie Sie sich sicher vorstellen können, erging es mir ähnlich.

Also machten wir uns samt Gepäck auf den Weg. Wir quetschten uns durch die mit Koffern und Taschen verstellten Gänge, an Wäschestapeln vorbei, zwei Treppen hinunter, an der Lladro-Boutique nach links zur Ausschiffungshalle.

Plötzlich blieb Joel stehen. Er starrte einen Steward an, der mit einem Klemmbrett in der Hand neben der Gangway stand. »Hast du eigentlich bezahlt?«

»Was bezahlt?«

»Die Rechnung von der Bar und so.«

»Du lieber Himmel, nein!«

»Gib mir deine Kreditkarte.«

»Ach, du meine Güte!« seufzte ich und kramte in meiner Handtasche. »Was ist mit den Trinkgeldern?«

»Zerbrich dir deswegen nicht den Kopf.«

Ich konnte doch unmöglich Joel die Trinkgelder zahlen lassen! Nein, das *ging* wirklich nicht. Das Problem bedrückte mich noch, als er von dem Kassenschalter zurückkam, wir die mit Segeltuch überdachte Gangway hinabschwankten und endlich wieder festen Boden unter den Füßen hatten. Tat das aber gut, von diesem verdammten Schiff runter zu sein! Jetzt konnte das Leben neu beginnen. Und ich hatte ja auch alle Hände voll zu tun: einen Film schneiden, den Versandservice wieder auf Vordermann bringen, die Scheidung einreichen ... Ich nahm einen tiefen Zug der kühlen, klaren New Yorker Luft.

Da dies eine Kreuzfahrt nach Nirgendwo gewesen war, gab es keinerlei Zollformalitäten. Dennoch waren bereits überraschend viele Frühaufsteher auf der Gangway, um das Schiff zu verlassen; außerdem Besatzungsmitglieder, die sich auf die Sehenswürdigkeiten und Geschäfte von New York City stürzen wollten. Lieferanten rüsteten die *Queen* bereits für ihre nächste Fahrt aus, eine fünftägige Reise zur kanadischen Küste; sie sollte um vier Uhr ablegen. Joel, ein Gepäckstück in jeder Hand und eins unter den rechten Arm geklemmt, eilte wieselflink durch das Chaos, und ich hatte Mühe, Schritt zu halten. Alles, was ich von ihm sehen konnte, war sein Rücken, etwa sechs Meter vor mir.

Draußen an der Straße standen jede Menge Taxis. Und mittendrin parkte eine lange schwarze Limousine. Ein Mann ließ die getönte Scheibe herunter und winkte uns zu. Es war Fredd C. Hill.

Ich winkte zurück. Wollte er uns mitnehmen? Wie nett! Ich holte zu Joel auf.

Er hatte seine Gepäckstücke inzwischen abgestellt und stand reglos daneben. Ich fand das etwas befremdlich, doch da bedeutete er mir mit einer Handbewegung, zu ihm zu kommen.

»Hör zu«, sagte er. »Ich muß für ein paar Tage nach Los Angeles. Ruf Magna Sound an und sag den Termin ab. Ich muß das auf später verschieben.«

»Du mußt nach L. A.?«

»Ja.«

»Wann?«

Er sah auf seine Armbanduhr. »Um elf.«

»Heute *morgen?*«

»Es ist Fredds Idee. Wir wollen Phyllis Diller einen Streich spielen.«

Ich warf einen Blick auf die Limousine – Entschuldigung, den *Wagen*. Fredd C. Hill war inzwischen ausgestiegen und überwachte das Öffnen des Kofferraums. Scott, der Reisesekretär, war nirgends zu sehen.

»Schaffst du es allein nach Hause?« hörte ich Joel fragen.

»Ich ... glaube schon.«

»Komm doch mal her.« Er nahm mich in die Arme. »Es war großartig«, flüsterte er mir ins Ohr. »Das Schiff war großartig. Das Essen war großartig. Und du warst großartig.«

»Wann kommst du zurück?«

»Montag. Oder Dienstag. Spätestens Mittwoch.«

Ich klammerte mich an sein Revers und preßte mein Gesicht gegen seine Schulter. Ich konnte nicht glauben, daß das passierte; es war wie ein böser Traum. Da roch ich es. Ein ganz leichter Geruch, den ich bisher noch nie an Joel wahrgenommen hatte. Zuerst konnte ich ihn nicht genau einordnen, aber dann wußte ich: Es war Eau Sauvage.

»Hey, du Clown«, rief Fredd C. Hill. »Laß uns endlich fahren.«

Joel küßte mich auf die Wange. »Tschüs, Mimi.«

Aus irgendeinem Grund konnte ich ihn einfach nicht loslassen. Ich hielt mich noch immer an ihm fest, als er losging, und dieses kindische Manöver brachte mich zum Straucheln. Zuerst fiel ich auf die Knie, dann bäuchlings auf den Asphalt. Ich grapschte nach seinem Hosenbein. Er versuchte sich mit einem Ruck loszureißen, aber ich ließ nicht locker und wurde einen halben Meter über den Bürgersteig geschleift. Glücklicherweise kam Joel wieder zu Sinnen. Er blieb stehen, beugte sich zu mir herab und half mir auf.

»Laß den Unsinn, Mimi«, zischte er zwischen zusammengebissenen Zähnen. »Die Leute glotzen schon.« Er bugsierte mich zu einem Treppenschacht, wo wir mehr oder weniger unter vier Augen waren. Dort klopften wir meinen Hosenanzug ab.

»Du hängst an mir wie eine Klette. Ich hab' die Nase voll davon.«

»Aber Joel ...«

»Du hast was gekriegt für dein Geld.«

»Ich hab' noch mehr Geld.«

»Soviel Geld gibt's auf der ganzen Welt nicht.«

Reglos standen wir uns gegenüber.

»Aber Joel, wir haben ... Liebe gemacht.«

Er schnaubte verächtlich. »Wir hatten *miserablen Sex*. Sonst nichts. Sex mit dir ist *miserabel*, Mimi. Ich schwöre dir, das war der *miserabelste* Sex meines Lebens.«

Und mit diesen Worten ging er. Er räumte sein Gepäck in Fredd C. Hills Limousine, und dann rauschten sie davon, die Twelfth Avenue hoch, direkt über eine rote Ampel.

Der Schock einer öffentlichen Demütigung ist so groß, daß es eine Weile dauert, bis sich Körper und Geist wieder beruhigt haben – normalerweise zwei bis drei Stunden. Ich war schon halb in Bronxville, ehe ich wieder klar denken konnte. Genaugenommen fuhr ich schon den Bronx River Parkway entlang und kam gerade an der Cardinal Feeney High School vorbei, als mir bewußt wurde, wie absolut und total ausweglos meine Situation war.

*Ich war bis über beide Ohren verschuldet.* Ich schuldete praktisch jedem Geld; meine Post bestand nur noch aus Briefen von Inkassounternehmen. Macy's rief regelmäßig an und bestand auf umgehender Bezahlung. Ich hatte meine Kreditkarten mit Tausenden und Abertausenden von Dollars belastet. Und ich hatte nichts mehr, was ich versetzen konnte.

*Am Freitag kam Boyce zurück.* Er würde die Sache mit dem Geld rauskriegen, und alles andere auch. Diese Aussicht machte mir angst. Sich in einen anderen Mann zu verlieben, ist eine Sache; aber sich derart für dumm verkaufen zu lassen, wie ich es geschafft hatte, ist etwas anderes.

Doch im Prinzip war es der Anblick von Bronxville, der mir zu Bewußtsein brachte, daß mein Schicksal besiegelt war. Noch nie hatte dieser Stadtteil eine solch majestätische Bürgerlichkeit ausgestrahlt. Mächtig ragten die Ulmen und Pappeln vor der Niederländisch-Reformierten Kirche auf (die wichtigste Kirche in Bronxville); die Pondfield Road prunkte mit florierenden Geschäften; da war die Bellis-Apotheke, dort war Continentale, wo Karen mir donnerstags immer die Haare machte. Ich hätte so gern dazugehört, mich eingefügt – tja, das konnte ich nach diesem Film endgültig vergessen. Ich ertrug den Gedanken nicht, daß ganz Bronxville mir zusah, wie ich solche Sachen machte. Lieber wollte ich sterben.

Ich fuhr die Auffahrt hoch und nahm mein Gepäck aus dem Kofferraum. In der Eile riß ich mir einen Fingernagel ein, aber ich achtete gar nicht darauf. Den Zeitungsstapel, der sich während meiner Abwesenheit vor der Tür aufgetürmt hatte, schob ich mit dem Fuß beiseite. Drinnen war es kalt und still wie in einem Grab. Kein Hund rannte zur Begrüßung schwanzwedelnd auf mich zu.

Wie gelähmt stand ich da und nahm nur das Pochen meines Herzens wahr – und den verkommenen Zustand meines Hauses. In jeder Ecke schien ein angebissenes Beignet zu liegen. (Die Abschlußparty hatte unter dem Motto »New Orleans« gestanden.) Gedanken und Erinnerungen überschlugen sich in meinem Kopf. Ich sah meinen Vater vor mir, wie er Bier trank; meine Mutter, wie sie mir die Haare mit einer Heim-Dauerwelle eindrehte. Ich war wieder bei Art Resources, zusammen mit Tom und Lavinia. Ich küßte Nanette.

Der Wahnsinn streckte drohend seine Klauen nach mir aus. Entsetzt rannte ich nach oben. Kleine Feuerbälle explodierten, sie zerplatzten vor mir in der Luft. In jedem erkannte ich Joels Gesicht. Sie vermehrten sich, ballten sich zusammen, drangen in mich ein. Dann verschwanden sie wieder, und ich konnte durch mein Schlafzimmerfenster lediglich Mrs. Garretts Haus schimmern sehen.

War mir je etwas Gutes widerfahren? Hatte ich in meinem Leben je etwas Schönes erlebt? Hatte ich wenigstens *einmal* Glück gehabt?

Ich ging ins Bad neben dem Schlafzimmer. Mein Gesicht war kalkweiß. Im Medizinschränkchen kramte ich nach dem alten Aspirin-Fläschchen, in dem ich mein Valium versteckte. Es mußten noch etwa fünfzehn Tabletten dasein.

Falsch.

Es waren nur noch drei.

Wie angewurzelt stand ich da und starrte sie an. Das waren die Porno-Stars gewesen! Sie hatte mir mein Valium geklaut.

Dann sank ich auf den Toilettensitz. Und nun? Mir kam eine Idee – die Zäpfchen! Es waren noch ziemlich viele übrig. Aus irgendeinem Grund hatte mir der Arzt eine Unmenge davon gegeben – als ob ich drauf und dran wäre, per Schiff eine Weltreise zu unternehmen. Nicht eine Sekunde zweifelte ich daran, daß es funktionieren würde. Man konnte im Brustkorb spüren, wie sie die Atemfrequenz herabsetzten. Diese Dinger waren echte »Hämmer«.

Da ich nun wußte, was ich tun wollte, überkam mich eine große innere Ruhe. Ja, ich schloß beinahe Frieden mit der Welt. Ich kämmte mich und zog mein bestes Nachthemd an. Auf den Plattenteller legte ich *The Carpenters' Christmas Album*, eine Musik, die ich immer als sehr tröstlich empfunden habe. Dann setzte ich mich hin und schrieb meinen Abschiedsbrief.

Das war ein schwieriges Unterfangen. Die Wörter entglitten mir, alles klang entweder zu weinerlich oder zu selbstmitleidig oder zu wütend. Hier das, wofür ich mich letztlich entschieden habe, obwohl ich *nicht ganz* glücklich damit war:

*Ihr Lieben*
*alle,*

*ich entschuldige mich schon im voraus für all den Ärger und die Aufregung, die diese und auch meine früheren Handlungen Euch verursachen mögen. Ich habe Euch alle geliebt. Aber niemand hat mich je geliebt.*
*Seid mir nicht böse,*

*Mimi*

Mit einer Büroklammer befestigte ich meinen Organspenderausweis an der Notiz und legte sie direkt hinter der Schlafzimmertür auf den Boden, wo man sie nicht übersehen konnte. Dann ging ich ins Badezimmer, legte mich auf die Badematte und schob meinen Morgenrock hoch. Ich hatte elf Zäpfchen. Sie waren auf einem breiten perforierten Streifen wie Karussellfahrscheine untereinander geschweißt. Ich riß eines davon ab und drückte es durch die Folie. Es sah aus wie weiße Schokolade und war unheimlich schmierig. So für sich betrachtet sah es nicht unbedingt lebensgefährlich aus. Bevor ich den Mut verlieren konnte, führte ich es ein.

Gerade als ich mühsam das dritte aus der Packung pulte, klingelte das Telefon. Das erschreckte mich so, daß mir das Zäpfchen wie eine kleine Rakete zwischen den Fingern durchflutschte und quer durchs Badezimmer schoß. Wer konnte das sein? Wer in aller Welt konnte das sein? Da fiel es mir ein. *Er rief an, um sich zu entschuldigen!* Ich sprang auf und rannte zum Telefon.

»Hallo?«

»Mimi?«

Es war nicht Joel. Es war ein Mann, dessen Stimme ich nicht auf Anhieb erkannte.

»Ja?«

»Hier spricht Ronald Reagan.«

Das machte mich sofort mißtrauisch. Obwohl – der Mann klang tatsächlich wie Reagan.

»Nancy und ich wollten Sie wissen lassen, daß wir für Sie beten.«

»Oh, ja?«

»Er war ein Held, Mimi.«

Er war ein billiger Nassauer, dachte ich. Aber warum ruft mich der Präsident an, um mit mir über mein Liebesleben zu sprechen? War das vielleicht – war ich dem Tod schon so nahe, daß ich übersinnliche Wahrnehmungen hatte?

»Ich habe die Luftwaffe angewiesen, ihn nach Hause zu bringen«, fuhr der Präsident fort. »Und Sie brauchen sich um gar nichts zu kümmern. Es war eine schreckliche Tragödie, aber ganz unabhängig davon, wie viele Menschen ihr Leben gelassen haben, wie viele sterben mußten, Boyce war etwas Besonderes. Er hat sich für Indien eingesetzt, Mimi. Er hat sich für die Menschen eingesetzt. Und das ist es, was zählt.«

»Oh, ja«, stimmte ich zu. Tragödie? Sein Leben gelassen?

»Wenn es irgend etwas gibt, was ich für Sie tun kann, zögern Sie bitte nicht, mich anzurufen. Nancy und ich beten für Sie, Mimi. Alle beten für Sie. Gerade haben wir im Kabinett gemeinsam ein Gebet gesprochen.«

»Vielen Dank.«

»Alles Gute für Sie. Auf Wiederhören.«

»Wiederhören.«

Ich legte auf und schleppte mich hinunter zur Haustür. Auf dem Treppenabsatz lag die Morgenzeitung. BEI UNFALL IN INDISCHER CHEMIEFABRIK VERMUTLICH TAUSENDE VON TOTEN, lautete die Schlagzeile. Darunter das Foto eines alten Inders mit Turban auf einer Trage. »Auch ein Amerikaner unter den Opfern«, hieß es in einer Zwischenüberschrift. »Union Carbide bestätigte, daß einer ihrer Auslandsmitarbeiter, ein amerikanischer Ingenieur, bei dem Unfall ums Leben kam. Er führte zu diesem Zeitpunkt die Oberaufsicht über die Fabrikanlage. Seine Identität wird vorerst zurückgehalten, bis die nächsten Angehörigen verständigt worden sind.«

Ich faltete die Zeitung zusammen und ging ins Wohnzimmer, wo ich mich aufs Sofa fallen ließ. Wieder klingelte das Telefon, es hörte gar nicht mehr auf, und kurz darauf klopfte jemand an die Haustür. Aber ich konnte mich nicht von der Stelle rühren, ich war wie gelähmt. Ich konnte einfach nur dasitzen und meinen Gedanken nachhängen: *Wie merkwürdig und wie wunderbar, daß es doch wirklich und wahrhaftig einen Gott gibt …*

# Epilog

Der Gedenkgottesdienst für Tom war zwar unsäglich traurig, aber zugleich auch das erlesenste gesellschaftliche Ereignis, dem ich je beiwohnen durfte. Die Feier fand im Sitzungssaal des Rockefeller Brothers Fund statt. Auf ausdrücklichen Wunsch der Familie ist dieser Raum nur selten fotografiert worden, doch er ist unbestritten eines der Glanzlichter des Rockefeller Center. Angeblich zeichnet Ruhlmann für die Innenarchitektur verantwortlich, und in der Tat trägt sie eindeutig die »Handschrift« des Meisters des Art Deco: Sechs Meter hohe, mächtige vergoldete Säulen, gekrönt von blutrot gestrichenen ionischen Kapitellen, und eine gläserne Kassettendecke. In Nischen an der Nordseite sieht man die berühmten Fresken von Sert, auf denen dargestellt ist, in welchen Bereichen sich die Stiftung besonders engagiert: Kultur, Heilkunst und sozialer Fortschritt. Für den heutigen Anlaß hatte Blanchette Rockefeller den Saal zur Verfügung gestellt, obwohl sie leider nicht persönlich anwesend sein konnte; sie weilte zur Zeit mit den Kissingers auf dem Machu Picchu.

Im Nachruf der *Times* war als Beginn der Feierlichkeiten fünfzehn Uhr angegeben. Da ich nicht zu früh erscheinen wollte, ging ich noch ein paarmal um den Block – vielleicht einmal zu oft, denn als ich den Saal betrat, waren alle guten Plätze besetzt. Nur weiter hinten war noch etwas frei, und ich ließ mich behutsam auf einen dieser zierlichen goldenen Stühle nieder, die sonst bei Modeschauen aufgestellt werden. Die getragene Melodie von »Iris, Hence Away« aus *Semele* erklang aus zahlreichen

Lautsprechern, die eigens für die Gedenkfeier aufgestellt worden waren.

Das Aufgebot an Trauergästen war beeindruckend: Clovis Ruffin schluchzte leise vor sich hin und hielt Händchen mit einer Frau, die ich als die Journalistin Nikki Haskell identifizierte. Garry Grossman und Bob Shear erschienen zusammen mit dem Filmkritiker Vito Russo und dem Schriftsteller Larry Kramer, der sich unablässig Notizen machte. Auch jener hünenhafte junge Mann kam, den alle immer nur Margo nannten; er trug einen Cowboyhut. Unter den Trauernden waren außerdem Felice Picano sowie Robert Mapplethorpe in einer schwarzen Lederjacke, der mit seinem spitz vorstehenden Kinn große Ähnlichkeit mit einem Alligator hatte, sowie Claudia Hipp, Seth Allen plus Schwester und die Gebrüder Baum. Larry Plotkin war nicht gekommen, aber Danny DeCarlo und Robert Warshawsky mit einer Tüte von der chemischen Reinigung unter dem Arm. Alan Herz war eigens aus Taos angereist, und ich konnte auch Matt Lambert und den Besitzer von Dean & DeLuca ausmachen. Bob Donnelley erschien an der Seite eines atemberaubenden finnischen Models; außerdem sichtete ich den Leiter des Französischen Filmbüros. Auch Henry Geldzahler hatte es sich nicht nehmen lassen, persönlich teilzunehmen, und zwar in Begleitung eines attraktiven jungen Asiaten, der bei der Denkmalpflege arbeitete.

Natürlich verirrte sich auch ganz gewöhnliches Volk hierher, und – wer hätte das gedacht – ich kannte sie alle. Zum Beispiel Georgie McOsker, der mit ein paar Klonen aufkreuzte. Sie quetschten sich in die zweite Reihe und schneuzten sich demonstrativ in ihre Cocktail-Servietten – selbst in diesem Moment dachten sie nur an ihre gesellschaftlichen Aufstiegschancen. Und Ronald Russo war da, blonder denn je und in den extra weit geschnittenen Klamotten, die gerade Mode waren, ihm aber gar nicht standen. Unsere Blicke kreuzten sich, und ich winkte ihm diskret zu; er zwinkerte und erwiderte meinen Gruß.

Soweit ich es beurteilen konnte, war niemand von Toms Familie anwesend. Offenbar hatte ihnen schon die eigentliche Bestattung vor drei Wochen in Davenport genügt. Und die Tatsache, daß Tom selbst nicht kommen würde – daran konnte ich mich einfach nicht gewöhnen. Stellvertretend für ihn stand jedoch auf einem kleinen runden Tisch ein wunderschönes Blumenarrangement von Mädderlake, mit Freesien und weißen Gartenlilien.

»Die Vase hätte ihm nicht gefallen«, flüsterte der Mann direkt hinter mir. »Zuviel Dunkelrot.«

Die Musik verklang, und die Hauptleidtragenden traten aus dem Vorraum herein. Die traurige Prozession wurde von Floyd angeführt, der einen mitleiderregenden Anblick bot. Er war gramgebeugt und hatte ziemlich abgenommen. Am Ellbogen stützte ihn Lavinia. Sie war absolut gefaßt und hatte alles im Griff – nicht nur sich selbst, sondern auch Floyd und den gesamten Ablauf der Feierlichkeiten.

Ein gutaussehender Priester der Episkopalkirche – der aus Staten Island? – begann den Gottesdienst, indem er uns begrüßte und betonte, daß wir zusammengekommen waren, um Toms Leben zu feiern, nicht, um seinen Tod zu betrauern. Dann verlas er ein selbstverfaßtes Gedicht mit dem entsetzlichen Titel: »Stille, stille, stille, es geschehe Gottes Wille.« Anschließend wurden die Gäste gebeten, vorzutreten und die anderen an ihren Erinnerungen teilhaben zu lassen. Einen peinlichen Augenblick lang sah es aus, als ob keiner der Aufforderung Folge leisten würde. Doch dann erhob sich ein Jurist namens Greg, den ich einmal im Five Oaks kennengelernt hatte (wo er eine amüsante Version von »Ssssteam Heat« zum besten gab), und erzählte eine ziemlich selbstgefällige Anekdote, wie Tom beim regelmäßigen gemeinsamen Sonntagsbrunch in Clyde's Restaurant immer für ihn dagewesen sei. Damit war der Bann gebrochen, und bald wetteiferten die Gäste darum, wer mit Tom am engsten befreundet gewesen war. Viele erzählten von witzigen Vorfällen, in denen des öfteren das Toupet auftauchte, das Tom zur Kaschierung seines Haarausfalls getragen hatte. Die meisten Redner kannte ich oder konnte sie zumindest einordnen; lediglich ein paar waren mir fremd – insbesondere eine stämmige, auffällig gekleidete Frau in einem magentaroten, sarongartigen Rock, die ihre Ansprache mit den Worten begann, sie sei Tom erst zwei Wochen vor seinem Tod begegnet. Ich gewann den Eindruck, daß sie eine dieser berühmten mildtätigen Freiwilligen war, die in den Korridoren des Saint Vincent Hospital herumlungerten und mit den Todkranken Scrabble spielten. Der Tom, den sie beschrieb, war mir allerdings ein Unbekannter: Ohne Murren habe er sich in sein Schicksal gefügt, sei immer für andere dagewesen und habe ihnen Trost zugesprochen. Während der Rede dieser »Heiligen« beobachtete ich Lavinia; ihr Gesichtsausdruck verriet unverhohlene Skepsis und Spuren einer gewissen Eifersucht. Zum Glück wies der nächste Redner gleich zu Anfang darauf hin, was für eine entsetzliche »Nervensäge« Tom manchmal gewesen war, was allgemeine Heiterkeit hervorrief.

Ich saß da und dachte angestrengt nach: Sollte ich auch etwas sagen? In meinen Gedanken entspann sich eine Geschichte, die um so beeindruckender war, als sie von vorn bis hinten der Wahrheit entsprach. Sie handelte davon, wie Tom mich in Hunting World entdeckt und meinem Leben eine neue Richtung gegeben hatte; wie er mein Mentor wurde; wie ich durch ihn mit Stil, Geistesgröße und eleganten französischen Möbeln vertraut wurde. Mein Leben hatte erst in dem Moment begonnen, als ich Tom kennenlernte. Er hatte mich, ein Nichts, einen Niemand, ein menschliches Abfallprodukt, aufgelesen und zu dem gemacht, was ich heute war. Ich hatte ihn so sehr geliebt, daß mir selbst jetzt noch die Tränen kamen, wenn ich daran zurückdachte. Und das sollten alle erfahren.

Ich machte mich bereit für meinen Auftritt, nahm meinen ganzen Mut zusammen und wollte mich erheben, sobald mein Vorredner, der Leiter der innenarchitektonischen Abteilung von Cooper-Hewitt, geendet hatte. Da merkte ich zum Glück, worüber der Mann sprach: Es ging in seiner Rede ausschließlich darum, daß Tom ein Herz für Gestrauchelte und Verlierer hatte!

Puh, da hätte ich mich beinahe blamiert!

Als die Beiträge sich zu wiederholen begannen und die Gedanken der Zuhörer allmählich von Tom abschweiften und sich wieder mehr den Fresken zuwandten, da erschien keine Geringere als Kitty Carlisle Hart, von Kopf bis Fuß in schwarzer Seide, am Ausschnitt und an den Ärmeln mit Straußenfedern geschmückt. Sie stellte sich neben den Flügel und sang sehr eindrucksvoll Mimis »Addio« aus *La Bohème*. Das war zuviel für mich; ich begann haltlos zu schluchzen.

»Gute Nacht, süßer Prinz«, sagte Mrs. Hart, während der Schlußakkord verklang. Dann bat sie die Gäste, sich durch die Flügeltüren – sechs Meter hoch und aus massivem Messing – auf die Terrasse hinaus zu begeben, wo jedem ein weißer Luftballon in die Hand gedrückt wurde. Da standen wir dann eine Weile mit unseren Ballons – so manches Schluchzen war zu hören! – und nahmen ein letztesmal Abschied von Tom. Als erster ließ Floyd seinen Luftballon los, dann Lavinia, dann Georgie McOsker, und schon bald stieg ein ganzer Schwarm weißer Ballons in den Himmel über Manhattan. Das Leben kann so grausam sein, dachte ich. So grausam und doch so zerbrechlich. Und dennoch klammern wir uns mit aller Kraft daran fest. Ich ließ meinen Ballon los. Er gewann erstaunlich schnell an Höhe und schwebte gen Osten davon, in Richtung Saks.

Ich dachte, das wäre das Ende der Feier, doch als wir zurück in den Sitzungsraum kamen, hatte er sich wie durch Zauberhand in einen Festsaal verwandelt. Die Stühle waren zu kleinen Gruppen zusammengestellt, vor dem Fresko der Heilkunst war eine Bar aufgebaut, und todschicke junge Kellner/Mannequins/Schauspieler kredenzten Champagner auf silbernen Tabletts. Am Flügel spielte jemand Kander-and-Ebb-Melodien.

Ich nahm ein Glas, trank aber nicht daraus. Die Leute vom Partyservice sind bekannterweise alle schwul, und man konnte nie wissen, wo das Glas vorher gewesen war, wie gründlich es gespült worden war und vor allem: von wem. Schließlich las ich regelmäßig Zeitung, und die Ängste wegen meiner Vergangenheit hatten mir in letzter Zeit oft genug den Schlaf geraubt. Aufgrund meiner sexuellen Vorgeschichte bestand nach Expertenmeinung eine Wahrscheinlichkeit von knapp eins zu zehntausend, daß ich mich angesteckt hatte. Es sah also nicht allzugut für mich aus, und ich wollte das Risiko nicht noch erhöhen.

Was eigentlich schade war, denn ich hätte gern einen Schluck getrunken. Außerdem fand ich niemanden, mit dem ich mich hätte unterhalten können. Zwar wußte ich, daß ich Floyd mein Beileid hätte aussprechen sollen, aber der Meinung war wohl jeder, denn er war ständig von Leu-

362

ten umlagert. Tatsächlich standen die Kondolierenden schon in einem zweiten Kreis um den inneren Zirkel und warteten darauf, daß eine Lücke frei wurde.

»Er ist ebenfalls krank«, hörte ich eine Stimme von links und wandte den Kopf. Neben mir stand ein kleiner, älterer Mann, weißhaarig und verschrumpelt, in brauner Polyesterhose und einem Sakko im Country-Look à la Roy Rogers. Daß so jemand beim Gedenkgottesdienst für Tom auftauchen würde, hätte man absolut nicht erwartet.

»Ach ja?« erwiderte ich der Höflichkeit halber.

»Die sind alle infiziert.« Mit der Sektflöte in der Hand machte er eine ausladende Bewegung über die ganze Menge hinweg. »Zumindest die Hälfte von ihnen. Nein, mehr als die Hälfte. Zwei Drittel. Schauen Sie sich doch nur mal ihre Augen an. In drei Jahren sind die alle tot.«

»Tatsächlich?« sagte ich und überlegte mir bereits, wie ich ihn loswerden konnte.

»Tom hatte Glück. Er war einer der ersten ...«

»Lavinia!« rief ich aus, denn sie kam zufällig in genau diesem Augenblick vorbei.

»Mimi!«

Nach einigen Umarmungen und Schluchzern begaben wir uns zu einer Sitzbank am anderen Ende des Saals. Dort berichtete mir Lavinia in leisem, eindringlichem Ton von Toms letzten Tagen. Als es dem Ende zuging, sei er absolut unausstehlich geworden, sagte sie – am Tag vor seinem Tod habe er ihr eine schreckliche Szene gemacht, weil sie ihm seinen Grapefruitsaft im falschen Glas servierte, dem mit dem dicken Rand, aus dem man so schlecht trinken konnte. Zu diesem Zeitpunkt wog er noch neununddreißig Kilo und war blind.

Wir schauderten beide. Doch eine Frage lag mir noch auf der Zunge.

»Das Toupet …«, fing ich an. »Hatte er es auch im Krankenhaus auf?«

»Mimi«, erwiderte Lavinia und sah mir tief in die Augen, »er ist sogar mit Toupet eingeäschert worden.«

Wir schwiegen einen Moment. Plötzlich zuckte sie mit einem Stöhnen zusammen, als würde ihr gerade klar, daß sie ihre guten Manieren vergessen hatte, und faßte nach meiner Hand. »Ihr Ehemann!« stieß sie hervor. »Wie furchtbar!«

»Ja, in der Tat«, bestätigte ich und blickte zu Boden. Obwohl ich sagen muß, daß Union Carbide sich mir gegenüber sehr großzügig verhalten hatte. Schon die erste angebotene Entschädigungssumme war schwindelerregend hoch gewesen; doch mein Anwalt bestand darauf, daß ich mich nicht damit zufriedengeben und das Doppelte fordern sollte. Die Verhandlungen waren noch im Gange. Ich darf Ihnen nicht verraten, um welchen Betrag es dabei ging, aber eines war gewiß: Für eine Zwei- bis Drei-Zimmer-Suite am *Sutton Place* würde es durchaus reichen.

»Sie haben mir sehr gefehlt«, gestand Lavinia stockend.

»Sie mir auch«, erwiderte ich, und ich meinte es auch so. Durch die Schicksalsschläge, die sie in jüngster Zeit hatte hinnehmen müssen, war sie viel ruhiger geworden. Ihre forsche Art hatte sich gemildert, und sie strahlte etwas aus, was ich als Reife bezeichnen möchte. Eine kleine, dünne Narbe zog sich über ihre Wange. Ob das der Koala gewesen war?

»Wir sollten mal zusammen essen gehen«, schlug Lavinia vor.

»Gute Idee«, erwiderte ich.

»Kommen Sie doch einfach mal im Büro vorbei«, meinte sie. »Und überhaupt, wenn Sie Zeit haben und etwas zu tun brauchen …«

Ehe sie zu Ende sprechen konnte, ging ein Raunen durch die Menge, und wir sahen zur Tür, wo sich uns ein ganz außergewöhnlicher Anblick bot. Dulcie, der homosexuelle Transvestit, war soeben eingetroffen – natürlich mit der in der Schickeria üblichen Verspätung und dem entsprechenden Gefolge, ohne das sich kein Transvestit, der etwas auf sich hielt, in der Öffentlichkeit blicken ließ. »Sie« war von Kopf bis Fuß schwarz gekleidet: ein Norell-Futteralkleid mit gefältelten Ärmeln, Glacéhandschuhe und ein breitkrempiger Damenhut mit Chiffonschleier. Aller Augen ruhten auf »ihr« – nur meine nicht. Ich starrte den Anführer des Gefolges an: Es war Laurence O'Boyle.

Während Lavinia aufsprang, um in ihrer Rolle als Quasi-Gastgeberin die Neuankömmlinge zu begrüßen, blieb ich wie gelähmt sitzen. Es war entsetzlich, was der bloße Anblick von Laurence in mir auslöste. Von einem Moment auf den anderen drängte sich alles wieder in mein Bewußtsein, die Erinnerungen, der Schmerz ... Mein erster Impuls war, ihm aus dem Weg zu gehen. Doch dann spürte ich, wie mich eine eigenartige Stärke und Tapferkeit durchdrang, und ich wußte: jetzt oder nie.

Einer Eingebung folgend, begab ich mich zum Büfett. Und natürlich stand er keine Minute später neben mir.

»Ach – Laurence ...!« Meine Überraschung klang beinahe echt.

»Mimi!« kreischte er, und wir fielen uns in die Arme. »Ich bin jetzt im Kabelfernsehen. Chanel J, lokal. Haben Sie mich gesehen? Immer donnerstags um elf Uhr fünfundvierzig. Nur diesen Donnerstag nicht, da fängt's erst um zwölf Uhr fünfundvierzig an. Aber nächsten Donnerstag dann wieder ...« In diesem Stil ging es eine ganze Weile. Anscheinend war er recht erfolgreich. Momentan ließ er sich ein Stück schreiben, und erst kürzlich war er für die

Titelseite eines Schwulen-Magazins fotografiert worden. Jetzt bot ihm das Duplex eine Spielzeit von einem ganzen Monat an ...

Ich hörte ihm zu, aber nur mit halbem Ohr. Zu viele Gedanken gingen mir durch den Kopf. War ich auch so gewesen? Eine Art Sklave Sheldon? Ein José Antonio? Und Laurence O'Boyle? Mein Gott, es gab so viele von uns. Unmengen ... Menschen, die einsam waren, die sich verzweifelt nach Liebe sehnten. Die jeden Preis bezahlten für einen einzigen Blick, einen winzigen Moment der Aufmerksamkeit, eine Berührung, einen Kuß ...

»Raten Sie mal, wen ich in meine Show eingeladen habe«, sagte Laurence O'Boyle.

»Show?«

»Meine Show im Kabelfernsehen.«

»Wen denn?«

»Joel.«

Jetzt war es heraus, unwiderruflich, endgültig. »Wie geht es ihm?«

»Na, Sie kennen ja Joel«, meinte Laurence und rollte die Augen, halb bewundernd, halb spöttisch. »Er wohnt jetzt in Palm Springs. Mit einem Mann, der das ganze Geld von diesem Bremsen-und-Auspuff-Unternehmen erbt.«

Einen Sekundenbruchteil sah ich Joel vor mir, wie er sich am Swimmingpool aalte und mit Babyöl einrieb.

»Und ... gesundheitlich?«

Laurence lachte. »Meine Liebe, der wird uns alle überleben, glauben Sie mir. Unkraut vergeht nicht.«

»Und ... der Film?«

»Ach, mit dem wird er wohl nie fertig werden. Jetzt macht er ein Fitneß-Studio auf. Das war ja schon immer sein Wunschtraum, ein eigenes Fitneß-Studio.«

»Und, wird er in Ihrer Show auftreten?«

Laurence lachte wieder. »Er hat gesagt, ihn kriegen keine zehn Pferde zurück nach New York.«

Es war Zeit für mich zu gehen. Ohne viel Aufhebens verließ ich den Saal und fuhr mit dem Lift zum Ausgang. Also würde Joel nicht nach New York zurückkommen. Keine zehn Pferde kriegten ihn hierher. Was war der Grund? Konnte es sein, daß er doch etwas für mich empfunden hatte? Daß ich, wenn auch nur für kurze Augenblicke, seinen Panzer durchdrungen hatte? Schließlich hatte er mir damals seine Unterwäsche anvertraut. Das konnte sonst niemand von sich behaupten. Und ich bewahre sie immer noch auf – sieben Unterhosen. Sie lagen luftdicht verpackt in einem großen Tiefkühlbehälter, den ich – aus verständlichen hygienischen Gründen – nie öffnete. Nur manchmal nahm ich ihn heraus und betrachtete ihn.

Ich ging in Richtung Westen zur Parkgarage. Über New Jersey braute sich ein Gewitter zusammen, mächtige dunkle Wolken türmten sich auf. Plötzlich blieb ich wie angewurzelt stehen. Ja, das war genau die Farbe, die mein neues Schlafzimmer brauchte! Dieses dunkle Silbergrau, das ich jetzt am Himmel sah und das so streng und rein und doch so erlesen wirkte! Ursprünglich hatte ich an helle, fröhliche Farben gedacht, doch jetzt sah ich alles anders, und genau so war es richtig.

Ich setzte meinen Weg fort und genoß jenes Hochgefühl, das eine neue, aufregende Einrichtungsidee auslöst. In Zukunft würde sich einiges ändern, beschloß ich. Ich würde Lavinia anrufen. Sie hatte mir ja ziemlich unmißverständlich zu verstehen gegeben, daß Arts Resources mich mit offenen Armen empfangen würde. Und mit meinen neuerworbenen Kenntnissen in Produktion und Vertrieb war ich ein echter Gewinn für die Firma. Vor meinem geistigen Auge sah ich mich bereits am Schreibtisch

sitzen – an Toms Schreibtisch, versteht sich, aber nun war er aufgeräumt und blitzblank, und eine hübsche Vase mit Lilien stand darauf –, wie ich mit Mrs. R. telefonierte. »Blanchette? Hallo. Ich bin's, Mimi.«
Es würde einfach *fabelhaft* werden.